CID-10

Classificação de Transtornos Mentais e de Comportamento da CID-10

Descrições clínicas e diretrizes diagnósticas

Associação Brasileira de Psiquiatria

A Artmed é a editora oficial da ABP

614c   Classificação de Transtornos mentais e de Comportamento da CID-10: Descrições Clínicas e Diretrizes Diagnósticas – Coord. Organiz. Mund. da Saúde ; trad. Dorgival Caetano. – Porto Alegre: Artmed, 1993.

ISBN 978-85-7307-724-7

1. Psiquiatria – Transtornos Mentais. I. OMS. II. Título.

CDU 616.89

Bibliotecária responsável: Mônica Ballejo Canto – CRB 10/1023

Classificação de Transtornos Mentais e de Comportamento da CID-10

Descrições clínicas e diretrizes diagnósticas

Tradução e Prefácio à Edição Brasileira:
Prof. Dr. Dorgival Caetano
Diretor do Centro Colaborador da OMS/UNICAMP para Pesquisa e Treinamento em Saúde Mental

Com a colaboração de:
Drª Maria Lúcia Domingues e Dr. Marco Antônio Marcolin

Reimpressão 2011

Organização Mundial de Saúde
Genebra

1993

Obra originalmente publicada em inglês sob o título
The ICD-10 Classification of Mental and Behavioural Disorders
Clinical descriptions and diagnostic guidelines
© World Health Organization – 1992

Capa:
Mário Röhnelt

Supervisão Editorial:
Delmar Paulsen

Composição e Arte Final:
VS Digital

CLASSIFICAÇÃO DE TRANSTORNOS MENTAIS E DE COMPORTAMENTO DA CID-l0 é publicado em língua portuguesa pela EDITORA ARTES MÉDICAS SUL LTDA., por permissão do Diretor-Geral da Organização Mundial de Saúde.

O Editor e o Dr. Dorgival Caetano são conjuntamente responsáveis pela edição em língua portuguesa.

As publicações da Organização Mundial de Saúde têm proteção de direitos autorais de acordo com as cláusulas do Protocolo 2 da Convenção Universal de Direitos Autorais. Todos os direitos são reservados.

Reservados todos os direitos de publicação, em língua portuguesa, à
ARTMED® EDITORA S.A.
Av. Jerônimo de Ornelas, 670 - Santana
90040-340 Porto Alegre RS
Fone (51) 3027-7000 Fax (51) 3027-7070

É proibida a duplicação ou reprodução deste volume, no todo ou em parte, sob quaisquer formas ou por quaisquer meios (eletrônico, mecânico, gravação, fotocópia, distribuição na Web e outros), sem permissão expressa da Editora.

SÃO PAULO
Av. Embaixador Macedo Soares, 10.735 - Pavilhão 5 - Cond. Espace Center Vila Anastácio
05095-035 São Paulo SP
Fone (11) 3665-1100 Fax (11) 3667-1333

SAC 0800 703-3444

IMPRESSO NO BRASIL
PRINTED IN BRAZIL

Sumário

Prefácio à edição brasileira vii

Apresentação à edição brasileira ix

Prefácio xi

Agradecimentos xv

Introdução 1

Notas sobre categorias selecionadas na classificação de transtornos mentais e de comportamento na CID-10 8

Lista de categorias 21

Descrições clínicas e diretrizes diagnósticas 41

Anexo. Outras condições da CID-10 frequentemente associadas a transtornos mentais e de comportamento 284

Lista de investigadores principais 303

Índice 317

Prefácio à Edição Brasileira

Prof. Dr. Dorgival Caetano
Diretor do Centro Colaborador da OMS/UNICAMP para
Pesquisa e Treinamento em Saúde Mental

Os trabalhos com o Capítulo V: Transtornos Mentais e de Comportamento da CID-10 se iniciaram no Brasil em meados de 1986 quando fomos designados *Field Trial Coordinating Centre* para testagem de campo da CID-10 (Capítulo V) para países de língua portuguesa. Nessa época, foi realizada uma tradução provisória, a qual contou com a contribuição de colegas de diferentes regiões do País. Esta tradução sofreu várias modificações decorrentes de contribuições de pesquisadores e instituições de várias partes do mundo e sobretudo daquelas devido aos resultados dos testes de campo.

Uma das últimas versões da CID-10 foi revista pelo Prof. J. Leme Lopes que uniformizou a terminologia psicopatológica. A tradução atual foi realizada diretamente da versão publicada em inglês em 1992.

Nós agradecemos ao Dr. Norman Sartorius, Diretor Geral da Divisão de Saúde Mental da Organização Mundial de Saúde e ao Prof. Dr. J. A. Costa e Silva, Presidente da Associação Mundial de Psiquiatria, pelo constante apoio e incentivo a este trabalho.

Apresentação à Edição Brasileira

Prof. Jorge Alberto Costa e Silva
Presidente Associação Mundial de Psiquiatria

A CID-10 na sua 10ª Revisão no Capítulo V sobre os Transtornos Mentais e de Comportamento representa um importante avanço na Classificação Internacional das Doenças Mentais. Foi fruto de um grande esforço coletivo internacional.

No final do século XVIII, Pinel fazia grande revolução do diagnóstico dos transtornos mentais. No final do século XIX, coube a E. Kraepelin fazer a segunda revolução. Em nosso ponto de vista, esse Capítulo V da 10ª Revisão da CID da OMS vem a ser a revolução do diagnóstico psiquiátrico deste final de século. O mérito desta Classificação não pode ser tributado a uma só pessoa, mas, sem dúvida, se tivermos que destacar aquele que foi seu inspirador e o maestro da imensa orquestra que a compôs, sem sombra de dúvida foi o Dr. Norman Sartorius, Diretor Geral de Saúde Mental da Organização Mundial de Saúde em Genebra. Graças a ele, este enorme trabalho foi realizado em distintas partes do mundo. Entre outros nomes, teremos que destacar o Dr. A. Jablensky que durante muito tempo trabalhou na Divisão de Saúde Mental da OMS em Genebra, assim como os Drs. J. Burk, J.E. Cooper e J. Mezzich.

Inúmeros centros colaboradores também atuaram neste importante trabalho. A Associação Mundial de Psiquiatria, desde o início colaborou ativamente neste enorme projeto, na pessoa do Dr. J. Mezzich, hoje presidente da nossa Secção de Nomenclatura e Classificação. Entre os organismos que deram importante contribuição a este projeto estão a Administração de Álcool e Abuso de Drogas e Saúde Mental dos Estados Unidos (ADAMHA), a Associação Psiquiátrica Americana (APA) com o DSM-IV, a Federação Mundial de Neurologia, a União Internacional de Sociedades Psicológicas, os governos-membros da OMS como Alemanha, Holanda, Espanha, Bélgica e Estados Unidos.

Assim, a proposta da CID-10 é o produto da colaboração, no autêntico sentido das palavras, de inúmeras pessoas e organismos de muitos países. Espera-se, portanto, que este esforço seja uma ajuda poderosa para todos aqueles que estão implicados na atenção dos doentes mentais e suas famílias em todo o mundo. Uma classificação não pode nunca ser perfeita e sempre será possível introduzir melhorias e simplificações no futuro, na medida em que aumentem o nosso conhecimento e a experiência com a própria Classificação. O fardo de recolher e assimilar os comentários e resultados das investigações sobre a Classificação recairá durante muito tempo sobre os centros que colaboraram com a OMS na sua criação.

O Brasil colaborou no Estudo de Campo, sob a coordenação do Dr. Dorgival Caetano, do Departamento de Psiquiatria da Universidade de Campinas – São Paulo.

Quando a Associação Mundial de Psiquiatria resolveu criar um programa de Educação sobre a CID-10, passamos a fazer este programa em diversas línguas e entre elas incluímos a portuguesa. Assim, solicitamos ao Dr. Dorgival Caetano, pelo Centro Colaborador da OMS, e ao Dr. Miguel Jorge, membro da Secção de Nomenclatura e Classificação da Associação Mundial de Psiquiatria, que representassem não somente a AMP, mas a Associação Brasileira de Psiquiatria para que juntos trabalhassem para a criação do Programa Educacional para o Brasil, que deveremos brevemente estender a Portugal.

Aproveitamos a ocasião em que se realiza pela primeira vez no Hemisfério Sul do Planeta o IX Congresso Mundial de Psiquiatria, na cidade do Rio de Janeiro, para fazer o lançamento oficial deste programa educacional da CID-10, versão para língua portuguesa. Este programa educacional foi o principal compromisso que tive com a Associação Mundial de Psiquiatria na minha eleição como Presidente, em Atenas, 1989. Hoje, este projeto é uma grande realidade, constando de mais de 11 programas em diversos campos da psiquiatria, inclusive este programa da CID-10. Consideramos a divulgação desta linguagem universal, no campo da psiquiatria, de importância fundamental para ajudar o desenvolvimento e os estudos sobre os Transtornos Mentais através do mundo.

A Associação Mundial de Psiquiatria estará dando, assim, uma importante contribuição aos projetos de Educação Continuada, através de mais de 100 sociedades nacionais, filiadas no mundo.

Prefácio

Norman Sartorius
Diretor, Divisão de Saúde Mental
Organização Mundial de Saúde

Nos primeiros anos da década de 60, o programa de Saúde Mental da Organização Mundial de Saúde (OMS) tornou-se ativamente empenhado num programa para melhorar o diagnóstico e a classificação de transtornos mentais. Naquela época, a OMS convocou uma série de encontros para rever o conhecimento, envolvendo ativamente representantes de diferentes disciplinas, várias escolas de pensamento em psiquiatria e todas as partes do mundo no programa. Estimulou e conduziu pesquisa sobre critérios para a classificação e a confiabilidade de diagnóstico, produziu e estabeleceu procedimentos para a avaliação conjunta de entrevistas gravadas em vídeo e outros métodos úteis em pesquisa. Numerosas propostas para melhorar a classificação de transtornos mentais resultaram do extenso processo de consulta e essas foram usadas no rascunho da Oitava Revisão da Classificação Internacional de Doenças (CID-8). Um glossário definindo cada categoria de transtorno mental na CID-8 foi também desenvolvido. As atividades do programa também resultaram no estabelecimento de uma rede de indivíduos e centros que continuaram a trabalhar em temas relacionados ao melhoramento da classificação psiquiátrica [1,2].

A década de 70 assistiu ao crescimento mais extenso do interesse em melhorar a classificação psiquiátrica por todo o mundo. A expansão de contatos internacionais, a realização de vários estudos colaborativos internacionais e a disponibilidade de novos tratamentos, tudo contribuiu para esta tendência. Várias associações psiquiátricas nacionais encorajaram o desenvolvimento de critérios específicos para classificação, com o intuito de melhorar a fidedignidade diagnóstica. Em particular, a Associação Psiquiátrica Americana desenvolveu e promulgou sua Terceira Revisão do Manual de Diagnóstico e Estatística, a qual incorporou critérios operacionais em seu sistema de classificação.

Em 1978, a OMS entrou em um projeto colaborativo a longo prazo com a Administração de Saúde Mental e Abuso de Álcool e Drogas (ASMAAD) nos EUA, visando facilitar melhoramentos ulteriores na classificação e no diagnóstico de transtornos mentais e problemas relacionados a álcool e drogas [3]. Uma série de seminários uniu cientistas de muitas tradições psiquiátricas e culturas diferentes, revisou conhecimentos em áreas específicas e desenvolveu recomendações para pesquisa futura. Uma grande conferência internacional em classificação e diagnóstico foi realizada em Copenhagem, Dinamarca, em 1982, para rever as recomendações provenientes destes seminários e para esboçar uma agenda de pesquisa e diretrizes para trabalho futuro [4].

Vários esforços importantes de pesquisa foram empreendidos para implementar as recomendações da conferência de Copenhagem. Um deles, envolvendo centros em 17 países, teve como seu objetivo o desenvolvimento da Entrevista Diagnóstica Internacional Composta, um instrumento adequado para conduzir estudos epidemiológicos de transtornos mentais em grupos de população geral em diferentes países ([5]). Outro projeto importante concentrou-se em desenvolver um instrumento de avaliação adequado para uso por clínicos (Quadros para Avaliação Clínica em Neuropsiquiatria) ([6]). Ainda um outro estudo foi iniciado para desenvolver um instrumento para a avaliação de transtornos de personalidade em diferentes países (o Exame Internacional de Transtorno de Personalidade) ([7]).

Em adição, vários léxicos foram ou estão sendo preparados para prover definições claras de termos ([8]). Um relacionamento mutuamente benéfico evoluiu entre esses projetos e o trabalho em definições de transtornos mentais e de comportamento na Décima Revisão da Classificação Internacional de Doenças e Problemas de Saúde Relacionados (CID-10) ([9]). Converter critérios diagnósticos em algarismos diagnósticos incorporados em instrumentos de avaliação foi útil para revelar inconsistências, ambiguidades e sobreposições e permitir sua remoção. O trabalho no aperfeiçoamento da CID-10 também ajudou a adaptar os instrumentos de avaliação. O resultado final foi um conjunto claro de critérios para a CID-10 e instrumentos de avaliação os quais podem produzir dados necessários para a classificação de transtornos de acordo com os critérios incluídos no Capítulo V (F) da CID-10.

A conferência de Copenhagem também recomendou que os pontos de vista das diferentes tradições psiquiátricas fossem apresentados em publicações descrevendo as origens da classificação na CID-10. Isto resultou em várias publicações importantes, incluindo um volume que contém uma série de apresentações focalizando as origens da classificação na psiquiatria contemporânea ([10]).

A preparação e a publicação deste trabalho, *Descrições clínicas e diretrizes diagnósticas*, é a culminância dos esforços de muitas pessoas que têm contribuído para isso por muitos anos. O trabalho passou por vários esboços principais, cada um preparado após consulta extensa com painéis de especialistas, sociedades psiquiátricas nacionais e internacionais e consultores individuais. O esboço em uso em 1987 foi a base dos testes de campo conduzidos em cerca de 40 países, o qual constituiu o maior esforço de pesquisa de seu tipo já planejado para melhorar o diagnóstico psiquiátrico ([11,12]). Os resultados dos testes foram usados na finalização dessas diretrizes.

Este trabalho é o primeiro de uma série de publicações desenvolvidas a partir do Capítulo V (F) da CID-10. Outros textos incluirão critérios diagnósticos para pesquisadores, uma versão para uso por equipe de cuidados gerais de saúde, uma apresentação multiaxial e "cruzamentos", permitindo a identificação de termos correspondentes na CID-10, CID-9 e CID-8.

PREFÁCIO

O uso desta publicação é descrito na Introdução e uma seção posterior do livro fornece notas sobre algumas dificuldades de classificação frequentemente discutidas. Uma seção de Agradecimentos é de particular significação, uma vez que ela testemunha o vasto número de especialistas individuais e instituições, por todo o mundo, que participaram ativamente na produção da classificação e das diretrizes. Todas as maiores tradições e escolas de psiquiatria estão representadas, o que dá a este trabalho seu caráter excepcionalmente internacional. A classificação e as diretrizes foram produzidas e testadas em muitas línguas; espera-se que o árduo processo de assegurar equivalência de traduções tenha resultado em melhoramentos dos textos em termos de clareza, simplicidade e estrutura lógica dos mesmos em inglês e em outras línguas.

Uma classificação é um modo de ver o mundo de um ponto no tempo. Não há dúvida de que o progresso científico e a experiência com o uso dessas diretrizes irão requerer suas revisões e atualizações. Eu espero que tais revisões sejam o produto da mesma colaboração científica mundial cordial e produtiva a qual originou o corrente texto.

Referências

1. Kramer, M. et al. The ICD-9 classifications of mental disorders: a review of its developments and contents. *Acta psychiatrica scandinavica*, **59**: 241-262 (1979).

2. Sartorius, N. Classification: an international perspective. *Psychiatric annals*, **6**: 22-35 (1976).

3. Jablensky, A. et al. Diagnosis and classification of mental disorders and alcohol – and drug-related problems: a research agenda for the 1980s. *Psychological medicine*, **13**: 907-921 (1983).

4. *Mental disorders, alcohol – and drug-related problems: international perspectives on their diagnosis and classification.* Amsterdam, Excerpta Medica, 1985 (International Congress Series, Nº 669).

5. Robins, L. et al. The composite international diagnostic interview. *Archives of general psychiatry*, **47**: 589-593 (1990).

6. Wing, J.K. et al. SCAN: shedules for clinical assesment in neuropsychiatry. *Archives of general psychiatry*, **47**: 589-593 (1990).

7. Loranger, A.W. et al. The WHO/ADAMHA international pilot study of personality disorders: background and purpose. *Journal of personality disorders*, **5(3)**: 296-306 (1991).

8. *Lexicon of psychiatric and mental health terms. Vol. 1* Geneva, World Health Organization, 1989.

9. *International Classification of Diseases and Related Health Problems. Tenth Revision. Vol. 1: Tabular list. Vol. 2: Instruction Manual. Vol. 3: Index.* Geneva, World Health Organization, 1992.

10. Sartorius, N. et al. (ed) *Sources and traditions in classification in psychiatry.* Toronto, Hogrefe and Huber, 1990.

11. Sartorius, N. et al. (ed) *Psychiatric classification in an international perspective.* British Journal of Psychiatry, **152** (Suppl. 1) (1988).

12. Sartorius, N. et al. Progress towards achieving a common language in psychiatry: results from the field trials of the clinical guidelines accompanying the WHO Classification of Mental and Behavioural Disorders in ICD-10. *Archives of general psychiatry* (in press).

Agradecimentos

Muitos indivíduos e organizações contribuíram para a produção da classificação de transtornos mentais e de comportamento na CID-10 e para o desenvolvimento dos textos que a acompanham. Os testes de campo das propostas da CID-10, por exemplo, envolveram pesquisadores e clínicos em cerca de 40 países; é obviamente impossível apresentar uma lista completa de todos aqueles que participaram neste esforço. O que se segue é uma menção de indivíduos e agências cujas contribuições foram centrais à criação dos documentos que compõem a família de classificações e diretrizes da CID-10.

Os indivíduos que produziram os rascunhos iniciais da classificação e diretrizes estão incluídos na lista de investigadores principais nas páginas 303-316: seus nomes estão marcados com um asterisco. O Dr. A. Jablensky, então Diretor Médico Sênior da Divisão de Saúde Mental da OMS, em Genebra, coordenou essa parte do programa e assim deu uma grande contribuição às propostas. Uma vez que as propostas para a classificação foram reunidas e distribuídas para críticas em painéis com especialistas da OMS e muitos outros indivíduos, incluindo aqueles listados abaixo, uma versão corrigida da classificação foi produzida para testes de campo. Estes foram conduzidos de acordo com um protocolo produzido pelo *staff* com a ajuda do Dr. J. Burke, Dr. J.E. Cooper e Dr. J. Mezzich e envolveram um grande número de centros, cujo trabalho foi coordenado por Centros de Coordenação de Testes de Campo (CCTC). Os CCTCs (listados nas páginas xvi-xvii) também empreenderam a tarefa de produzir traduções equivalentes da CID-10 nas linguagens usadas em seus países.

O Dr. Norman Sartorius teve responsabilidade global com o trabalho na classificação de transtornos mentais e de comportamento na CID-10 e com a produção de documentos que a acompanham.

Durante toda a fase de testagem de campo e subsequentemente, o Dr. J.E. Cooper atuou como consultor-chefe para o projeto e forneceu orientação e ajuda inestimáveis à equipe de coordenação da OMS. Entre os membros da equipe estavam o Dr. J. van Drimmelen, que tem trabalhado com a OMS desde o início do processo de desenvolvimento das propostas da CID-10, e a Sra. J. Wilson, que consciensiosa e eficientemente lidou com as inumeráveis tarefas administrativas ligadas aos testes de campo e outras atividades relacionadas aos projetos. O Sr. A. L'Hours forneceu apoio generoso, assegurando concordância entre o desenvolvimento da CID-10 em geral e a produção desta classificação, e o Sr. G. Gemert produziu o índice.

Muitos outros consultores, incluindo em particular Dr. A. Bertelsen, Dr. H. Dilling, Dr. J. López-Ibor, Dr. C. Pull, Dr. D. Regier, Dr. M. Rutter e Dr. N. Wig, estiveram também intimamente envolvidos neste trabalho, funcionando não apenas como diretores de CCTCs para os testes de campo, mas também fornecendo conselhos e orientações sobre assuntos em suas áreas de especialidade e relevantes para as tradições psiquiátricas dos grupos de países sobre as quais eles eram particularmente instruídos.

Entre as agências cuja ajuda foi de vital importância, estavam a Administração de Saúde Mental e Abuso de Álcool e Drogas nos EUA, a qual forneceu apoio generoso para as atividades preparatórias ao rascunho da CID-10 e que assegurou consulta efetiva e produtiva entre grupos trabalhando na CID-10 e aqueles atuando na quarta revisão da classificação do Manual de Diagnóstico e Estatística de Transtornos Mentais (DSM-IV) da Associação Americana de Psiquiatria; o Comitê de Conselheiros da OMS sobre a CID-10, chefiado pelo Dr. E. Stromgren, e a Associação Mundial de Psiquiatria, a qual, através do seu Presidente, Dr. C. Stefanis, e do Comitê Especial de Classificação, reuniu comentários de numerosos psiquiatras de suas associações-membros e deu conselhos muito valiosos durante ambos, os testes de campo e a finalização das propostas. Outras organizações não governamentais, em relações oficiais e de trabalho com a OMS, incluindo a Federação Mundial para Saúde Mental, a Associação Mundial para Reabilitação Psicossocial, a Associação Mundial de Psiquiatria Social, a Federação Mundial de Neurologia e a União Internacional de Sociedades Psicológicas ajudaram de várias formas, assim como também o fizeram os Centros Colaboradores para Pesquisa e Treinamentos em Saúde Mental da OMS, localizados em cerca de 40 países.

Os governos dos estados-membros da OMS, incluindo em particular Bélgica, Alemanha, Holanda, Espanha e EUA, também forneceram apoio direto ao processo de desenvolvimento da classificação de transtornos mentais e de comportamento, tanto através de suas contribuições designadas para a OMS quanto através de contribuições e apoio financeiro aos centros que participaram deste trabalho.

As propostas da CID-10 são, dessa forma, um produto da colaboração, no sentido verdadeiro da palavra, entre muitos indivíduos e agências em numerosos países. Elas foram produzidas na esperança de que servirão como forte apoio ao trabalho de muitos que se preocupam mudialmente com o cuidado dos doentes mentais e de suas famílias.

Nenhuma classificação jamais é perfeita: melhoramentos e simplificações posteriores devem se tornar possíveis com o aumento do nosso conhecimento e à medida que se acumula experiência com a classificação. A tarefa de coletar e sintetizar comentários e resultados dos testes da classificação permanecerá grandemente sobre os ombros dos centros que colaboraram com a OMS no desenvolvimento da classificação. Seus endereços estão listados abaixo porque se espera que eles continuem a se envolver no melhoramento das classificações e materiais associados da OMS no futuro e a assistir a Organização neste trabalho como generosamente têm feito até agora.

Numerosas publicações surgiram dos Centros de Testes de Campo descrevendo os resultados dos seus estudos em conexão com a CID-10. Uma lista completa dessas publicações e separatas dos artigos podem ser obtidas da Divisão de Saúde Mental, Organização Mundial de Saúde, 1211, Genebra 27, Suíça (*Division of Mental Health, World Health Organization, 1211, Geneve 27, Switzerland*).

Centros Coordenadores dos Testes de Campo e seus Diretores

Dr. A. Bertelsen, Instituto de Demografia Psiquiátrica, Hospital Psiquiátrico, Universidade de Aarhus, Risskov, Dinamarca

Dr. D. Caetano, Departamento de Psicologia Médica e Psiquiatria, Universidade Estadual de Campinas, Campinas, Brasil

Dr. S. Channabasavanna, Instituto Nacional de Saúde Mental e Neurociências, Bangalore, Índia

Dr. H. Dilling, Clínica Psiquiátrica da Escola Médica, Lubeck, Alemanha

Dr. M. Gelder, Departamento de Psiquiatria, Hospital Universitário de Oxford, Hospital Warneford, Headington, Inglaterra

Dr. D. Kemali, Universidade de Nápoles, Primeira Faculdade de Medicina e Cirurgia, Instituto de Psicologia Médica e Psiquiatria, Nápoles, Itália

Dr. J.J. López-Ibor Jr., Clínica López-Ibor, Pierto de Hierro, Madri, Espanha

Dr. G. Mellsop, Escola Clínica de Wellington, Hospital de Wellington, Wellington, Nova Zelândia

Dr. Y. Nakane, Departamento de Neuropsiquiatria, Universidade de Nagasaki, Escola de Medicina, Nagasaki, Japão

Dr. A. Okasha, Departamento de Psiquiatria, Universidade de Ain-Shams, Cairo, Egito

Dr. C. Pull, Departamento de Neuropsiquiatria, Centro Hospitalar de Luxemburgo, Luxemburgo, Luxemburgo

Dr. D. Regier, Diretor da Divisão de Pesquisa Clínica, Instituto Nacional de Saúde Mental, Rockville, Maryland, EUA

Dr. S. Tzirkin, Centro de Pesquisa de Saúde Mental Todos Unidos, Instituto de Psiquiatria, Academia de Ciências Médicas, Moscou, Federação Russa

Dr. Xu Tao-Yuan, Departamento de Psiquiatria, Hospital Psiquiátrico de Shangai, Shangai, China

Diretores anteriores de centros de testes de campo

Dr. J. E. Cooper, Departamento de Psiquiatria, Centro Médico Queen's, Nottingham, Inglaterra

Dr. R. Takahashi, Departamento de Psiquiatria, Universidade Médica e Odontológica de Tóquio, Tóquio, Japão

Dr. N. Wig, Conselheiro Regional para Saúde Mental, Organização Mundial de Saúde, Escritório Regional para o Mediterrâneo Oriental, Alexandria, Egito

Dr. Yang De-sen, Colégio Médico de Hunan, Changsha, Hunan, China

Introdução

O Capítulo V, Transtornos mentais e de comportamento, da CID-10 estará disponível em várias diferentes versões para diferentes objetivos. Esta versão, *Descrições clínicas e diretrizes diagnósticas*, é destinada para uso clínico, educacional e assistencial em geral. *Critérios diagnósticos para pesquisa* estão sendo produzidos para propósitos de pesquisa e são projetados para serem usados em conjunto com este livro. O glossário bem mais curto, providenciado pelo Capítulo V (F) para a própria CID-10, é adequado para uso por codificadores ou escreventes e também serve como um ponto de referência para compatibilidade com outras classificações; ele não é recomendado para uso por profissionais de saúde mental. Versões mais curtas e mais simples das classificações para uso por pessoas que trabalham em cuidados primários de saúde estão agora em preparação, assim como um esquema multiaxial. *Descrições clínicas e diretrizes diagnósticas* têm sido o ponto de partida para o desenvolvimento de diferentes versões e tem-se tomado um grande cuidado para evitar problemas de incompatibilidade entre elas.

Plano

É importante que os usuários estudem esta introdução geral e também leiam cuidadosamente os textos introdutórios e explicativos adicionais no início de várias das categorias individuais. Isso é particularmente importante para F23. — (Transtornos psicóticos agudos e transitórios) e para o bloco F30-39 [Transtornos do humor (afetivos)]. Por causa dos problemas duradouros e notoriamente difíceis associados com a descrição e a classificação desses transtornos, tem-se tomado cuidado especial para explicar como a classificação foi abordada.

Para cada transtorno é fornecida uma descrição dos aspectos clínicos principais e também de quaisquer outros aspectos associados importantes, mas menos específicos. "Diretrizes diagnósticas" são então fornecidas na maioria dos casos, indicando o número e o balanço de sintomas usualmente necessários antes que um diagnóstico confiável possa ser feito. As diretrizes são formuladas de maneira que um grau de flexibilidade seja mantido para decisões diagnósticas no trabalho clínico, particularmente na situação na qual um diagnóstico provisório possa precisar ser feito antes do quadro clínico estar inteiramente claro ou da informação estar completa. Para evitar repetição, descrições clínicas e algumas diretrizes diagnósticas gerais são fornecidas para certos grupos de transtornos, além daquelas que se relacionam somente aos transtornos individuais.

Quando os requisitos estabelecidos nas diretrizes diagnósticas são claramente preenchidos, o diagnóstico pode ser considerado "confiável". Quando eles são apenas parcialmente preenchidos, para a maioria dos propósitos é, contudo, útil registrar um diagnóstico. Compete ao clínico e aos outros usuários das proposições diagnósticas decidir registrar ou não os graus de menor confiança (tais como "provisório" se espera receber mais informações ou "tentativa" se mais informações são improváveis de estar disponíveis) que estão implícitos nessas circunstâncias. Proposições acerca da duração dos sintomas também são usadas como diretrizes gerais mais do que como requisitos estritos; os clínicos devem usar seus próprios julgamentos acerca da adequação da escolha de diagnósticos quando a duração de sintomas em particular seja um pouco mais longa ou mais curta do que a especificada.

As diretrizes diagnósticas devem também oferecer estímulo útil para ensino clínico, uma vez que elas servem como um lembrete acerca de pontos da prática clínica que podem ser encontrados em uma forma mais completa na maioria dos livros-texto de psiquiatria. Elas também podem ser adequadas para alguns tipos de projetos de pesquisa, em que uma maior precisão (e portanto restrição) dos critérios diagnósticos para pesquisa não são requeridos.

Estas descrições e diretrizes não contêm implicações teóricas e não pretendem ser proposições completas acerca do estágio atual de conhecimento dos transtornos. Elas são simplesmente um conjunto de sintomas e comentários sobre os quais houve uma concordância por parte de um grande número de conselheiros e consultores em muitos diferentes países como sendo uma base razoável para definir os limites de categorias na classificação de transtornos mentais.

Principais diferenças entre o Capítulo V (F) da CID-10 e o Capítulo V da CID-9

Princípios gerais da CID-10

A CID-10 é muito mais ampla que a CID-9. Códigos numéricos (001-999) foram usados na CID-9, enquanto um esquema de codificação alfanumérico, baseado em códigos com uma letra única seguida por dois números no nível de três caracteres (A00-Z99), foi adotado na CID-10. Isto aumentou significativamente o número de categorias disponíveis para a classificação. Detalhes subsequentes são então fornecidos por meio de subdivisões numéricas decimais no nível de quatro caracteres.

O capítulo que lidou com transtornos mentais na CID-9 tinha apenas 30 categorias de três caracteres (290-319); o Capítulo V (F) da CID-10 tem 100 categorias destas. Uma proporção destas categorias foi deixada sem uso por enquanto, a fim de permitir a introducão de mudanças na classificação sem a necessidade de reestruturar todo o sistema.

A CID-10, como um todo, foi estruturada para ser uma classificação central ("nuclear") para uma família de classificações relacionadas à doença e à saúde. Alguns membros da família de classificações são originados pelo uso de quintos ou mesmo sextos caracteres para especificar mais detalhes. Em outros, as categorias são condensadas para formar grupos amplos adequados ao uso, por exemplo, em cuidados primários de saúde ou prática médica geral. Há uma apresentação multiaxial do Capítulo V (F) da CID-10 e uma versão para prática e pesquisa em psiquiatria infantil. A "família" também inclui classificações que cobrem informações não contidas na CID, tendo, porém, implicações médicas ou de saúde importantes; por exemplo, a classificação de comprometimentos, incapacidades e prejuízos, a classificação de procedimentos em Medicina e a classificação de razões para encontro entre pacientes e pessoas que trabalham em saúde.

Neurose e psicose

A divisão tradicional entre neurose e psicose que era evidente na CID-9 (ainda que deliberadamente deixada sem qualquer tentativa de definir esses conceitos) não tem sido usada na CID-10. Contudo, o termo "neurótico" ainda é mantido para uso ocasional e é encontrado, por exemplo, no título de um grupo maior ou bloco de transtornos, F40 — F48, "Transtornos neuróticos, relacionados ao estresse e somatoformes". Exceto pela neurose depressiva, a maioria dos transtornos considerados como neuroses por aqueles que usam o conceito são encontrados nesse bloco e os restantes estão nos blocos subsequentes. Ao invés de seguir a dicotomia neurótico-psicótico, os transtornos são agora arranjados em grupos de acordo com os principais temas comuns ou semelhanças descritivas, o que dá ao uso uma conveniência crescente. Por exemplo, Ciclotimia (F34.0) está no bloco F30 — F39, Transtornos do humor (afetivos), ao invés de em F60 — F69, Transtornos de personalidade e de comportamento em adultos; similarmente, todos os transtornos associados ao uso de substâncias psicoativas são agrupados em F10 — F19, seja qual for sua gravidade.

"Psicótico" foi mantido como um termo descritivo conveniente, particularmente em F23, Transtornos psicóticos agudos e transitórios. Seu uso não envolve pressupostos acerca de mecanismos psicodinâmicos, porém simplesmente indica a presença de alucinações, delírios ou de um número limitado de várias anormalidades de comportamento, tais como excitação e hiperatividade grosseiras, retardo psicomotor marcante e comportamento catatônico.

Outras diferenças entre CID-9 e CID-10

Todos os transtornos atribuíveis a uma causa orgânica são reunidos no bloco F00 — F09, o que faz o uso dessa parte da classificação mais fácil que a organização na CID-9.

A nova organização dos transtornos mentais e de comportamento decorrentes do uso de substâncias psicoativas no bloco F10 — F19 também tem sido vista como mais útil que o sistema anterior. O terceiro caractere indica a substância usada, o quarto e o quinto caracteres a síndrome psicopatológica, por exemplo, de intoxicação aguda e estados residuais; isso permite o relato de todos os transtornos relacionados a uma substância, mesmo quando somente categorias de três caracteres são usadas.

O bloco que cobre esquizofrenia, estados esquizotípicos e transtornos delirantes (F20 — F29) foi expandido pela introdução de novas categorias, tais como esquizofrenia indiferenciada, depressão pós-esquizofrênica e transtorno esquizotípico. A classificação de psicoses breves agudas, as quais são comumente vistas na maioria dos países em desenvolvimento, está consideravelmente expandida em comparação àquela na CID-9.

A classificação dos transtornos afetivos foi particularmente influenciada pela adoção do princípio de reunir transtornos com um tema comum. Termos como "depressão neurótica" e "depressão endógena" não são usados, mas seus equivalentes próximos podem ser encontrados nos diferentes tipos e gravidades de depressão agora especificados [incluindo distimia (F34.1)].

As síndromes comportamentais e os transtornos mentais associados à disfunção fisiológica e alterações hormonais, tais como transtornos alimentares, transtornos não orgânicos de sono e disfunções sexuais, foram reunidos em F50 — F59 e descritos em maiores detalhes que na CID-9, por causa das necessidades crescentes de tal classificação em psiquiatria de ligação.

O bloco F60 — F69 contém vários novos transtornos de comportamento em adultos, tais como jogo, comportamento incendiário e roubo patológico, assim como os transtornos de personalidade mais tradicionais. Transtornos de preferência sexual são claramente diferenciados de transtornos de identidade sexual e a homossexualidade em si não é mais incluída como uma categoria.

Alguns comentários posteriores acerca das mudanças entre as diretrizes para a codificação de transtornos específicos da infância e retardo mental podem ser encontrados nas páginas 17-19.

Problemas de terminologia

Transtorno

O termo "transtorno" é usado por toda a classificação, de forma a evitar problemas ainda maiores inerentes ao uso de termos tais como "doença" ou "enfermidade". "Transtorno" não é um termo exato, porém é usado aqui para indicar a existência de um conjunto de sintomas ou comportamentos clinicamente reconhecível associado, na maioria dos casos, a sofrimento e interferência com funções pessoais. Desvio ou conflito social sozinho, sem disfunção pessoal, não deve ser incluído em transtorno mental, como aqui definido.

Psicogênico e psicossomático

O termo "psicogênico" não tem sido usado nos títulos das categorias, em vista de seus diferentes significados em diferentes línguas e tradições psiquiátricas. Ele ainda é encontrado ocasionalmente no texto e deve ser tomado como indicando o que o clínico considera eventos de vida ou dificuldades óbvios como tendo um papel importante na gênese do transtorno.

"Psicossomático" não é usado por razões similares e porque o uso deste termo poderia ser tomado para implicar que fatores psicológicos não exercem um papel na ocorrência, curso e evolução de outras doenças, as quais não são assim chamadas. Transtornos chamados de psicossomáticos em outras classificações podem ser encontrados em F45 — (transtornos somatoformes), F50 — (transtornos alimentares), F52 — (disfunção sexual) e F54 — (fatores psicológicos ou de comportamento associados a transtornos ou doença classificados em outros blocos). É particularmente importante notar a categoria F54 — (categoria 316 na CID-9) e lembrar de usá-la para especificar a associação de transtornos físicos, codificados em outros blocos na CID-10, à causação emocional. Um exemplo comum seria o registro de asma ou eczema psicogênico através de ambos, F54 do Capítulo V (F) e o código apropriado para a condição física de outros capítulos na CID-10.

Comprometimento, incapacidade, prejuízo e termos relacionados

Os termos "comprometimento", "incapacidade" e "prejuízo" são usados de acordo com as recomendações do sistema adotado pela OMS[1]. Ocasionalmente, onde seja

---

1. *International classification of impairments, disabilities and handicaps.* Geneva, World Health Organization, 1980.

justificado pela tradição clínica, os termos são usados num sentido mais amplo. Ver também páginas 8 e 9, concernente à demência e suas relações com comprometimento, incapacidade e prejuízo.

Alguns pontos específicos para usuários

Crianças e adolescentes

Os blocos F80 — F89 (transtornos do desenvolvimento psicológico) e F90 — F98 (transtornos emocionais e de comportamento com início usualmente ocorrendo na infância e adolescência) cobrem apenas aqueles transtornos que são específicos da infância e adolescência. Muitos transtornos colocados em outras categorias podem ocorrer em pessoas de qualquer idade e devem ser usados para crianças e adolescentes quando necessário. Exemplos são transtornos alimentares (F-50. —), de sono (F-51. —) e transtornos de identidade sexual (F64. —). Alguns tipos de fobia ocorrendo na infância propõem problemas especiais para classificação, como observado na descrição de F93.1 (transtornos de ansiedade fóbica na infância).

Registrando mais do que um diagnóstico

É recomendado que os clínicos devem seguir a regra geral de registrar tantos diagnósticos quantos forem necessários para cobrir o quadro clínico. Quando se registrar mais do que um diagnóstico, é usualmente melhor dar precedência a um sobre os outros, especificando-o como o diagnóstico principal, e rotular quaisquer outros como diagnósticos subsidiários ou adicionais. A precedência deve ser dada para aquele diagnóstico mais relevante ao propósito para o qual os diagnósticos estão sendo colhidos; no trabalho clínico isso é frequentemente o transtorno que motivou a consulta ou o contato com serviços de saúde. Em muitos casos, esse será o transtorno que torna necessária a admissão ao hospital, ambulatório ou hospital-dia. Outras vezes, por exemplo, quando revendo toda a curva de vida do paciente, o diagnóstico mais importante pode muito bem ser aquele "de toda a vida", o qual pode ser diferente daquele mais relevante para a consulta imediata (por exemplo, um paciente com esquizofrenia crônica apresentando-se para cuidados por causa de sintomas de ansiedade aguda). Se há alguma dúvida acerca da ordem na qual registrar vários diagnósticos ou se o clínico está incerto do propósito para o qual a informação será usada, uma regra útil é registrar os diagnósticos na ordem numérica na qual eles aparecem na classificação.

Registrando diagnósticos de outros capítulos da CID-10

O uso de outros capítulos do sistema da CID-10 em adição ao Capítulo V (F) é fortemente recomendado. As categorias mais relevantes para serviços de saúde mental são listadas no Anexo deste livro.

Notas sobre categorias selecionadas na classificação de transtornos mentais e de comportamento na CID-10

No curso da preparação do capítulo sobre transtorno mental da CID-10, certas categorias atraíram considerável interesse e debate antes que um nível razoável de consenso pudesse ser alcançado entre todos os responsáveis. Notas breves são apresentadas aqui sobre alguns dos assuntos que foram levantados.

Demência (F00 — F03) e suas relações com comprometimento, incapacidade e prejuízo

Embora um declínio nas capacidades cognitivas seja essencial para o diagnóstico de demência, nenhuma interferência consequente no desempenho de papéis sociais, dentro da família ou a respeito de emprego, é usada como diretriz ou critério diagnóstico. Há uma instância particular de um princípio geral que se aplica às definições de todos os transtornos no Capítulo V (F) da CID-10, adotada devido às amplas variações entre diferentes culturas, religiões e nacionalidades em termos de trabalho e papéis sociais que são disponíveis ou considerados apropriados. Entretanto, uma vez que um diagnóstico foi feito usando-se outra informação, a extensão na qual o trabalho, a família ou as atividades de lazer de um indivíduo são atrapalhadas ou mesmo impedidas é frequentemente um indicador útil da gravidade de um transtorno.

Este é um momento oportuno para referir-se ao tema geral das relações entre sintomas, critérios diagnósticos e o sistema adotado pela OMS para descrever comprometimento, incapacidade e prejuízo[1]. Em termos desse sistema, *comprometimento* (isto é, uma "perda ou anormalidade... de estrutura ou função") é manifestada psicologicamente por interferência com funções mentais tais como memória, atenção e funções emotivas. Muitos tipos de comprometimento psicológico têm sempre sido reconhecidos como sintomas psiquiátricos. Em um grau menor, alguns tipos de *incapacidade* (definida no sistema da OMS como "uma restrição ou falta... de capacidade de desempenhar uma atividade da maneira ou dentro do limite considerado normal para um ser humano") também têm sido convencionalmente considerados como sintomas psiquiátricos. Exemplos de incapacidade a nível pessoal incluem as atividades de vida diária, costumeiras e

---

[1] *International classification of impairments, disabilities and handicaps.* Geneva, World Health Organization, 1980.

usualmente necessárias, envolvidas em cuidado pessoal e sobrevivência relacionadas a higiene e vestuário, alimentação e excreção. A interferência com essas atividades é frequentemente uma consequência direta de comprometimento psicológico e é pouco, se algo, influenciada pela cultura. Incapacidades pessoais podem, portanto, aparecer legitimamente entre diretrizes e critérios diagnósticos, particularmente para demência.

Em contraste, um *prejuízo* ("a desvantagem para um indivíduo... que impede ou limita o desempenho de um papel que é normal... para aquele indivíduo") representa os efeitos de comprometimentos ou incapacidades em um contexto social amplo que pode ser fortemente influenciado pela cultura. Os prejuízos não devem, portanto, ser usados como componentes essenciais de um diagnóstico.

Duração de sintomas requerida para esquizofrenia (F20. —)

Estados prodrômicos

Antes do aparecimento de sintomas esquizofrênicos típicos há às vezes um período de semanas ou meses — particularmente em pessoas jovens — durante o qual um pródromo de sintomas não específicos aparece (tais como perda de interesse, evitação da companhia de outros, ausência ao trabalho, irritação e hipersensibilidade). Esses sintomas não são diagnósticos de nenhum transtorno em particular, mas também não são típicos do estado sadio do indivíduo. Eles são frequentemente tão angustiantes para a família e tão incapacitantes para o paciente quanto os sintomas mórbidos mais claros, tais como delírios e alucinações, os quais se desenvolvem mais tarde. Vistos retrospectivamente, tais estados prodrômicos parecem ser uma parte importante do desenvolvimento do transtorno, mas pouca informação sistemática está disponível no tocante a se pródromos similares são comuns em outros transtornos psiquiátricos ou se estados similares aparecem e desaparecem de vez em quando em indivíduos que nunca desenvolvem qualquer transtorno psiquiátrico diagnosticável.

Se um pródromo típico e específico para esquizofrenia pudesse ser identificado, descrito confiavelmente e demonstrado ser incomum naqueles com outros transtornos psiquiátricos e naqueles sem transtorno psiquiátrico algum, seria justificável incluir um pródromo entre os critérios opcionais para esquizofrenia. Para os propósitos da CID-10 foi considerado que está disponível atualmente informação insuficiente nesses pontos para justificar a inclusão de um estado prodrômico como contribuinte para esse diagnóstico. Um problema adicional, intimamente relacionado e ainda não resolvido, é a extensão na qual tais pródromos podem ser distinguidos dos transtornos de personalidade esquizoide e paranoide.

Separação de transtornos psicóticos agudos e transitórios (F23. —) de esquizofrenia (F 20. —)

Na CID-10, o diagnóstico de esquizofrenia depende da presença de delírios, alucinações e outros sintomas típicos (descritos nas páginas 85-88) e é especificada uma duração mínima de 1 mês.

Fortes tradições clínicas em vários países, baseadas em estudos descritivos, embora não epidemiológicos, contribuem para a conclusão de que, qualquer que seja a natureza da demência precoce de Kraepelin e das esquizofrenias de Bleuler, ela, ou elas, não são as mesmas que as psicoses muito agudas que têm um início abrupto, um curso breve de poucas semanas ou mesmo dias e uma evolução favorável. Termos tais como *bouffée délirante*, "psicose psicogênica", "psicose esquizofreniforme", "psicose cicloide" e "psicose reativa breve" indicam tradições muito difundidas, mas de opiniões diversas, que se desenvolveram. Opiniões e evidências também variam no tocante a se sintomas esquizofrênicos transitórios, mas típicos, podem ocorrer com esses transtornos e se eles estão usualmente ou sempre associados a estresse psicológico agudo (*bouffée délirante*, pelo menos, foi originalmente descrito como não usualmente associado a um precipitante psicológico óbvio).

Dada a presente falta de conhecimento não só sobre esquizofrenia, mas também sobre esses transtornos mais agudos, foi considerado que a melhor opinião para a CID-10 seria permitir tempo suficiente para os sintomas aparecerem, serem reconhecidos e diminuírem amplamente antes que um diagnóstico de esquizofrenia fosse feito. A maioria dos relatos clínicos e autoridades sugerem que, na grande maioria dos pacientes com essas psicoses agudas, o início dos sintomas psicóticos ocorre em poucos dias ou em 1-2 semanas e que muitos pacientes recuperam-se com ou sem medicação dentro de 2-3 semanas. Portanto, parece apropriado especificar 1 mês como o ponto de transição entre os transtornos agudos nos quais sintomas do tipo esquizofrênico têm sido um aspecto e a esquizofrenia em si. Para pacientes com sintomas psicóticos, mas não esquizofrênicos, que persistem além do ponto de 1 mês, não há necessidade de mudar o diagnóstico até que a duração requerida para transtorno delirante (F22.0) seja alcançada (3 meses, como discutido abaixo).

Uma duração similar sugere por si mesma que psicoses sintomáticas agudas (psicose afetamínica é o melhor exemplo) sejam consideradas. A abstinência do agente tóxico é normalmente seguida pelo desaparecimento dos sintomas em 8-10 dias, mas desde que frequentemente leva de 7-10 dias para que os sintomas se tornem manifestos e incômodos (e para que o paciente se apresente a serviços psiquiátricos), a duração global é, seguidamente, 20 dias ou mais. Por volta de 30 dias, ou 1 mês, pareceria, portanto, um tempo apropriado para admitir como uma duração global antes de se chamar o transtorno de esquizofrenia, se os sintomas típicos persistem. A aceitação de 1 a 2 meses de

NOTAS SOBRE CATEGORIAS SELECIONADAS

duração de sintomas psicóticos típicos como um critério necessário para o diagnóstico de esquizofrenia rejeita a suposição de que esquizofrenia deva ser de duração comparativamente maior. Uma duração de 6 meses tem sido adotada em mais de uma classificação nacional, mas no atual estado de ignorância parece não haver vantagens em restringir o diagnóstico de esquizofrenia desse modo. Em dois amplos estudos colaborativos internacionais sobre esquizofrenia e transtornos correlatos[1], o segundo dos quais epidemiologicamente fundamentada, foi encontrada uma proporção substancial de pacientes cujos sintomas esquizofrênicos claros e típicos duraram mais do que 1 mês, mas menos do que 6 meses e que tiveram boa, se não completa, recuperação do transtorno. Parece, portanto, melhor para os propósitos da CID-10 evitar qualquer suposição sobre cronicidade necessária para esquizofrenia e considerar o termo como descritivo de uma síndrome com uma variedade de causas (muitas das quais são ainda desconhecidas) e uma variedade de evoluções dependendo do equilíbrio de influências genéticas, físicas, sociais e culturais.

Tem havido também debate considerável sobre a duração mais apropriada de sintomas para especificar como necessária para o diagnóstico de transtorno delirante persistente (F22. —). Três meses foi finalmente escolhida como sendo a menos insatisfatória, uma vez que retardar o ponto de decisão para 6 meses ou mais faz necessário introduzir uma outra categoria intermediária entre transtornos psicóticos agudos e transitórios (F23. —) e transtorno delirante persistente. O tema completo do relacionamento entre os transtornos sob discussão aguarda mais e melhores informações do que as que estão no momento disponíveis; uma solução comparativamente simples, a qual dá preferência aos estados agudos e transitórios, pareceu a melhor solução e talvez uma que estimulará pesquisas.

O princípio de descrever e classificar um transtorno ou grupo de transtornos com a finalidade de apresentar opções ao invés de usar suposições construídas foi utilizada para transtornos psicóticos agudos e transitórios (F23. —); estes e outros pontos relacionados são discutidos brevemente na introdução para aquela categoria (p. 95-97).

O termo "esquizofreniforme" não foi usado para um transtorno definido nesta classificação[2]. Isso ocorre porque ele tem sido aplicado a vários conceitos clínicos diferentes nas últimas poucas décadas e associado a várias misturas de características, tais como início agudo, duração comparativamente breve, sintomas atípicos ou misturas

---

1 *The international pilot of schizophrenia*. Genebra, World Health Organization, 1973 (Offset Publication, nº 2). Sartorious, N. et al Early Manifestations and first contact incidence of schizophrenia in different cultures. A preliminary report on the initial evaluation phase of the Who Collaborative Study on Determinants of Outcome of Severe Mental Disorders. *Psychological Medicine*, **16:** 909-928 (1986).
2 Em inglês há dois termos: "schizophreniform"; como ambos são traduzidos como "esquizofreniforme", este termo continua sendo usado para transtornos definidos (p. ex. F23.2, transtorno psicótico esquizofreniforme agudo). (N.T.)

de sintomas e uma evolução comparativamente boa. Não há nenhuma evidência que sugira uma escolha preferencial para seu uso; assim, o argumento para sua inclusão como um termo diagnóstico foi considerado fraco. Além disso, a necessidade de uma categoria intermediária desse tipo foi satisfeita pelo uso de F23. — (transtornos psicóticos agudos e transitórios) e suas subdivisões, junto com o requisito de 1 mês de sintomas psicóticos para o diagnóstico de esquizofrenia. Como guia para aqueles que usam esquizofreniforme como um termo diagnóstico, ele foi inserido em vários lugares como um termo de inclusão relevante para aqueles transtornos que têm a maior sobreposição com os significados que ele adquiriu. Estes são "ataque, transtorno ou psicose esquizofreniforme SOE" em F20.8 (outra esquizofrenia) e "transtorno ou psicose esquizofreniforme breve" em F23.2 (transtorno psicótico esquizofreniforme agudo).

Esquizofrenia simples (F20.6)

Essa categoria foi mantida devido ao seu uso continuado em alguns países e devido à incerteza sobre sua natureza e suas relações com o transtorno de personalidade esquizoide e o transtorno esquizotípico, a qual irá requerer informação adicional para sua resolução. Os critérios propostos para sua diferenciação ressaltam os problemas de definição dos limites mútuos desse grupo inteiro de transtornos em termos práticos.

Transtornos esquizoafetivos (F25. —)

A evidência atualmente disponível no tocante a se os transtornos esquizoafetivos (F25. —) como definidos na CID-10 devem ser situados no bloco F20 — F29 (esquizofrenia, transtornos esquizotípico e delirantes) ou F30 — F39 [transtornos do humor (afetivos)] foi completa e imparcialmente ponderada. A decisão final de situá-los em F20 — F29 foi influenciada pelos resultados dos testes de campo do rascunho de 1987 e por comentários resultantes da circulação mundial do mesmo entre sociedades-membros da Associação Mundial de Psiquiatria. Está claro que existem tradições clínicas muito difundidas e fortes que favorecem sua retenção entre a esquizofrenia e os transtornos delirantes. É relevante para essa discussão que, dado um conjunto de sintomas afetivos, a adição de apenas delírios humor-incongruentes não é suficiente para mudar o diagnóstico para uma categoria esquizoafetiva. Pelo menos um sintoma tipicamente esquizofrênico deve estar presente com os sintomas afetivos durante o mesmo episódio do transtorno.

Transtornos do humor (afetivos) (F30 — F39)

Parece provável que os psiquiatras continuarão a discordar a respeito da classificação de transtornos de humor até que se desenvolvam métodos de dividir as síndromes clínicas que contem, pelo menos em parte, com medidas fisiológicas ou bioquímicas ao invés de estarem limitadas, como atualmente, a descrições clínicas de emoções e comportamento. Enquanto essa limitação persiste, uma das principais escolhas situa-se entre uma classificação comparativamente simples com apenas poucos graus de gravidade e uma com maiores detalhes e mais subdivisões.

O rascunho de 1987 da CID-10 usado nos testes de campo teve o mérito da simplicidade, contendo, por exemplo, apenas episódios depressivos leve e grave, nenhuma separação entre hipomania e mania e nenhuma recomendação para especificar a presença ou ausência de conceitos clínicos familiares, tais como a síndrome "somática" ou alucinações e delírios afetivos. Entretanto, o *feedback* de muitos dos clínicos envolvidos nos testes de campo e outros comentários recebidos de uma variedade de fontes indicaram uma demanda muito difundida de oportunidades de especificar vários graus de depressão e os outros aspectos mencionados acima. Além disso, fica claro a partir da análise preliminar dos dados dos testes de campo que, em muitos centros, a categoria de "episódio depressivo leve", frequentemente, tem uma fidedignidade comparativamente baixa entre investigadores.

Ficou também evidente que as visões dos clínicos, quanto ao número requerido de subdivisões de depressão são fortemente influenciadas pelos tipos de paciente que eles encontram com mais frequência. Aqueles que trabalham em cuidados primários, clínicas ambulatoriais e serviços de ligação necessitam maneiras de descrever pacientes com estados de depressão leves, mas clinicamente significativos, enquanto que aqueles cujo trabalho é principalmente com pacientes internados, frequentemente necessitam usar categorias mais extremas.

Consultas ulteriores com especialistas em transtornos afetivos resultaram na versão presente. Foram incluídas opções para especificar vários aspectos de transtornos afetivos, as quais, embora ainda a alguma distância de serem cientificamente respeitáveis, são consideradas pelos psiquiatras em muitas partes do mundo como clinicamente úteis. É esperado que sua inclusão estimule discussões e pesquisas posteriores sobre seu valor clínico verdadeiro.

Problemas não solucionados permanecem a respeito de como melhor definir e fazer uso diagnóstico da incongruência de delírios com humor. Pareceria haver ambas, evidência e demanda clínica, suficientes para a especificação de delírios humor-congruentes e humor-incongruentes ser incluída, pelo menos como um "extra opcional".

Transtorno depressivo breve recorrente

Desde a introdução da CID-9, acumulou-se evidência suficiente para justificar a provisão de uma categoria especial para episódios breves de depressão que satisfazem os critérios de gravidade, mas não os de duração para episódio depressivo (F32. —). Esses estados recorrentes não têm uma significação nosológica muito clara e a provisão de uma categoria para seu registro deve encorajar a coleta de informações que levará à melhor compreensão de sua frequência e curso a longo prazo.

Agorafobia e transtorno de pânico

Houve considerável debate recentemente no tocante a qual, agorafobia ou transtorno de pânico, deve ser considerado como primário. De uma perspectiva internacional e transcultural, a quantidade e o tipo de evidência disponível não parecem justificar a rejeição da noção ainda amplamente aceita de que o transtorno fóbico é mais bem considerado como o transtorno original, com ataques de pânico usualmente indicando sua gravidade.

Categorias mistas de ansiedade e depressão

Psiquiatras e outros, especialmente em países em desenvolvimento, que atendem pacientes em serviços de cuidados primários de saúde, devem encontrar particular uso para F41.2 (transtorno misto de ansiedade e depressão), F41.3 (outros transtornos mistos), as várias subdivisões de F43.2 (transtorno de ajustamento) e F44.7 [transtorno dissociativo (ou conversivo) misto]. O propósito dessas categorias é facilitar a descrição de transtornos manifestados por uma mistura de sintomas para a qual um rótulo psiquiátrico mais simples e mais tradicional não é apropriado, mas a qual representa, entretanto, graves estados de angústia e interferência com funcionamento significativamente comuns. Elas também resultam em frequentes encaminhamentos para cuidados primários e serviços médicos e psiquiátricos. Dificuldades em usar essas categorias fidedignamente podem ser encontradas, mas é importante testá-las e — se necessário — melhorar sua definição.

Transtornos dissociativos e somatoformes em relação à histeria

O termo "histeria" não foi usado no título de nenhum transtorno no Capítulo V (F) da CID-10, por causa de suas muitas e variadas gradações de significados. Ao invés, foi preferido "dissociativo" para agrupar transtornos previamente denominados histeria, de ambos os tipos, dissociativo e conversivo. Isto ocorre amplamente porque pacientes com as variedades dissociativas e conversivas com assiduidade partilham muitas outras características e, em adição, eles frequentemente exibem ambas as variedades no mesmo ou em diferentes períodos. Parece também razoável presumir que os mesmos (ou muito similares) mecanismos psicológicos são comuns a ambos os tipos de sintomas.

Parece haver aceitação difundida internacionalmente da utilidade de agrupar vários transtornos com um modo de apresentação predominantemente físico ou somático sob o termo "somatoforme". Pelas razões já dadas, entretanto, este novo conceito não foi considerado como uma razão adequada para separar amnésias e fugas de perdas sensoriais e motoras dissociativas.

Se o transtorno de personalidade múltipla (F44.81) de fato existe como algo que não uma condição especificamente cultural ou mesmo iatrogênica, então ele é presumivelmente mais bem situado entre o grupo dissociativo.

Neurastenia

Embora omitida de alguns sistemas de classificação, a neurastenia foi mantida como uma categoria na CID-10, uma vez que esse diagnóstico é ainda regular e amplamente usado em muitos países. Pesquisas realizadas em vários lugares demonstraram que uma proporção significativa dos casos diagnosticados como neurastenia podem também ser classificados sob depressão ou ansiedade; existem, entretanto, casos nos quais a síndrome clínica não combina com a descrição de qualquer outra categoria, porém de fato satisfaz todos os critérios especificados para uma síndrome de neurastenia. Espera-se que pesquisas posteriores sobre neurastenia sejam estimuladas por sua inclusão como uma categoria separada.

Transtornos especificamente culturais

A necessidade de uma categoria separada para transtornos tais como latah, amok, koro e uma variedade de outros transtornos possivelmente especificamente culturais tem sido expressada com menor frequência em anos recentes. Tentativas de identificar estudos descritivos minuciosos, preferivelmente com uma base epidemiológica, que fortaleceriam o argumento para essas inclusões como transtornos clinicamente distinguíveis de outros, já na classificação, falharam, portanto eles não foram classificados separadamente. Descrições desses transtornos, correntemente disponíveis na literatura, sugerem que eles podem ser considerados como variantes locais de ansiedade, depressão, transtornos somatoformes ou transtornos de ajustamento; o código equivalente mais próximo deve, portanto, ser usado se requerido, junto com uma nota adicional de qual transtorno especificamente cultural está envolvido. Podem haver também elementos proeminentes de comportamento de chamar a atenção ou adoção do papel de doentes afins com aqueles descritos em F68.1 (produção intencional ou invenção de sintomas ou incapacidades), os quais podem também ser registrados.

Transtornos mentais e de comportamento associados ao puerpério (F53. —)

Essa categoria é inusual e aparentemente paradoxal por levar a recomendação de que deve ser usada apenas quando inevitável. Sua inclusão é um reconhecimento dos problemas práticos bastante reais em muitos países em desenvolvimento, que tornam o agrupamento de detalhes a respeito de muitos casos de doenças puerperais virtualmente impossível. Entretanto, mesmo na ausência de informação suficiente para permitir um diagnóstico de alguma variedade de transtorno afetivo (ou, mais raramente, esquizofrenia), haverá usualmente conhecimento suficiente para permitir o diagnóstico de um transtorno leve (F53.0) ou grave (F53.1); esta subdivisão é útil para estimativa da carga de trabalho e quando há de se tomar decisões sobre provisões de serviços.

A inclusão dessa categoria não deve ser tomada como implicação de que, dada informação adequada, uma proporção significativa dos casos de doença mental pós-parto não possa ser classificada em outras categorias. A maioria dos especialistas nesse campo é da opinião que um quadro clínico de psicose puerperal é tão raramente (se é) distinguível confiavelmente de transtorno afetivo ou esquizofrenia que uma categoria especial não é justificada. Qualquer psiquiatra que seja da opinião minoritária que psicoses pós-parto especiais de fato existem, podem usar esta categoria, mas devem estar cientes de seu propósito real.

Transtornos de personalidade em adultos (F60. —)

Em todas as classificações psiquiátricas atuais, transtornos de personalidade em adultos incluem problemas graves, cuja solução requer informação que pode vir apenas a partir de investigações extensas e que consomem muito tempo. A diferença entre observações e interpretação se torna particularmente problemática quando são feitas tentativas de redigir diretrizes ou critérios diagnósticos detalhados para esses transtornos e o número de critérios que têm que ser preenchidos antes que um diagnóstico seja considerado como confirmado permanece um problema não solucionado à luz do conhecimento atual. Contudo, as tentativas que têm sido feitas para especificar diretrizes e critérios para essa categoria podem ajudar a demonstrar que uma nova abordagem à descrição dos transtornos de personalidade é necessária.

Após hesitação inicial, uma breve descrição do transtorno de personalidade *borderline* (F60.31) foi finalmente incluída como uma subcategoria de transtorno de personalidade emocionalmente instável (F60.3), novamente na esperança de estimular investigações.

Outros transtornos de personalidade e comportamento em adultos (F68. —)

Duas categorias que foram incluídas aqui, mas não estavam presentes na CID-9, são, F68.0, elaboração de sintomas físicos por razões psicológicas, e F68.1, produção intencional ou invenção de sintomas ou incapacidades físicas ou psicológicas (transtorno factício). Desde que estes são, estritamente falando, transtornos do papel ou comportamento de doença, deve ser conveniente para psiquiatras tê-los agrupados com outros transtornos de comportamento em adultos. Junto com simulação (Z76.5), que sempre esteve fora do Capítulo V da CID, os transtornos formam um trio de diagnósticos que frequentemente necessitam ser considerados juntos. A diferença crucial entre os dois primeiros e a simulação é que a motivação para a simulação é óbvia e usualmente confinada a situações onde perigo pessoal, sentença criminal ou grandes somas de dinheiro estão envolvidos.

Retardo mental (F70 — F79)

A política para o Capítulo V (F) da CID-10 sempre foi de lidar com o retardo mental tão breve e simplesmente quanto possível, reconhecendo que pode ser feita justiça a esse tópico apenas por meio de um sistema compreensivo, possivelmente multiaxial. Tal sistema necessita ser desenvolvido separadamente e está agora em desenvolvimento um trabalho para produzir propostas apropriadas para uso internacional.

Transtornos com início específico na infância

F80 — F89 Transtornos do desenvolvimento psicológico

Transtornos da infância, tais como autismo infantil e psicose desintegrativa, classificados na CID-9 como psicoses, estão agora mais apropriadamente contidos em F84. —, transtornos invasivos do desenvolvimento. Apesar de alguma incerteza sobre seu *status* nosológico, considerou-se que agora encontra-se disponível informação suficiente para justificar a inclusão das síndromes de Rett e Asperger nesse grupo como transtornos específicos. Transtorno de hiperatividade associado a retardo mental e movimentos estereotipados (F84.4) está sendo incluído a despeito de sua natureza mista, porque evidências sugerem que ele pode ter utilidade prática considerável.

F90 — F98 Transtornos emocionais e de comportamento com início usualmente ocorrendo na infância e adolescência

Diferenças na opinião internacional sobre a amplitude do conceito de transtorno hipercinético têm sido um problema bem conhecido por muitos anos e foram discutidas em detalhes nas reuniões entre os consultores da OMS e outros especialistas, realizadas sob os auspícios do projeto conjunto da OMS-ASMAAD. Transtorno hipercinético é agora definido mais amplamente na CID-10 do que foi na CID-9. A definição da CID-10 é também diferente na ênfase relativa dada aos sintomas constituintes da síndrome hipercinética global; uma vez que pesquisas empíricas recentes foram usadas como a base para a definição, há boas razões para se acreditar que a definição na CID-10 representa uma melhora significativa.

Transtorno de conduta hipercinética (F90.1) é um dos poucos exemplos de uma categoria combinada remanescentes na CID-10, Capítulo V (F). O uso desse diagnóstico indica que ambos os critérios, para transtorno hipercinético (F90. —) e para transtorno de conduta (F91. —) estão preenchidos. Essas poucas exceções à regra geral foram consideradas justificadas com base na conveniência clínica, em vista da coexistência frequente daqueles transtornos e da importância posteriormente demonstrada da síndrome mista. Entretanto, é provável que *A classificação de transtornos mentais e de comportamento da CID-10: Critérios diagnósticos para pesquisa* (DCR — 10) recomendará que, para propósitos de pesquisa, casos individuais nessas categorias sejam descritos em termos de hiperatividade, perturbação emocional e gravidade do transtorno de conduta (em adição à categoria combinada sendo usada como um diagnóstico global).

Transtorno desafiador de oposição (F91.3) não estava na CID-9, mas está sendo incluído na CID-10 por causa da evidência de seu potencial preditivo para problemas de conduta posteriores. Há, entretanto, uma nota de advertência recomendando seu uso principalmente para crianças menores.

A categoria 313 da CID-9 (perturbações emocionais específicas da infância e adolescência) foi expandida em duas categorias separadas para a CID-10, a saber: transtornos emocionais com início específico na infância (F93. —) e transtornos de funcionamento social com início especifico na infância e adolescência (F94. —). Isso é por causa da contínua necessidade de uma diferenciação entre crianças e adultos com respeito a várias formas de ansiedade mórbida e emoções relacionadas. A frequência na qual transtornos emocionais na infância não são seguidos por nenhum transtorno similar significativo na vida adulta e o início frequente de transtornos neuróticos em adultos são indicadores claros dessa necessidade. O critério-chave definidor usado na CID-10 é a adequação da emoção apresentada ao estágio de desenvolvimento da criança, mais um grau inusual de persistência com perturbação de função. Em outras palavras, esses transtornos da infância são exageros significativos de estados e reações emocionais que são considerados normais para a idade em questão, quando ocorrendo apenas em uma forma leve. Se o conteúdo do estado emocional é inusual ou se ocorre numa idade inusual, as categorias gerais de outros blocos na classificação devem ser usadas.

A despeito de seu nome, a nova categoria F94. — (transtornos de funcionamento social com início específico na infância e adolescência) não vai contra a regra geral para a CID-10 de não usar interferência com papéis sociais como um critério diagnóstico. As anormalidades de funcionamento social envolvidas em F94. — são limitadas em número e contidas dentro do relacionamento pais-criança e da família próxima; esses relacionamentos não têm as mesmas conotações ou mostram as variações culturais daqueles formados no contexto de trabalho ou de prover a família, os quais são excluídos de uso como critérios diagnósticos.

Muitas das categorias que serão usadas frequentemente por psiquiatras infantis, tais como transtornos alimentares (F50. —), transtornos não orgânicos de sono (F51. —) e transtornos de identidade sexual (F64. —), são encontradas nas seções gerais da classificação, devido a seu início e ocorrência frequentes tanto em adultos quanto em crianças. Entretanto, aspectos clínicos específicos para a infância foram lembrados para justificar as categorias adicionais de transtorno de alimentação na infância (F98.2) e pica na infância (F98.3).

Usuários dos blocos F80 — F89 e F90 — F98 também precisam estar cientes dos conteúdos do capítulo neurológico da CID-10 [Capítulo VI (G)]. Este contém síndromes com manifestações predominantemente físicas e etiologia "orgânica" clara, das quais a síndrome de Kleine-Levin (G47.8) é de particular interesse para psiquiatras infantis.

Transtorno mental não especificado (F99)

Existem razões práticas pelas quais uma categoria para o registro de "transtorno mental não especificado" ser requisitada na CID-10, mas a subdivisão do total do espaço classificatório disponível para o Capítulo V (F) em 10 blocos, cada um cobrindo uma área específica, coloca um problema para esse requisito. Foi decidido que a solução menos insatisfatória seria usar a última categoria na ordem numérica da classificação, isto é, F99.

Supressão de categorias propostas nos rascunhos preliminares da CID-10

O processo de consulta e revisões da literatura que precedeu o planejamento do Capítulo V (F) da CID-10 resultou em numerosas propostas para mudanças. Decisões quanto a aceitar ou rejeitar propostas foram influenciadas por vários fatores. Estes incluíram os resultados dos testes de campo da classificação, consultas com diretores de centros colaboradores da OMS, resultados de colaboração com organizações não governamentais, recomendações de membros de quadros consultivos de especialistas da OMS, resultados das traduções da classificação e as restrições das regras que governam a estrutura da CID-10 como um todo.

Foi normalmente fácil rejeitar propostas que eram idiossincrásicas e não sustentadas por evidências e aceitar outras que foram acompanhadas por uma boa justificativa. Algumas propostas, embora razoáveis quando consideradas isoladamente, não puderam ser aceitas por causa das implicações que mudanças mesmo menores em uma parte da classificação teriam para outras partes. Algumas outras propostas tinham mérito claro, mas mais pesquisas seriam necessárias antes que elas pudessem ser consideradas para uso internacional. Muitas dessas propostas, incluídas em versões preliminares da classificação, foram omitidas da versão final, incluindo "acentuação de traços de personalidade" e "uso perigoso de substâncias psicoativas". Espera-se que pesquisas sobre o *status* e a utilidade dessas e outras categorias inovadoras continuem.

Lista de categorias

F00 — F09
Transtornos mentais orgânicos, incluindo sintomáticos

F00 Demência na doença de Alzheimer
    F00.0 Demência na doença de Alzheimer de início precoce
    F00.1 Demência na doença de Alzheimer de início tardio
    F00.2 Demência na doença de Alzheimer, tipo misto ou atípica
    F00.9 Demência na doença de Alzheimer, não especificada

F01 Demência vascular
    F01.0 Demência vascular de início agudo
    F01.1 Demência por múltiplos infartos
    F01.2 Demência vascular subcortical
    F01.3 Demência vascular mista cortical e subcortical
    F01.8 Outra demência vascular
    F01.9 Demência vascular, não especificada

F02 Demência em outras doenças classificadas em outros locais
    F02.0 Demência na doença de Pick
    F02.1 Demência na doença de Creutzfeldt-Jakob
    F02.2 Demência na doença de Huntington
    F02.3 Demência na doença de Parkinson
    F02.4 Demência na doença causada pelo vírus da imunodeficiência humana (HIV)
    F02.8 Demência em outras doenças específicas classificadas em outros locais

F03 Demência não especificada

Um quinto caractere pode ser acrescentado para especificar demência em F00 — F03, como se segue:
        $.x0$ Sem sintomas adicionais
        $.x1$ Outros sintomas, predominantemente delirantes
        $.x2$ Outros sintomas, predominantemente depressivos
        $.x4$ Outros sintomas mistos

F04 Síndrome amnéstica orgânica, não induzida por álcool e outras substâncias psicoativas

F05 *Delirium,* **não induzido por álcool e outras substâncias psicoativas**
F05.0 *Delirium,* não sobreposto a demência, como descrita
F05.1 *Delirium,* sobreposto a demência
F05.8 Outro *delirium*
F05.9 *Delirium,* não especificado

F06 Outros transtornos mentais decorrentes de lesão e disfunção cerebrais e de doença física
F06.0 Alucinose orgânica
F06.1 Transtorno catatônico orgânico
F06.2 Transtorno delirante (esquizofreniforme) orgânico
F06.3 Transtornos orgânicos de humor (afetivos)
.30 Transtorno maníaco orgânico
.31 Transtorno bipolar orgânico
.32 Transtorno depressivo orgânico
.33 Transtorno afetivo misto orgânico
F06.4 Transtorno orgânico de ansiedade
F06.5 Transtorno dissociativo orgânico
F06.6 Transtorno astênico (de labilidade emocional) orgânico
F06.7 Transtorno cognitivo leve
F06.8 Outros transtornos mentais especificados, decorrentes de lesão e disfunção cerebrais e de doença física
F06.9 Transtorno mental decorrente de lesão e disfunção cerebrais e de doença física não especificado

F07 Transtornos de personalidade e de comportamento decorrentes de doença, lesão e disfunção cerebrais
F07.0 Transtorno orgânico de personalidade
F07.1 Síndrome pós-encefalítica
F07.2 Síndrome pós-concussional
F07.8 Outros transtornos orgânicos de personalidade de comportamento decorrentes de doença, lesão e disfunção cerebrais
F07.9 Transtorno orgânico de personalidade e de comportamento decorrente de doença, lesão e disfunção cerebrais, não especificado

F09 Transtorno mental orgânico ou sintomático não especificado

F10 — F19
Transtornos mentais e de comportamento decorrentes do uso de substância psicoativa

F10. — Transtornos mentais e de comportamento decorrentes do uso de álcool
F11. — Transtornos mentais e de comportamento decorrentes do uso de opioides
F12. — Transtornos mentais e de comportamento decorrentes do uso de canabinoides
F13. — Transtornos mentais e de comportamento decorrentes do uso de sedativos ou hipnóticos
F14. — Transtornos mentais e de comportamento decorrentes do uso de cocaína
F15. — Transtornos mentais e de comportamento decorrentes do uso de outros estimulantes, incluindo cafeína
F16. — Transtornos mentais e de comportamento decorrentes do uso de alucinógenos
F17. — Transtornos mentais e de comportamento decorrentes do uso de tabaco
F18. — Transtornos mentais e de comportamento decorrentes do uso de solventes voláteis
F19. — Transtornos mentais e de comportamento decorrentes do uso de múltiplas drogas e uso de outras substâncias psicoativas

Categorias de quatro a cinco caracteres podem ser usadas para especificar as condições clínicas, como se segue:

    F1x.0 Intoxicação aguda
        .00 Não complicada
        .01 Com trauma ou outra lesão corporal
        .02 Com outras complicações médicas
        .03 Com *delirium*
        .04 Com distorções perceptuais
        .05 Com coma
        .06 Com convulsões
        .07 Intoxicação patológica

    F1x.1 Uso nocivo

    F1x.2 Síndrome de dependência
        .20 Atualmente abstinente
        .21 Atualmente abstinente, porém em ambiente protegido

.22 Atualmente em regime de manutenção ou substituição clinicamente supervisionado (dependência controlada)
.23 Atualmente abstinente, porém recebendo tratamento com drogas aversivas ou bloqueio
.24 Atualmente usando a substância (dependência ativa)
.25 Uso contínuo
.26 Uso episódico (dipsomania)

F1x.3 Estado de abstinência
.30 Sem complicações
.31 Com convulsões

F1x.4 Estado de abstinência com *delirium*
.40 Sem convulsões
.41 Com convulsões

F1x.5 Transtorno psicótico
.50 Esquizofreniforme
.51 Predominantemente delirante
.52 Predominantemente alucinatório
.53 Predominantemente polimórfico
.54 Predominantemente sintomas depressivos
.55 Predominantemente sintomas maníacos
.56 Misto

F1x.6 Síndrome amnéstica

F1x.7 Transtorno psicótico residual e de início tardio
.70 *Flashbacks*
.71 Transtorno de personalidade e de comportamento
.72 Transtorno afetivo residual
.73 Demência
.74 Outro comprometimento cognitivo persistente
.75 Transtorno psicótico de início tardio

F1x.8 Outros transtornos mentais e de comportamento

F1x.9 Transtorno mental e de comportamento não especificado

LISTA DE CATEGORIAS

F20 — F29
Esquizofrenia, transtornos esquizotípico e delirantes

F20 Esquizofrenia
F20.0 Esquizofrenia paranoide
F20.1 Esquizofrenia hebefrênica
F20.2 Esquizofrenia catatônica
F20.3 Esquizofrenia indiferenciada
F20.4 Depressão pós-esquizofrênica
F20.5 Esquizofrenia residual
F20.6 Esquizofrenia simples
F20.8 Outra esquizofrenia
F20.9 Esquizofrenia não especificada

Um quinto caractere pode ser usado para classificar o curso:
.x0 Contínuo
.x1 Episódico com déficit progressivo
.x2 Episódico com déficit estável
.x3 Episódico remitente
.x4 Remissão incompleta
.x5 Remissão completa
.x8 Outros
.x9 Período de observação menor do que um ano

F21 Transtorno esquizotípico

F22 Transtornos delirantes persistentes
F22.0 Transtorno delirante
F22.8 Outros transtornos delirantes persistentes
F22.9 Transtorno delirante persistente, não especificado

F23 Transtornos psicóticos agudos e transitórios
F23.0 Transtorno psicótico polimórfico agudo sem sintomas de esquizofrenia
F23.1 Transtorno psicótico polimórfico agudo com sintomas de esquizofrenia
F23.2 Transtorno psicótico esquizofreniforme agudo
F23.3 Outros transtornos psicóticos agudos predominantemente delirantes
F23.8 Outros transtornos psicóticos agudos e transitórios
F23.9 Transtorno psicótico agudo e transitório, não especificado

Um quinto caractere pode ser usado para identificar a presença ou ausência de estresse agudo associado:

        .x0 Sem estresse agudo associado
        .x1 Com estresse agudo associado

F24 Transtorno delirante induzido

F25 Transtornos esquizoafetivos
    F25.0 Transtorno esquizoafetivo, tipo maníaco
    F25.1 Transtorno esquizoafetivo, tipo depressivo
    F25.2 Transtorno esquizoafetivo, tipo misto
    F25.8 Outros transtornos esquizoafetivos
    F25.9 Transtorno esquizoafetivo, não especificado

F28 Outros transtornos psicóticos não orgânicos

F29 Psicose não orgânica não especificada

F30 — F39
Transtornos do humor (afetivos)

F30 Episódio Maníaco
F30.0 Hipomania
F30.1 Mania sem sintomas psicóticos
F30.2 Mania com sintomas psicóticos
F30.8 Outros episódios maníacos
F30.9 Episódio maníaco, não especificado

F31 Transtorno afetivo bipolar
F31.0 Transtorno afetivo bipolar, episódio atual hipomaníaco
F31.1 Transtorno afetivo bipolar, episódio atual maníaco sem sintomas psicóticos
F31.2 Transtorno afetivo bipolar, episódio atual maníaco com sintomas psicóticos
F31.2 Transtorno afetivo bipolar, episódio atual depressivo leve ou moderado
    .30 Sem sintomas somáticos
    .31 Com sintomas somáticos
F31.4 Transtorno afetivo bipolar, episódio atual depressivo grave sem sintomas psicóticos
F31.5 Transtorno afetivo bipolar, episódio atual depressivo grave com sintomas psicóticos
F31.6 Transtorno afetivo bipolar, episódio atual misto
F31.7 Transtorno afetivo bipolar, atualmente em remissão
F31.8 Outros transtornos afetivos bipolares
F31.9 Transtorno afetivo bipolar, não especificado

F32 Episódio depressivo
F32.0 Episódio depressivo leve
    .00 Sem sintomas somáticos
    .01 Com sintomas somáticos
F32.1 Episódio depressivo moderado
    .10 Sem sintomas somáticos
    .11 Com sintomas somáticos
F32.2 Episódio depressivo grave sem sintomas psicóticos
F32.3 Episódio depressivo grave com sintomas psicóticos
F32.8 Outros episódios depressivos
F32.9 Episódio depressivo, não especificado

F33 Transtorno depressivo recorrente
F33.0 Transtorno depressivo recorrente, episódio atual leve
    .00 Sem sintomas somáticos

.01 Com sintomas somáticos
F33.1 Transtorno depressivo recorrente, episódio atual moderado
.10 Sem sintomas somáticos
.11 Com sintomas somáticos
F33.2 Transtorno depressivo recorrente, episódio atual grave sem sintomas psicóticos
F33.3 Transtorno depressivo recorrente, episódio atual grave com sintomas psicóticos
F33.4 Transtorno depressivo recorrente, atualmente em remissão
F33.8 Outros transtornos depressivos recorrentes
F33.9 Transtorno depressivo recorrente, não especificado

F34 Transtornos persistentes do humor (afetivos)
F34.0 Ciclotimia
F34.1 Distimia
F34.8 Outros transtornos persistentes do humor (afetivos)
F34.9 Transtorno persistente do humor (afetivo), não especificado

F38 Outros transtornos do humor (afetivos)
F38.0 Outros transtornos únicos do humor (afetivos)
.00 Episódio afetivo misto
F38.1 Outros transtornos recorrentes do humor (afetivos)
.10 Transtorno depressivo breve recorrente
F38.8 Outros transtornos do humor (afetivos) especificados

F39 Transtorno do humor (afetivo) não especificado

F40 — F48
Transtornos neuróticos, relacionados ao estresse e somatoformes

F40   Transtorno fóbico-ansiosos
F40.0   Agorafobia
.00   Sem transtorno de pânico
.01   Com transtorno de pânico
F40.1   Fobias sociais
F40.2   Fobias específicas (isoladas)
F40.8   Outros transtornos fóbico-ansiosos
F40.9   Transtorno fóbico-ansioso, não especificado

F41   Outros transtornos ansiosos
F41.0   Transtorno de pânico (ansiedade paroxística episódica)
F41.1   Transtorno de ansiedade generalizada
F41.2   Transtorno misto de ansiedade e depressão
F41.3   Outros transtornos mistos de ansiedade
F41.8   Outros transtornos ansiosos especificados
F41.9   Transtorno ansioso, não especificado

F42   Transtorno obsessivo-compulsivo
F42.0   Predominantemente pensamentos obsessivos ou ruminações
F42.1   Predominantemente atos compulsivos (rituais obsessivos)
F42.2   Pensamentos e atos obsessivos mistos
F42.8   Outros transtornos obsessivo-compulsivos
F42.9   Transtorno obsessivo-compulsivo, não especificado

F43   Reação a estresse grave e transtornos de ajustamento
F43.0   Reação aguda a estresse
F43.1   Transtorno de estresse pós-traumático
F43.2   Transtornos de ajustamento
.20   Reação depressiva breve
.21   Reação depressiva prolongada
.22   Reação mista ansiosa e depressiva
.23   Com perturbação predominante de outras emoções
.24   Com perturbação predominante de conduta
.25   Com perturbação mista de emoções e conduta
.28   Com outros sintomas predominantes especificados
F43.8   Outras reações a estresse grave
F43.9   Reação a estresse grave, não especificada

F44 Transtornos dissociativos (ou conversivos)
    F44.0 Amnésia dissociativa
    F44.1 Fuga dissociativa
    F44.2 Estupor dissociativo
    F44.3 Transtornos de transe e possessão
    F44.4 Transtornos motores dissociativos
    F44.5 Convulsões dissociativas
    F44.6 Anestesia e perda sensorial dissociativas
    F44.7 Transtornos dissociativos (ou conversivos) mistos
    F44.8 Outros transtornos dissociativos (ou conversivos)
        .80 Síndrome de Ganser
        .81 Transtorno de personalidade múltipla
        .82 Transtornos dissociativos (ou conversivos) transitórios ocorrendo na infância ou adolescência
        .88 Outros transtornos dissociativos (ou conversivos) especificados
    F44.9 Transtorno dissociativo (ou conversivo), não especificado

F45 Transtornos somatoformes
    F45.0 Transtorno de somatização
    F45.1 Transtorno somatoforme indiferenciado
    F45.2 Transtorno hipocondríaco
    F45.3 Disfunção autonômica somatoforme
        .30 Coração e sistema cardiovascular
        .31 Trato gastrintestinal superior
        .32 Trato gastrintestinal inferior
        .33 Sistema respiratório
        .34 Sistema geniturinário
        .38 Outro órgão ou sistema
    F45.4 Transtorno doloroso somatoforme persistente
    F45.8 Outros transtornos somatoformes
    F45.9 Transtorno somatoforme, não especificado

F48 Outros transtornos neuróticos
    F48.0 Neurastenia
    F48.1 Síndrome de despersonalização-desrealização
    F48.8 Outros transtornos neuróticos especificados
    F48.9 Transtorno neurótico, não especificado

F50 — F59
Síndromes comportamentais associadas a perturbações fisiológicas e fatores físicos

F50 Transtornos alimentares
    F50.0 Anorexia nervosa
    F50.1 Anorexia nervosa atípica
    F50.2 Bulimia nervosa
    F50.3 Bulimia nervosa atípica
    F50.4 Hiperfagia associada a outras perturbações psicológicas
    F50.5 Vômitos associados a outras perturbações psicológicas
    F50.8 Outros transtornos alimentares
    F50.9 Transtorno alimentar, não especificado

F51 Transtornos não orgânicos de sono
    F51.0 Insônia não orgânica
    F51.1 Hipersonia não orgânica
    F51.2 Transtorno não orgânico do ciclo sono-vigília
    F51.3 Sonambulismo
    F51.4 Terrores noturnos
    F51.5 Pesadelos
    F51.8 Outros transtornos não orgânicos de sono
    F51.9 Transtorno não orgânico de sono, não especificado

F52 Disfunção sexual, não causada por transtorno ou doença orgânica
    F52.0 Falta ou perda de desejo sexual
    F52.1 Aversão sexual e falta de prazer sexual
        .10 Aversão sexual
        .11 Falta de prazer sexual
    F52.2 Falta de resposta genital
    F52.3 Disfunção orgásmica
    F52.4 Ejaculação precoce
    F52.5 Vaginismo não orgânico
    F52.6 Dispareunia não orgânica
    F52.7 Impulso sexual excessivo
    F52.8 Outras disfunções sexuais, não causadas por transtorno ou doença orgânica
    F52.9 Disfunção sexual, não causada por transtorno ou doença orgânica, não especificada

F53 Transtornos mentais e de comportamentos associados ao puerpério, não classificados em outros locais

F53.0 Transtornos mentais e de comportamento leves, associados ao puerpério, não classificados em outros locais
F53.1 Transtornos mentais e de comportamento graves, associados ao puerpério, não classificados em outros locais
F53.8 Outros transtornos mentais e de comportamento associados ao puerpério, não classificados em outros locais
F53.9 Transtorno mental puerperal, não especificado

F54 Fatores psicológicos e de comportamento associados a transtornos ou doenças classificadas em outros locais

F55 Abuso de substâncias que não produzem dependência

F55.0 Antidepressivos
F55.1 Laxativos
F55.2 Analgésicos
F55.3 Antiácidos
F55.4 Vitaminas
F55.5 Esteroides ou hormônios
F55.6 Ervas ou remédios folclóricos populares específicos
F55.8 Outras substâncias que não produzem dependência
F55.9 Não especificada

F59 Síndromes comportamentais associadas a perturbações fisiológicas e fatores físicos não especificadas

F60 — F69
Transtornos de personalidade e de comportamentos em adultos

F60 Transtornos específicos de personalidade
    F60.0 Transtorno de personalidade paranoide
    F60.1 Transtorno de personalidade esquizoide
    F60.2 Transtorno de personalidade antissocial
    F60.3 Transtorno de personalidade emocionalmente instável
        .30 Tipo impulsivo
        .31 Tipo *borderline* (limítrofe)
    F60.4 Transtorno de personalidade histriônica
    F60.5 Transtorno de personalidade anancástica
    F60.6 Transtorno de personalidade ansiosa (de evitação)
    F60.7 Transtorno de personalidade dependente
    F60.8 Outros transtornos específicos de personalidade
    F60.9 Transtorno de personalidade, não especificado

F61 Transtornos de personalidade mistos e outros
    F61.0 Transtornos mistos de personalidade
    F61.1 Alterações importunas de personalidade

F62 Alterações permanentes de personalidade, não atribuíveis a lesão ou doença cerebral
    F62.0 Alteração permanente de personalidade após experiência catastrófica
    F62.1 Alteração permanente de personalidade após doença psiquiátrica
    F62.8 Outras alterações permanentes de personalidade
    F62.9 Alteração permanente de personalidade, não especificada

F63 Transtornos de hábitos e impulsos
    F63.0 Jogo patológico
    F63.1 Comportamento incendiário patológico (piromania)
    F63.2 Roubo patológico (cleptomania)
    F63.3 Tricotilomania
    F63.8 Outros transtornos de hábitos e impulsos
    F63.9 Transtorno de hábitos e impulsos, não especificado

F64 Transtornos de identidade sexual
    F64.0 Transexualismo
    F64.1 Transvestismo de duplo papel
    F64.2 Transtorno de identidade sexual na infância

F64.8 Outros transtornos de identidade sexual
F64.9 Transtorno de identidade sexual, não especificado

F65 Transtornos de preferência sexual
F65.0 Fetichismo
F65.1 Transvestismo fetichista
F65.2 Exibicionismo
F65.3 Voyeurismo
F65.4 Pedofilia
F65.5 Sadomasoquismo
F65.6 Transtornos múltiplos de preferência sexual
F65.8 Outros transtornos de preferência sexual
F65.9 Transtorno de preferência sexual, não especificado

F66 Transtornos psicológicos e de comportamento associados ao desenvolvimento e orientação sexuais
F66.0 Transtorno de maturação sexual
F66.1 Orientação sexual egodistônica
F66.2 Transtorno de relacionamento sexual
F66.8 Outros transtornos do desenvolvimento psicossexual
F66.9 Transtorno do desenvolvimento psicossexual, não especificado

Um quinto caractere pode ser usado para indicar associação a:
.x0 Heterossexualidade
.x1 Homossexualidade
.x2 Bissexualidade
.x8 Outros, incluindo pré-puberal

F68 Outros transtornos de personalidade e de comportamentos em adultos
F68.0 Elaboração de sintomas físicos por razões psicológicas
F68.1 Produção intencional ou invenção de sintomas ou incapacidades físicas ou psicológicas (transtorno factício)
F68.8 Outros transtornos especificados de personalidade e de comportamento em adultos

F69 Transtorno não especificado de personalidade e de comportamento em adultos

F70 — F79
Retardo mental

F70 Retardo mental leve
F71 Retardo mental moderado
F72 Retardo mental grave
F73 Retardo mental profundo
F78 Outro retardo mental
F79 Retardo mental não especificado

Um quarto caractere pode ser usado para especificar a extensão do comprometimento associado de comportamento:
    F7x.0 Nenhum ou mínimo comprometimento de comportamento
    F7x.1 Comprometimento significativo de comportamento requerendo atenção ou tratamento
    F7x.8 Outros comprometimentos de comportamento
    F7x.9 Sem menção a comprometimento de comportamento

F80 — F89
Transtornos do desenvolvimento psicológico

F80 Transtornos específicos do desenvolvimento da fala e linguagem
F80.0 Transtorno específico de articulação de fala
F80.1 Transtorno de linguagem expressiva
F80.2 Transtorno de linguagem receptiva
F80.3 Afasia adquirida com epilepsia (síndrome de Landau-Kleffner)
F80.8 Outros transtornos do desenvolvimento da fala e linguagem
F80.9 Transtorno do desenvolvimento da fala e linguagem, não especificado

F81 Transtornos específicos do desenvolvimento das habilidades escolares
F81.0 Transtorno específico de leitura
F81.1 Transtorno específico do soletrar
F81.2 Transtorno específico de habilidades aritméticas
F81.3 Transtorno misto das habilidades escolares
F81.8 Outros transtornos do desenvolvimento das habilidades escolares
F81.9 Transtorno do desenvolvimento das habilidades escolares, não especificado

F82 Transtorno específico do desenvolvimento da função motora

F83 Transtornos específicos mistos do desenvolvimento

F84 Transtornos invasivos do desenvolvimento
F84.0 Autismo infantil
F84.1 Autismo atípico
F84.2 Síndrome de Rett
F84.3 Outro transtorno desintegrativo da infância
F84.4 Transtorno de hiperatividade associado a retardo mental e movimentos estereotipados
F84.5 Síndrome de Asperger
F84.8 Outros transtornos invasivos do desenvolvimento
F84.9 Transtorno invasivo do desenvolvimento, não especificado

F88 Outros transtornos do desenvolvimento psicológico

F89 Transtorno não especificado do desenvolvimento psicológico

F90 — F98
Transtornos emocionais e de comportamento com início usualmente ocorrendo na infância e adolescência

F90 Transtornos hipercinéticos
    F90.0 Perturbação da atividade e atenção
    F90.1 Transtorno de conduta hipercinética
    F90.8 Outros transtornos hipercinéticos
    F90.9 Transtorno hipercinético, não especificado

F91 Transtornos de conduta
    F91.0 Transtorno de conduta restrito ao contexto familiar
    F91.1 Transtorno de conduta não socializado
    F91.2 Transtorno de conduta socializado
    F91.3 Transtorno desafiador de oposição
    F91.8 Outros transtornos de conduta
    F91.9 Transtorno de conduta, não especificado

F92 Transtornos mistos de conduta e emoções
    F92.0 Transtorno depressivo de conduta
    F92.8 Outros transtornos mistos de conduta e emoções
    F92.9 Transtorno misto de conduta e emoções, não especificado

F93 Transtornos emocionais com início específico na infância
    F93.0 Transtorno de ansiedade de separação na infância
    F93.1 Transtorno fóbico-ansioso na infância
    F93.2 Transtorno de ansiedade social na infância
    F93.3 Transtorno de rivalidade entre irmãos
    F93.8 Outros transtornos emocionais na infância
    F93.9 Transtorno emocional na infância, não especificado

F94 Transtornos de funcionamento social com início específico na infância e adolescência
    F94.0 Mutismo eletivo
    F94.1 Transtorno reativo de vinculação na infância
    F94.2 Transtorno de vinculação com desinibição na infância
    F94.8 Outros transtornos de funcionamento social na infância
    F94.9 Transtorno de funcionamento social na infância, não especificado

F95 Transtornos de tique
F95.0 Transtorno de tique transitório
F95.1 Transtorno de tique motor ou vocal
F95.2 Transtorno de tiques vocais e motores múltiplos combinados (síndrome de Gilles de la Tourette)
F95.8 Outros transtornos de tique
F95.9 Transtorno de tique, não especificado

F98 Outros transtornos emocionais e de comportamento com início usualmente ocorrendo na infância e adolescência
F98.0 Enurese não orgânica
F98.1 Encoprese não orgânica
F98.2 Transtorno de alimentação na infância
F98.3 Pica na infância
F98.4 Transtorno de movimento estereotipado
F98.5 Gagueira (tartamudez)
F98.6 Fala desordenada (taquifemia)
F98.8 Outros transtornos emocionais e de comportamento especificados com início usualmente ocorrendo na infância e adolescência
F98.9 Transtornos emocionais e de comportamento com início usualmente ocorrendo na infância e adolescência, não especificados

F99
Transtorno mental não especificado

F99 Transtorno mental, sem outra especificação

Descrições clínicas
e diretrizes diagnósticas

F00 — F09
Transtornos mentais orgânicos, incluindo sintomáticos

Visão geral deste bloco

F00 Demência na doença de Alzheimer
    F00.0 Demência na doença de Alzheimer de início precoce
    F00.1 Demência na doença de Alzheimer de início tardio
    F00.2 Demência na doença de Alzheimer tipo misto ou atípica
    F00.9 Demência na doença de Alzheimer, não especificada

F01 Demência vascular
    F01.0 Demência vascular de início agudo
    F01.1 Demência por múltiplos infartos
    F01.2 Demência vascular subcortical
    F01.3 Demência vascular mista cortical e subcortical
    F01.8 Outra demência vascular
    F01.9 Demência vascular, não especificada

F02 Demência em outras doenças classificadas em outros locais
    F02.0 Demência na doença de Pick
    F02.1 Demência na doença de Creutzfeldt-Jakob
    F02.2 Demência na doença de Huntington
    F02.3 Demência na doença de Parkinson
    F02.4 Demência na doença causada pelo vírus de imunodeficiência humana (HIV)
    F02.8 Demência em outras doenças classificadas em outros locais

F03 Demência, não especificada

Um quinto caractere pode ser usado para especificar demência em F00 — F03, como se segue:
    .x0 Sem sintomas adicionais
    .x1 Outros sintomas, predominantemente delirantes
    .x2 Outros sintomas, predominantemente alucinatórios
    .x3 Outros sintomas, predominantemente depressivos
    .x4 Outros sintomas mistos

F04 Síndrome amnéstica orgânica, não induzida por álcool e outras substâncias psicoativas
F05 *Delirium*, não induzido por álcool e outras substâncias psicoativas

F05.0 *Delirium*, não sobreposto à demência, como descrita
F05.1 *Delirium*, sobreposto à demência
F05.8 Outro *delirium*
F05.9 *Delirium*, não especificado

F06 Outros transtornos mentais decorrentes de lesão e disfunção cerebrais e de doença física
F06.0 Alucinose orgânica
F06.1 Transtorno catatônico orgânico
F06.2 Transtorno delirante (esquizofreniforme) orgânico
F06.3 Transtornos orgânicos do humor (afetivos)
    .30 Transtorno maníaco orgânico
    .31 Transtorno bipolar orgânico
    .32 Transtorno depressivo orgânico
    .33 Transtorno afetivo misto orgânico
F06.4 Transtorno orgânico de ansiedade
F06.5 Transtorno dissociativo orgânico
F06.6 Transtorno astênico (de labilidade emocional) orgânico
F06.7 Transtorno cognitivo leve
F06.8 Outros transtornos mentais especificados decorrentes de lesão e disfunção cerebrais e de doença física
F06.9 Transtorno mental orgânico decorrente de lesão e disfunção cerebral e de doença física não especificado

F07 Transtornos de personalidade e de comportamento decorrentes de doença, lesão e disfunção cerebrais
F07.0 Transtorno orgânico de personalidade
F07.1 Síndrome pós-encefalítica
F07.2 Síndrome pós-concussional
F07.8 Outros transtornos de personalidade e de comportamento decorrentes de doença, lesão e disfunção cerebrais
F07.9 Transtorno de personalidade e de comportamento decorrente de doença, lesão e disfunção cerebrais, não especificado

F09 Transtorno mental orgânico ou sintomático não especificado

Introdução

Este bloco compreende uma série de transtornos mentais reunidos em virtude de terem em comum uma etiologia demonstrável de doença ou lesão cerebral, ou outra afecção que leve a uma disfunção cerebral. A disfunção pode ser primária, como em doenças, lesões e afecções que afetam o cérebro direta ou preferencialmente; ou secundária, como em doenças e transtornos sistêmicos que atacam o cérebro somente como um dos múltiplos órgãos ou sistemas corporais envolvidos. Transtornos cerebrais causados por álcool e drogas, embora logicamente pertencentes a este grupo, são classificados sob F10 — F19, devido a vantagens práticas em se manter todos os transtornos decorrentes do uso de substância psicoativa em um único bloco.

Embora o espectro de manifestações psicopatológicas das condições aqui incluídas seja amplo, os aspectos essenciais dos transtornos formam dois agrupamentos principais. De um lado, há síndromes nas quais os aspectos invariáveis e mais proeminentes são perturbações de funções cognitivas, tais como memória, inteligência e aprendizagem, ou perturbações do sensório, tais como transtornos de consciência e atenção. Do outro lado, há síndromes das quais as manifestações mais conspícuas são nas áreas de percepção (alucinações), do conteúdo do pensamento (delírios), do humor e emoção (depressão, elação, ansiedade) ou no padrão global de personalidade e de comportamento, enquanto a disfunção cognitiva ou sensorial é mínima ou difícil de se determinar. O último grupo de transtornos tem uma posição menos segura neste bloco do que o primeiro, porque ele contém muitos transtornos que são sintomaticamente similares a condições classificadas em outros blocos (F20 — F29, F30 — F39, F40 — F48, F60 — F69), conhecidas por ocorrerem sem alteração patológica ou disfunção cerebral grosseira. Contudo, a evidência crescente que uma variedade de doenças cerebrais e sistêmicas tem relação causal com a ocorrência de tais síndromes, é suficiente para justificar sua inclusão aqui em uma classificação clinicamente orientada.

A maioria dos transtornos neste bloco pode, pelo menos teoricamente, instalar-se em qualquer idade, exceto talvez na primeira infância. Na prática, a maior parte tende a iniciar-se na vida adulta ou na velhice. Enquanto alguns desses transtornos são aparentemente irreversíveis e progressivos, outros são transitórios ou respondem aos tratamentos atualmente disponíveis.

O uso do termo "orgânico" não implica que condições incluídas em outros blocos desta classificação sejam "não orgânicas", no sentido de não terem um substrato cerebral. No presente contexto, o termo "orgânico" significa simplesmente que a síndrome assim classificada pode ser atribuída a uma doença ou transtorno cerebral ou sistêmico, independentemente diagnosticável. O termo "sintomático" é usado para aqueles transtornos mentais orgânicos nos quais o envolvimento cerebral é secundário a uma doença ou transtorno extracerebral sistêmico.

Decorre do que foi dito acima que, na maioria dos casos, o registro de um diagnóstico de qualquer um dos transtornos neste bloco vai exigir o uso de dois códigos: um para a síndrome psicopatológica e outro para o transtorno subjacente. O código etiológico deve ser escolhido do capítulo pertinente da classificação global da CID-10.

Demência

Uma descrição geral de demência é dada aqui para iniciar o requisito mínimo para o diagnóstico de demência de qualquer tipo e é seguida pelos critérios que determinam o diagnóstico de tipos mais específicos.

A demência é uma síndrome decorrente de uma doença cerebral, usualmente de natureza crônica ou progressiva, na qual há perturbação de múltiplas funções corticais superiores, incluindo memória, pensamento, orientação, compreensão, cálculo, capacidade de aprendizagem, linguagem e julgamento. Não há obnubilação de consciência. Os comprometimentos de função cognitiva são comumente acompanhados, e ocasionalmente precedidos, por deterioração no controle emocional, comportamento social ou motivação. Esta síndrome ocorre na doença de Alzheimer, na doença cerebrovascular e em outras condições que, primária ou secundariamente, afetam o cérebro.

Na avaliação da presença ou ausência de uma demência, deve-se tomar cuidado especial em evitar identificação falso-positiva: fatores motivacionais ou emocionais, particularmente depressão, associados à lentidão motora e fraqueza física geral, ao invés de perda da capacidade intelectual, podem ser responsáveis por falha de desempenho.

A demência produz um declínio apreciável no funcionamento intelectual e usualmente alguma interferência com atividades pessoais do dia a dia, tais como limpeza, vestimenta, alimentação, higiene pessoal, atividades fisiológicas e de toalete. Como tal declínio se manifesta dependerá amplamente do meio social e cultural no qual o paciente vive. Alterações no desempenho de papéis, tais como uma diminuição na capacidade de manter ou encontrar um emprego, não devem ser usadas como critérios de demência devido às grandes diferenças transculturais que existem sobre o que é apropriado e porque pode haver, frequentes, alterações externamente impostas na disponibilidade de trabalho dentro de uma cultura em particular.

Se sintomas depressivos estão presentes, mas os critérios para um episódio depressivo (F32.0 — F32.3) não são preenchidos, eles podem ser registrados por intermédio de um 5º caractere. A presença de alucinações ou delírios pode ser tratada similarmente.

.x0   Sem sintomas adicionais
.x1   Outros sintomas, predominantemente delirantes
.x2   Outros sintomas, predominantemente alucinatórios

.x3 Outros sintomas, predominantemente depressivos
.x4 Outros sintomas mistos

Diretrizes Diagnósticas

O requisito primário para o diagnóstico é a evidência de um declínio tanto na memória quanto no pensamento, o qual é suficiente para comprometer atividades pessoais da vida diária, como descrito acima. O comprometimento da memória tipicamente afeta o registro, armazenamento e evocação de novas informações, porém o material familiar e o aprendido anteriormente podem também estar perdidos, particularmente nos estágios mais tardios. A demência é mais do que dismnésia: há também comprometimento do pensamento, da capacidade de raciocínio e uma redução do fluxo de ideias. O processamento das informações recebidas está comprometido, de modo que o indivíduo tem progressivamente mais dificuldade em responder a mais de um estímulo de cada vez, tal como participar de uma conversação com várias pessoas, e para mudar o foco de atenção de um tópico para outro. Se demência é o único diagnóstico, evidência de clareza de consciência é um requisito. Contudo, um duplo diagnóstico de *delirium* sobreposto à demência é comum (F05.1). Os sintomas e comprometimentos acima mencionados devem ser evidentes por pelo menos 6 meses para que um diagnóstico clínico confiável de demência seja feito.

Diagnóstico diferencial. Considerar: um transtorno depressivo (F30 — F39), o qual pode apresentar muitos dos aspectos de uma demência incipiente, especialmente comprometimento de memória, pensamento lentificado e falta de espontaneidade; *delirium* (F05); retardo mental leve ou moderado (F70 — F71); estados de funcionamento cognitivo atribuíveis a um ambiente social gravemente empobrecido e educação limitada; transtornos mentais iatrogênicos decorrentes de medicação (F06. —).

A demência pode *seguir-se* a qualquer outro transtorno mental orgânico classificado neste bloco ou *coexistir* com alguns deles, especialmente *delirium* (ver F05.1).

F00 Demência na Doença de Alzheimer

A doença de Alzheimer é uma doença cerebral degenerativa primária de etiologia desconhecida, com aspectos neuropatológicos e neuroquímicos característicos. Instala-se usualmente de modo insidioso e desenvolve-se lenta, mas continuamente por um período de anos; este pode ser tão curto como 2 ou 3 anos, mas ocasionalmente pode ser consideravelmente mais prolongado. O início pode ser na meia-idade ou até mais cedo (doença de Alzheimer de início pré-senil), mas a incidência é maior na idade avançada (doença de Alzheimer de início senil). Em casos com início antes da idade dos 65-70 anos, existe a probabilidade de uma história familiar de uma demência semelhante, um curso mais rápido e predominância de aspectos de dano do lobo temporal e parietal, incluindo disfasia ou dispraxia. Em casos com início mais tardio, o curso tende a ser mais lento e caracterizado por um comprometimento mais geral de funções corticais superiores. Pacientes com síndrome de Down têm um grande risco de desenvolver doença de Alzheimer.

Há alterações características no cérebro: uma redução marcante na população neuronal, particularmente no hipocampo, substância *innominata, locus ceruleus* e córtex temporoparietal e frontal; aparecimento de redes neurofibrilares constituídas de filamentos helicoidais emparelhados; placas neuríticas (argentofílicas), as quais consistem em sua maior parte de amiloide e mostram uma progressão definitiva em sua evolução (ainda que placas sem amiloide possam também existir) e corpúsculos granulovasculares. Alterações neuroquímicas também têm sido encontradas, incluindo uma redução marcante da enzima colina-acetiltransferase, da própria acetilcolina e de outros neurotransmissores e neuromoduladores.

Como foi originariamente descrito, os aspectos clínicos são acompanhados pelas alterações cerebrais acima mencionadas. Contudo, parece agora que os dois não evoluem sempre paralelo: um deles pode estar inquestionavelmente presente, com somente evidências mínimas do outro. Entretanto, os aspectos clínicos da doença de Alzheimer são tais que é frequentemente possível fazer um diagnóstico presuntivo em bases clínicas apenas.

A demência na doença de Alzheimer é atualmente irreversível.

Diretrizes diagnósticas

Os seguintes aspectos são essenciais para um diagnóstico definitivo:

(a) Presença de uma demência como descrita acima.
(b) Início insidioso com deterioração lenta. Embora o início usualmente pareça difícil de ser determinado no tempo, a percepção pelos outros de que os déficits existem pode ocorrer repentinamente. Um aparente platô pode aparecer na progressão.
(c) Ausência de evidência clínica ou achados de investigações especiais que sugiram que o estado mental pode ser decorrente de outra doença sistêmica ou cerebral, a qual possa induzir uma demência (p. ex., hipotireoidismo, hipercalcemia, deficiência de vitamina B12, deficiência de niacina, neurossífilis, hidrocefalia de pressão normal ou hematoma subdural).

(d) Ausência de início súbito, apoplético, ou de sinais neurológicos de lesão focal, tais como hemiparesia, perda sensorial, defeitos do campo visual e incoordenação, ocorrendo precocemente na doença (embora esses fenômenos possam se sobrepor mais tarde).

Em uma certa proporção de casos, os aspectos da doença de Alzheimer e da demência vascular podem estar ambos presentes. Em tais casos, deve ser feito duplo diagnóstico (e codificação). Quando a demência vascular precede a doença de Alzheimer, pode ser impossível diagnosticar esta última com bases clínicas.

Inclui: demência degenerativa primária do tipo Alzheimer.

Diagnóstico diferencial. Considerar: um transtorno depressivo (F30-39); *delirium* (F05); síndrome amnéstica orgânica (F04); outras demências primárias, tais como nas doenças de Pick, Creutzfeldt-Jacob ou Huntington (F02. —); demências secundárias associadas a uma variedade de doenças físicas, estados tóxicos, etc. (F02.8); retardo mental leve, moderado ou grave (F70-72).

A demência na doença de Alzheimer pode coexistir com demência vascular (a ser codificada F00.2), como quando episódios cerebrovasculares (fenômeno de multi-infarto) sobrepõem-se a um quadro clínico e história sugestivos de doença de Alzheimer. Tais episódios podem resultar em exacerbações abruptas das manifestações de demência. Segundo os achados *post mortem,* ambos os tipos podem coexistir em tanto quanto 10-15% de todos os casos de demência.

F00.0 Demência na doença de Alzheimer de início precoce

Demência na doença de Alzheimer iniciando-se antes da idade de 65 anos. Há deteriorização relativamente rápida, com marcantes e múltiplos transtornos das funções corticais superiores. Afasia, agrafia, alexia e apraxia ocorrem relativamente cedo no curso da demência, na maioria dos casos.

Diretrizes diagnósticas

Como para demência, descrita acima, com início antes de 65 anos de idade e usualmente com rápida progressão de sintomas. História familiar de doença de Alzheimer é um fator contribuinte, mas não necessário para diagnóstico, como o é uma história familiar de síndrome de Down ou linfoma.

Inclui: doença de Alzheimer, tipo 2
      demência pré-senil, tipo Alzheimer

F00.1 Demência na doença de Alzheimer de início tardio

Demência na doença de Alzheimer onde o início clinicamente observável é após a idade de 65 anos e usualmente no final da década ou mais tarde, com uma progressão lenta e usualmente com comprometimento de memória como o aspecto principal.

Diretrizes diagnósticas

Como para demência, descrita acima, com atenção para a presença ou ausência de aspectos que diferenciem o transtorno do subtipo de início precoce (F00.0).

Inclui: doença de Alzheimer, tipo 1
demência senil, tipo Alzheimer

F00.2 Demência na doença de Alzheimer, tipo misto ou atípica

Demências que não correspondem às descrições e diretrizes diagnósticas para F00.0 ou F00.1 devem ser classificadas aqui; demências mistas do tipo Alzheimer e vascular são também incluídas aqui.

F00.9 Demência na doença de Alzheimer, não especificada

F01 Demência vascular

A demência vascular (anteriormente chamada arteriosclerótica), a qual inclui demência por múltiplos infartos, é diferenciada da demência na doença de Alzheimer por sua história de início, aspectos clínicos e curso subsequente. Tipicamente, há uma história de ataques isquêmicos transitórios com breve comprometimento de consciência, paresias fugazes ou perda de visão. A demência pode também se seguir a uma sucessão de acidentes vasculares cerebrais agudos ou, menos comumente, a um único ataque apoplético importante. Aparece então algum comprometimento de memória e pensamento. O início, que é usualmente na velhice, pode ser abrupto, seguindo-se a um episódio isquêmico em particular ou pode emergir mais gradativamente. A demência é usualmente o resultado de infartos do cérebro decorrentes de doenças vasculares, incluindo a doença cerebrovascular hipertensiva. Os infartos são usualmente pequenos, mas cumulativos em seu efeito.

Diretrizes diagnósticas

O diagnóstico pressupõe a presença de uma demência, como descrita acima. O comprometimento de função cognitiva é comumente desigual, de modo que pode haver perda de memória, déficit intelectual e sinais neurológicos focais. O *insight* e o julgamento podem estar relativamente bem preservados. Um início abrupto ou uma deteriorização gradual, assim como a presença de sinais e sintomas neurológicos focais, aumentam a probabilidade do diagnóstico; em alguns casos, a confirmação pode ser obtida somente pela tomografia axial computadorizada ou, finalmente, pelo exame neuropatológico.

Aspectos associados são: hipertensão, sopro carotídeo, labilidade emocional com humor depressivo transitório, choro ou riso explosivo e episódios transitórios de obnubilação de consciência ou *delirium*, frequentemente provocados por infartos subsequentes. Acredita-se que a personalidade esteja relativamente bem preservada, mas, em uma proporção de casos, as alterações de personalidade podem ser evidentes, com apatia, desinibição ou acentuação de traços prévios, tais como egocentrismo, atitudes paranoides ou irritabilidade.

Inclui: demência arteriosclerótica.

Diagnóstico diferencial. Considerar: *delirium* (F05. —); outra demência, particularmente na doença de Alzheimer (F00. —); transtornos do humor (afetivos) (F30 — F39); retardo mental leve ou moderado (F70 — F71); hemorragia [traumática (S06.5), não traumática (162.0)].
A demência vascular pode coexistir com a demência na doença de Alzheimer (a ser codificada F00.2), como quando uma evidência de um episódio vascular se sobrepõe a um quadro clínico e história sugerindo doença de Alzheimer.

F01.0 **Demência vascular de início agudo**
Usualmente desenvolve-se rapidamente após uma sucessão de ataques decorrentes de trombose, embolia ou hemorragia cerebrovascular. Em raros casos, um único infarto maciço pode ser a causa.

F01.1 **Demência por múltiplos infartos**
Esta é mais gradual, no início, que a forma aguda, seguindo-se a vários episódios isquêmicos menores, os quais produzem um acúmulo de infartos no parênquima cerebral.

Inclui: demência predominantemente cortical

F01.2 Demência vascular subcortical

Pode haver uma história de hipertensão e focos de destruição isquêmica na substância branca profunda dos hemisférios cerebrais, dos quais pode-se suspeitar com bases clínicas e demonstrá-los com tomografia axial computadorizada. O córtex cerebral está usualmente preservado e isto contrasta com o quadro clínico, o qual pode parecer-se intimamente com aquele de demência na doença de Alzheimer. (Onde uma desmielinização difusa da substância branca pode ser demonstrada, o termo "encefalopatia de Binswanger" pode ser usado.)

F01.3 Demência vascular mista cortical e subcortical

Os componentes mistos corticais e subcorticais da demência vascular podem ser suspeitados a partir dos aspectos clínicos, dos resultados de investigações (incluindo autópsia) ou de ambos.

F01.8 Outra demência vascular

F01.9 Demência vascular, não especificada

F02 Demência em outras doenças classificadas em outros locais

Casos de demência decorrentes, ou presumivelmente decorrentes, de causas outras que não doença de Alzheimer ou doença cerebrovascular. O início pode ocorrer em qualquer época da vida, embora raramente na velhice.

Diretrizes diagnósticas

Presença de uma demência, como descrita acima; presença de aspectos característicos de uma das síndromes especificadas, como descritos nas categorias seguintes.

F02.0 Demência na doença de Pick

Uma demência progressiva, iniciando-se na meia-idade (usualmente entre os 50 e 60 anos), caracterizada por alterações de caráter e deteriorização social lentamente progressivas, seguidas por comprometimento de funções intelectuais, memória e linguagem, com apatia, euforia e (ocasionalmente), fenômenos extrapiramidais. O quadro neuropatológico é de atrofia seletiva dos lobos frontais e temporais, mas sem a ocorrência de placas neuríticas e redes neurofibrilares em maior quantidade do que é visto no envelhecimento normal. Casos com início precoce tendem a exibir um curso mais maligno. As manifestações sociais e comportamentais frequentemente precedem o franco comprometimento da memória.

Diretrizes diagnósticas

Os seguintes aspectos são requisitos para um diagnóstico definitivo:

(a) uma demência progressiva;
(b) uma predominância de aspectos do lobo frontal com euforia, embotamento emocional e rudeza de comportamento social, desinibição e tanto apatia quanto inquietação;
(c) manifestações comportamentais, as quais comumente precedem o franco comprometimento da memória.

Os aspectos do lobo frontal são mais marcantes que os dos lobos temporal e parietal, ao contrário da doença de Alzheimer.

Diagnóstico diferencial. Considerar: demência na doença de Alzheimer (F00); demência vascular (F01); demência secundária a outros transtornos, tal como neurossífilis (F02.8); hidrocefalia de pressão normal (caracterizada por extrema lentidão psicomotora, perturbações de marcha e de esfíncteres) (G91.2); outros transtornos neurológicos ou metabólicos.

F02.1 Demência na doença de Creutzfeldt-Jakob

Uma demência progressiva com extensos sinais neurológicos, decorrente de alterações neuropatológicas específicas (encefalopatia espongiforme subaguda), que são presumivelmente causadas por um agente transmissor. O início é usualmente na meia-idade ou velhice, tipicamente na quinta década de vida, mas pode ocorrer em qualquer fase da idade adulta. O curso é subagudo, levando à morte dentro de 1-2 anos.

Diretrizes diagnósticas

Deve-se suspeitar de doença de Creutzfeldt-Jakob em todos os casos de uma demência que progride completa e rapidamente por meses até 1 ou 2 anos e que é acompanhada ou seguida por sintomas neurológicos múltiplos. Em alguns casos, como na chamada forma amiotrófica, os sinais neurológicos podem preceder o início da demência.

Há usualmente uma progressiva paralisia espástica dos membros, acompanhada por sinais extrapiramidais com tremor, rigidez e movimentos coreoatetoides. Outras variantes podem incluir ataxia, deficiência visual ou fibrilação muscular e atrofia do tipo neurônio motor superior. A tríade consistindo de:

— demência devastadora, rapidamente progressiva;
— doença piramidal e extrapiramidal com mioclonia e
— um eletroencefalograma característico (trifásico)

é considerada ser altamente sugestiva dessa doença.

Diagnóstico diferencial. Considerar: doença de Alzheimer (F00. —) ou de Pick (F02.0) doença de Parkinson (F02.3); parkinsonismo pós-encefalítico (G21.3).

O curso rápido e o envolvimento motor devem sugerir doença de Creutzfeldt-Jakob.

F02.2 Demência na doença de Huntington

Uma demência que ocorre como parte de uma degeneração difusa do cérebro. A doença de Huntington é transmitida por um único gene autossômico dominante. Os sintomas aparecem tipicamente na terceira e quarta décadas, se a incidência é provavelmente igual para ambos os sexos. Em uma certa proporção de casos, os sintomas mais precoces podem ser depressão, ansiedade ou doença paranoide franca, acompanhadas por uma alteração de personalidade. A progressão é lenta, levando à morte usualmente dentro de 10 a 15 anos.

Diretrizes diagnósticas

A associação de transtorno coreiforme de movimento, demência e história familiar de doença de Huntington é altamente sugestiva do diagnóstico, embora indubitavelmente ocorram casos esporádicos.

Movimentos coreiformes involuntários, tipicamente de face, mãos e ombros ou na marcha, são manifestações precoces. Eles usualmente precedem a demência e apenas raramente permanecem ausentes até que a demência esteja muito avançada. Outros fenômenos motores podem predominar quando o início é numa idade inusualmente jovem (p. ex., rigidez estriatal) ou em idade avançada (p. ex., tremor de intenção).

A demência é caracterizada pelo envolvimento predominante de funções do lobo frontal no estágio inicial, com relativa preservação da memória até mais tarde.

Inclui: demência na coreia de Huntington

Diagnóstico diferencial. Considerar: outros casos de movimentos coreicos; doença de Alzheimer, de Pick ou de Creutzfeldt-Jakob (F00. —, F02.0, F02.1).

F02.3 Demência na doença de Parkinson

Uma demência que se desenvolve no curso de uma doença de Parkinson estabelecida (especialmente em suas formas graves). Nenhum aspecto clínico distinto em particular foi demonstrado até agora. A demência pode ser diferente tanto daquela na doença de Alzheimer quanto da demência vascular; entretanto, há também evidência de que pode ser a manifestação de uma coocorrência de uma destas condições com a doença de Parkinson. Isto justifica a identificação de casos de doença de Parkinson com demência para pesquisa, até que a questão esteja resolvida.

Diretrizes Diagnósticas

Demência que se desenvolve num indivíduo com doença de Parkinson avançada, usualmente grave.

Inclui: demência na paralisia agitada
demência no parkinsonismo.

Diagnóstico diferencial. Considerar: outras demências secundárias (F02.8); demência vascular por múltiplos infartos (F01.1), associada à doença vascular hipertensiva ou diabética; tumor cerebral (C70 — C72); hidrocefalia de pressão normal (G91.2).

F02.4 Demência na doença causada pelo vírus da imunodeficiência humana (HIV)

Um transtorno caracterizado por déficits cognitivos que preenchem os critérios diagnósticos clínicos de diagnóstico para demência, na ausência de uma doença ou condição concomitante, outra que não infecção por HIV, que pudesse explicar os achados.

A demência por HIV apresenta-se tipicamente com queixas de esquecimento, lentificação, concentração pobre e dificuldades com resolução de problemas e de leitura. Apatia, espontaneidade reduzida e retraimento social são comuns e, em uma minoria significativa de indivíduos afetados, a doença pode apresentar-se atipicamente como um transtorno afetivo, psicose ou convulsões. O exame físico frequentemente revela tremor, comprometimento dos movimentos repetitivos rápidos, desequilíbrio, ataxia, hipertonia, hiper-reflexia generalizada, sinais positivos de liberação frontal e comprometimento dos movimentos oculares de acompanhamento e de puxão.

As crianças também desenvolvem um transtorno do desenvolvimento neurológico associado ao HIV, caracterizado por atraso de desenvolvimento, hipertonia, microcefalia e calcificação dos gânglios da base. O envolvimento neurológico ocorre com mais frequência na ausência de infecções oportunísticas e neoplasias, o que não é caso para adultos.

Em geral, mas não invariavelmente, a demência por HIV progride rapidamente (em semanas ou meses) para uma demência global grave, mutismo e morte.

Inclui: complexo AIDS-demência
encefalopatia ou encefalite subaguda por HIV

F02.8 Demência em outras doenças específicas classificadas em outros locais

A demência pode ocorrer como uma manifestação ou consequência de uma variedade de condições cerebrais e somáticas. Para especificar a etiologia, o código da CID-10 para a condição subjacente deve ser adicionado.

O complexo parkinsonismo-demência de Guam também deve ser codificado aqui (identificado por um quinto caractere, se necessário). É uma demência rapidamente progressiva, seguida de disfunção extrapiramidal e, em alguns casos, de esclerose lateral amiotrófica. A doença foi originalmente descrita na Ilha de Guam, onde ocorre com alta frequência entre a população indígena, afetando duas vezes mais homens que mulheres; sabe-se agora que ela ocorre também em Papua Nova Guiné e no Japão.

Inclui: demência em:
envenenamento por monóxido de carbono (T58)
lipoidose cerebral (E75. —)
epilepsia (G40. —)
paralisia geral do insano (A52.1)
degeneração hepatolenticular (Doença de Wilson) (E83.0)
hipercalcemia (E83.5)
hipotireoidismo adquirido (E00. —, E02)
intoxicações (T36 — T65)
esclerose múltipla (G35)
neurossífilis (A52.1)
deficiência de niacina (pelagra) (E52)
poliarterite nodosa (M30.0)

lúpus eritematoso sistêmico (M32. —)
tripanossomíase (africana B56. —, americana B57. —)
deficiência de vitamina B12 (E56.8)

F03 Demência não especificada

Essa categoria deve ser usada quando os critérios gerais para o diagnóstico de demência são satisfeitos, mas quando não é possível identificar um dos tipos específicos (F00.0 — F02.9).

Inclui: demência senil ou pré-senil SOE
psicose senil ou pré-senil SOE
demência degenerativa primária SOE

F04 Síndrome amnéstica orgânica, não induzida por álcool e outras substâncias psicoativas

Uma síndrome de comprometimento proeminente de memória recente e remota. Enquanto a memória imediata está preservada, a capacidade de aprender material novo está marcantemente reduzida e isso resulta em amnésia anterógrada e desorientação temporal. Amnésia retrógrada de intensidade variável também está presente, mas sua extensão pode diminuir através do tempo, se a lesão ou processo patológico subjacente tem uma tendência à recuperação. Confabulação pode ser um aspecto marcante, mas não está invariavelmente presente. A percepção e outras funções cognitivas, incluindo o intelecto, estão usualmente intactas e proporcionam um pano de fundo contra o qual a perturbação de memória mostra-se particularmente evidente. O prognóstico depende do curso da lesão subjacente (a qual afeta tipicamente o sistema hipotalâmico-diencefálico ou a região do hipocampo); uma recuperação quase completa é, em princípio, possível.

Diretrizes Diagnósticas

Para um diagnóstico definitivo, é necessário estabelecer:

(a) presença de comprometimento da memória manifestado por um defeito de memória recente (aprendizagem de material novo comprometido), amnésias anterógrada e retrógrada e uma capacidade reduzida de relembrar experiências passadas na ordem inversa de sua ocorrência;

(b) história ou evidência objetiva de uma afecção ou doença cerebral (especialmente com envolvimento bilateral das estruturas diencefálicas e mediotemporais);
(c) ausência de um defeito na memória imediata (como testado por exemplo, por um conjunto de números), de perturbações da atenção e consciência e de comprometimento intelectual global.

Confabulações, perda de *insight* e alterações emocionais (apatia, falta de iniciativa) são indicadores adicionais do diagnóstico, embora não necessários em todos os casos.

Inclui: síndrome ou psicose de Korsakov, não alcoólica

Diagnóstico diferencial. Esse transtorno deve ser distinguido de outras síndromes orgânicas nas quais o comprometimento de memória é proeminente (p. ex., demência ou *delirium*), de amnésia dissociativa (F44.0), de função de memória comprometida em transtornos depressivos (F30 — F39) e de simulação que se apresenta com uma queixa de perda da memória (Z76.5). A síndrome de Korsakov induzida por álcool ou drogas não deve ser codificada aqui, mas na seção apropriada (F1x.6).

F05 *Delirium*, não induzido por álcool e outras substâncias psicoativas

Uma síndrome etiologicamente não específica caracterizada por perturbações simultâneas de consciência e atenção, percepção, pensamento, memória, comportamento psicomotor, emoção e ciclo sono-vigília. Pode ocorrer em qualquer idade, mas é mais comum após a idade de 60 anos. O estado deliroso é transitório e de intensidade flutuante; a maioria dos casos se recupera dentro de 4 semanas ou menos. Todavia, *delirium* durando, com flutuações, por mais de 6 meses não é incomum, especialmente quando surge no curso de doença hepática crônica, carcinoma ou endocardite bacteriana subaguda. A distinção que é às vezes feita entre *delirium* agudo e subagudo é de pequena importância clínica; a condição deve ser vista como uma síndrome unitária de duração variável e gravidade variando de leve a muito grave. Um estado deliroso pode estar sobreposto ou progredir para demência.

Esta categoria não deve ser usada para estados de *delirium* associados ao uso de drogas psicoativas especificadas em F10 — F19. Estados delirosos decorrentes de medicações prescritas (tais como estados confusionais agudos em pacientes idosos decorrentes de antidepressivos), devem ser codificados aqui.

Em tais casos, a medicação envolvida também deve ser registrada por meio de um código adicional T do Capítulo XIX da CID-10.

Diretrizes Diagnósticas

Para um diagnóstico definitivo, sintomas leves ou graves devem estar presentes em cada uma das seguintes áreas:

(a) comprometimento de consciência e atenção (em um *continuum* de obnubilação à coma; capacidade reduzida para dirigir, focar, sustentar e mudar a atenção);
(b) perturbação global da cognição (distorções perceptivas, ilusões e alucinações — mais frequentemente visuais; comprometimento do pensamento abstrato e compreensão, com ou sem delírios transitórios, mas tipicamente com algum grau de incoerência; comprometimento das memórias imediata e recente, mas com a memória remota relativamente intacta; desorientação temporal assim como, em casos mais graves, espacial e pessoal);
(c) perturbações psicomotoras (hipo ou hiperatividade e mudanças imprevisíveis de uma a outra; tempo de reação aumentado; aumento ou diminuição do fluxo da fala; intensificação da reação de susto);
(d) perturbação do ciclo sono-vigília (insônia ou, em casos graves, perda total do sono ou reversão do ciclo sono-vigília; sonolência diurna; piora noturna dos sintomas; sonhos perturbadores ou pesadelos, os quais podem continuar como alucinações após o despertar);
(e) perturbações emocionais, p. ex., depressão, ansiedade ou medo, irritabilidade, euforia, apatia ou perplexidade abismada.

O início é usualmente rápido, o curso flutuante ao correr do dia e a duração total da condição menor do que 6 meses. O quadro clínico acima é tão característico que um diagnóstico razoavelmente confiável de *delirium* pode ser feito mesmo se a causa subjacente não está claramente estabelecida. Em adição a uma história de uma doença cerebral ou física subjacente, uma evidência de disfunção cerebral (p. ex., um eletroencefalograma anormal mostrando usual, mas não invariavelmente, uma lentificação da atividade de base) pode ser requerida se há dúvida diagnóstica.

Inclui: síndrome cerebral aguda
 estado confusional agudo (não alcoólico)
 psicose infecciosa aguda
 reação orgânica aguda
 síndrome psicorgânica aguda

Diagnóstico diferencial. Delirium deve ser distinguido de outras síndromes orgânicas, especialmente demência (F00 — F03), de transtornos psicóticos agudos e transitórios (F23. —) e de estados agudos na esquizofrenia (F20. —) ou transtornos do humor (afetivos) (F30 — F39) nos quais aspectos confusionais podem estar presentes. *Delirium* induzido por álcool e outras substâncias psicoativas deve ser codificado na secção apropriada (F1*x*.4).

F05.0 *Delirium*, **não sobreposto a demência, como descrita**

Este código deve ser usado para *delirium* que não está sobreposto a uma demência pre-existente.

F05.1 *Delirium*, **sobreposto a demência**

Este código deve ser usado para condições que satisfazem os critérios acima, mas que surgem no curso de uma demência (F00 — F03).

F05.8 Outro *delirium*

Inclui: delirium de origem mista
    estado confusional ou *delirium* subagudo

F05.9 *Delirium*, **não especificado**

F06 Outros transtornos mentais decorrentes de lesão e disfunção cerebrais e de doença física

Essa categoria inclui uma miscelânea de condições casualmente relacionadas à disfunção cerebral decorrente de doença cerebral primária, doença sistêmica afetando o cérebro secundariamente, transtornos endócrinos, tais como síndrome de Cushing ou outras doenças somáticas e algumas substâncias exógenas tóxicas (mas excluindo álcool e drogas classificadas sob F10 — F19) ou hormônios. Essas condições têm em comum aspectos clínicos que não permitem por si mesmos um diagnóstico presuntivo de uma doença mental orgânica, tal como demência ou *delirium;* ao invés, as manifestações clínicas assemelham-se ou são idênticas àquelas de transtornos não considerados como "orgânicos" no sentido específico restrito a este bloco da classificação. Sua inclusão aqui é baseada na hipótese de que elas são causadas diretamente por doença ou disfunção cerebral, ao invés de resultantes de uma associação fortuita com tal doença ou disfunção ou de uma reação psicológica a seus sintomas, tais como transtornos esquizofreniformes associados à epilepsia de longa duração.

A decisão de classificar uma síndrome clínica aqui é apoiada pelo seguinte:

(a) evidência de doença, lesão ou disfunção cerebral ou de uma doença física sistêmica, sabidamente associada a uma das síndromes relacionadas;
(b) uma relação temporal (semanas ou poucos meses) entre o desenvolvimento da doença subjacente e o início da síndrome mental;
(c) recuperação do transtorno mental seguindo-se à remoção ou melhora da causa presumida subjacente;
(d) ausência de evidência que sugira uma causa alternativa da síndrome mental (tal como uma forte história familiar ou estresse precipitante).

As condições (a) e (b) justificam um diagnóstico provisório; se as quatro estiverem presentes, a certeza da classificação diagnóstica fica significantemente aumentada.

As seguintes condições estão entre as que são conhecidas como aumentado o risco relativo para as síndromes classificadas aqui: epilepsia; encefalite límbica; doença de Huntington; traumatismo craniano; neoplasias cerebrais; neoplasias extracranianas com efeitos remotos no SNC (especialmente carcinoma do pâncreas); doença, lesões ou malformações vasculares cerebrais; lúpus eritematoso e outras doenças do colágeno; doença endócrina (especialmente hipo e hipertireoidismo e doença de Cushing); transtornos metabólicos (p. ex., hipoglicemia, porfiria, hipóxia); doenças tropicais infecciosas e parasitárias (p. ex., tripanossomíase); efeitos tóxicos de drogas não psicotrópicas (propranolol, levodopa, metildopa, esteroides, anti-hipertensivos, antimaláricos).

Exclui: transtornos mentais associados a *delirium* (F05. —)
transtornos mentais associados à demência como classificada em F00 — F03

F06.0 Alucinose orgânica

Um transtorno de alucinações persistentes ou recorrentes, usualmente visuais ou auditivas, que ocorrem com consciência clara e podem ou não ser reconhecidas pelo paciente como tais. Elaboração delirante das alucinações pode ocorrer, mas o *insight* está, não infrequentemente, preservado.

Diretrizes diagnósticas

Em adição aos critérios gerais na introdução para F06, acima, deve haver evidência de alucinações persistentes ou recorrentes de qualquer modalidade sem obnubilação de consciência, nem declínio intelectual significativo; não deve haver perturbação predominante do humor e nem predomínio de delírios.

Inclui: Dermatozoenwahn
estado alucinatório orgânico (não alcoólico)

Exclui: alucinose alcoólica (F10.52)
esquizofrenia (F20. —)

F06.1 Transtorno catatônico orgânico

Um transtorno de diminuição (estupor) ou aumento (agitação) da atividade psicomotora associado a sintomas catatônicos. Os extremos da perturbação psicomotora podem se alternar. Não se sabe se a série completa de perturbações catatônicas descritas na esquizofrenia ocorre em tais estados orgânicos, nem está determinado conclusivamente se um estado catatônico orgânico pode ocorrer com consciência clara ou se é sempre uma manifestação de *delirium*, com amnésia parcial ou total subsequente. Isto requer cautela ao se fazer esse diagnóstico e uma delimitação cuidadosa entre a condição e *delirium*. Encefalite e envenenamento por monóxido de carbono estão presumivelmente associados a essa síndrome com mais frequência do que outras causas orgânicas.

Diretrizes diagnósticas

Os critérios gerais para assumir etiologia orgânica, colocados na introdução para F06, devem ser preenchidos. Em adição, deve haver um dos seguintes:

(a) estupor (diminuição ou ausência completa de movimento espontâneo com mutismo parcial ou completo, negativismo e postura rígida);
(b) excitação (hipermotilidade grosseira com ou sem uma tendência a agressividade);
(c) ambos (mudando rápida e imprevisivelmente de hipo para hiperatividade).

Outros fenômenos catatônicos que aumentam a confiança no diagnóstico são: estereotipias, flexibilidade cérea e atos impulsivos.

Exclui: esquizofrenia catatônica (F20.2)
estupor dissociativo (F44.2)
estupor SOE (R40.1)

F06.2 Transtorno delirante (esquizofreniforme) orgânico

Um transtorno no qual delírios persistentes ou recorrentes dominam o quadro clínico. Os delírios podem ser acompanhados por alucinações, mas não estão confinados a seu conteúdo. Aspectos sugestivos de esquizofrenia, tais como delírios, alucinações ou transtornos bizarros de pensamento, podem também estar presentes.

Diretrizes diagnósticas

Os critérios gerais para assumir uma etiologia orgânica, colocados na introdução para F06, devem ser preenchidos. Em adição, deve haver delírios (persecutórios, de alteração corporal, ciúmes, doença ou morte do paciente ou outra pessoa). Alucinações, transtorno do pensamento ou fenômenos catatônicos isolados podem estar presentes. Consciência e memória não devem estar afetadas. Esse diagnóstico não deve ser feito se a evidência presumida de causalidade orgânica é inespecífica ou limitada a achados tais como alargamento dos ventrículos cerebrais (visualizado na tomografia axial computadorizada) ou sinais neurológicos "leves".

Inclui: estados orgânicos paranoides e paranoidealucinatórios
psicose esquizofreniforme na epilepsia

Exclui: transtornos psicóticos agudos e transitórios (F23. —)
transtornos psicóticos induzidos por drogas (F1*x*.5)
transtorno delirante persistente (F22. —)
esquizofrenia (F20. —)

F06.3 Transtornos orgânicos do humor (afetivos)

Transtornos caracterizados por uma alteração no humor ou afeto, usualmente acompanhada por uma alteração no nível global de atividade. O único critério para inclusão desses transtornos neste bloco é sua presumida causação direta por um transtorno cerebral ou outro transtorno físico cuja presença deve ser demonstrada independentemente (p. ex., por meio de investigações físicas e laboratoriais apropriadas) ou ser presumida com base em informação adequada de história. O transtorno afetivo deve acompanhar o fator orgânico presumido e ser julgado não representar uma resposta emocional ao conhecimento do paciente ou aos sintomas de um transtorno cerebral simultâneo.

Depressão pós-infecciosa (p. ex., seguindo-se a gripe) é um exemplo comum e deve ser codificada aqui. Euforia leve persistente não chegando a hipomania (a qual é às vezes vista, por exemplo, em associação à terapia com esteroides ou antidepressivos) não deve ser codificada aqui, mas sob F06.8.

Diretrizes diagnósticas

Em adição aos critérios gerais para assumir etiologia orgânica, colocados na introdução para F06, a condição deve satisfazer os requisitos para um diagnóstico de um dos transtornos relacionados sob F30 — F33.

Exclui: transtornos de humor (afetivos) não orgânicos ou não especificados
(F30 — F39)
transtorno afetivo do hemisfério direito (F07.8)

Os seguintes códigos de cinco caracteres podem ser usados para especificar o transtorno clínico:

F06.30 Transtorno maníaco orgânico

F06.31 Transtorno bipolar orgânico

F06.32 Transtorno depressivo orgânico

F06.33 Transtorno afetivo misto orgânico

F06.4 Transtorno orgânico de ansiedade

Um transtorno caracterizado pelos aspectos descritivos essenciais de um transtorno de ansiedade generalizada (F41.1), um transtorno de pânico (F41.0) ou uma combinação de ambos, mas surgindo como uma consequência de um transtorno orgânico capaz de causar disfunção cerebral (p. ex., epilepsia do lobo temporal, tirotoxicose ou feocromocitoma).

Exclui: transtornos de ansiedade não orgânicos ou não especificados (F41. —)

F06.5 Transtorno dissociativo orgânico

Um transtorno que satisfaz os requisitos para um dos transtornos em F44. —, [transtornos dissociativos (ou conversivos)] e para o qual os critérios gerais para etiologia orgânica são também preenchidos (como descrito na introdução deste bloco).

Exclui: transtornos dissociativos (ou conversivos) não orgânicos ou não especificados (F44. —)

F06.6 Transtorno astênico (de labilidade emocional) orgânico

Um transtorno caracterizado por incontinência ou labilidade emocional marcante e persistente, fatigabilidade ou uma variedade de sensações físicas desagradáveis (p. ex., tontura) e dores consideradas como sendo decorrentes da presença de um transtorno orgânico. Pensa-se que esse transtorno ocorra em associação com doença cerebrovascular ou hipertensão mais frequentemente do que com outras causas.

Exclui: transtornos somatoformes, não orgânicos ou não especificados (F45. —)

F06.7 Transtorno cognitivo leve

Esse transtorno pode preceder, acompanhar ou seguir uma grande variedade de infecções e transtornos físicos, tanto cerebrais quanto sistêmicos (incluindo infecção por HIV). Evidência neurológica direta de envolvimento cerebral não está necessariamente presente, mas apesar disso pode haver angústia e interferência com atividades usuais. Os limites dessa categoria ainda estão para ser firmemente estabelecidos. Quando associado a um transtorno físico do qual o paciente se recupera, o transtorno cognitivo leve não dura mais do que poucas semanas adicionais. Esse diagnóstico não deve ser feito se a condição é claramente atribuível a um transtorno mental ou de comportamento classificado em quaisquer dos blocos restantes deste livro.

Diretrizes diagnósticas

O aspecto principal é um declínio no desempenho cognitivo. Isso pode incluir queixas de comprometimento de memória e dificuldades de aprendizado ou de concentração. Testes objetivos usualmente indicam anormalidades. Os sintomas são tais que um diagnóstico de demência (F00 – F03), síndrome amnéstica orgânica (F04) ou *delirium* (F05. –) não pode ser feito.

Diagnóstico diferencial. O transtorno pode ser diferenciado da síndrome pós-encefalítica (F07.1) e da síndrome pós-concussional (F07.2) por sua etiologia diferente, faixa mais restrita de sintomas geralmente mais leves e duração usualmente mais curta.

F06.8 Outros transtornos mentais orgânicos especificados decorrentes de lesão e disfunção cerebrais e de doença física

Exemplos são estados anormais de humor ocorrendo durante o tratamento com esteroides ou antidepressivos.

Inclui: psicose epilética SOE.

F06.9 Transtorno mental decorrente de lesão e disfunção cerebrais e de doença física não especificado

F07 Transtornos de personalidade e de comportamento decorrentes de doença, lesão e disfunção cerebrais

Alteração de personalidade e de comportamento pode ser um transtorno residual ou concomitante de doença, lesão ou disfunção cerebral. Em algumas ocasiões, diferenças na manifestação de tais síndromes residuais ou concomitantes de personalidade e de comportamento podem ser sugestivas do tipo e/ou localização do problema intracerebral, mas a confiabilidade de tal inferência diagnóstica não deve ser superestimada. Dessa forma, a etiologia subjacente deve ser sempre procurada por meios independentes e, se conhecida, registrada.

F07.0 Transtorno orgânico de personalidade

Esse transtorno é caracterizado por uma alteração significativa dos padrões habituais de comportamento pré-mórbido. A expressão de emoções, necessidades e impulsos é particularmente afetada. As funções cognitivas podem estar comprometidas principal ou mesmo exclusivamente nas áreas de planejamento e antecipação das prováveis consequências pessoais e sociais, como na chamada síndrome do lobo frontal. Todavia, é agora sabido que essa síndrome não ocorre apenas com lesões do lobo frontal, mas também com lesões de outras áreas cerebrais circunscritas.

Diretrizes diagnósticas

Em adição a uma história estabelecida ou outra evidência de doença, lesão ou disfunção cerebral, um diagnóstico definitivo requer a presença de dois ou mais dos seguintes aspectos:

(a) capacidade consistentemente reduzida de perseverar em atividades com fins determinados, especialmente aquelas envolvendo períodos de tempo mais prolongados e gratificação postergada;
(b) comportamento emocional alterado, caracterizado por labilidade emocional, alegria superficial e imotivada (euforia, jocosidade inadequada) e mudança fácil para irritabilidade ou explosões rápidas de raiva e agressão; em algumas ocasiões, a apatia pode ser um aspecto mais proeminente;
(c) a expressão de necessidades e impulsos sem consideração das consequências ou convenção social (o paciente pode se engajar em atos antissociais tais como roubo, propostas sexuais inadequadas, comer vorazmente ou pode exibir descaso pela higiene pessoal);
(d) perturbações cognitivas, na forma de desconfiança ou ideação paranoide e/ou preocupação excessiva com um tema único, usualmente abstrato (p. ex., religião, o "certo" e o "errado");
(e) alteração marcante da velocidade e fluxo da produção de linguagem com aspectos tais como circunstancialidade, prolixidade, viscosidade e hipergrafia;
(f) comportamento sexual alterado (hipossexualidade ou mudança da preferência sexual).

TRANSTORNOS MENTAIS E DE COMPORTAMENTO

Inclui: síndrome do lobo frontal
síndrome da personalidade de epilepsia límbica
síndrome da lobotomia
personalidade pseudopsicopática orgânica
personalidade pseudorretardada orgânica
síndrome pós-leucotomia

Exclui: alteração permanente de personalidade após experiência catastrófica (F62.0)
alteração permanente de personalidade após doença psiquiátrica (F62.1)
síndrome pós-concussional (F07.2)
síndrome pós-encefalítica
transtorno específico de personalidade (F60. —)

F07.1 Síndrome pós-encefalítica

A síndrome inclui alteração residual de comportamento seguindo-se à recuperação de encefalite tanto viral quanto bacteriana. Os sintomas são inespecíficos e variam de indivíduo para indivíduo, de um agente infeccioso para outro e, mais consistentemente, com a idade do indivíduo na época da infecção. A principal diferença entre esse transtorno e os transtornos orgânicos de personalidade é que ele é frequentemente reversível.

Diretrizes diagnósticas

As manifestações podem incluir mal-estar geral, apatia ou irritabilidade, algum rebaixamento do funcionamento cognitivo (dificuldades de aprendizagem), padrões de sono e alimentação alterados, mudanças na sexualidade e no julgamento social. Pode haver uma variedade de disfunções neurológicas residuais tais como paralisia, surdez, afasia, apraxia construtiva e acalculia.

Exclui: transtorno orgânico de personalidade (F70.0)

F07.2 Síndrome pós-concussional

A síndrome ocorre seguindo-se a um traumatismo craniano (em geral suficientemente grave para resultar em perda de consciência) e inclui vários sintomas discrepantes, tais como cefaleia, tontura (faltando usualmente os aspectos de vertigem verdadeira), fadiga, irritabilidade, dificuldade em concentrar-se e executar tarefas mentais, comprometimento de memória, insônia e tolerância reduzida a estresse, excitação emocional ou álcool. Estes sintomas podem estar acompanhados de sentimentos de depressão ou ansiedade, resultantes de alguma perda de autoestima e medo de lesão cerebral permanente. Tais sentimentos aumentam os sintomas originais e resultam num círculo vicioso. Alguns pacientes se tornam hipocondríacos, embarcam em uma procura de diagnóstico e cura e podem adotar um papel permanente de doente. A etiologia destes sintomas não é sempre clara e tanto fatores orgânicos como psicológicos foram propostos para explicá-los. O *status* nosológico desta condição é, assim, um tanto incerto. Há pouca dúvida, todavia, de que tal síndrome é comum e angustiante para o paciente.

Diretrizes diagnósticas

Pelo menos três dos aspectos acima descritos devem estar presentes para um diagnóstico definitivo. Uma avaliação cuidadosa com técnicas laboratoriais (eletroencefalografia, potenciais evocados do tronco cerebral, imagens cerebrais, oculonistagmografia) podem fornecer evidências objetivas para consubstanciar os sintomas, mas os resultados são frequentemente negativos. As queixas não estão necessariamente associadas à procura de compensação.

Inclui: síndrome pós-contusional (encefalopatia)
       síndrome cerebral pós-traumática, não psicótica

F07.8 Outros transtornos de personalidade e de comportamento decorrentes de doença, lesão ou disfunção cerebral

Uma doença, lesão ou disfunção cerebral pode produzir uma variedade de transtornos cognitivos, emocionais, de personalidade e de comportamento, nem todos os quais são classificáveis sob uma das rubricas precedentes. Todavia, uma vez que o *status* nosológico das síndromes propostas nessa área é incerto, elas devem ser codificadas como "outras". Um quinto caractere pode ser adicionado, se necessário, para identificar entidades individuais presumidas tais como:

Transtorno afetivo orgânico do hemisfério direito (mudanças na capacidade de expressar ou compreender emoção em indivíduos com transtorno do hemisfério direito). Embora o paciente possa superficialmente estar deprimido, a depressão não está usualmente presente: é a expressão da emoção que está restrita.

Codifique aqui também:

(a) quaisquer outras síndromes especificadas, mas presumidas, de mudanças de personalidade ou de comportamento decorrentes de doença, lesão ou disfunção cerebral, outras que não aquelas relacionadas sob F07.0 — F07.2;

(b) condições com graus leves de comprometimento cognitivo não chegando ainda à demência em transtornos mentais progressivos, tais como doença de Alzheimer, doença de Parkinson, etc. O diagnóstico deve ser mudado quando os critérios para demência são preenchidos.

Exclui: delirium (F05. —)

F07.9 Transtorno orgânico de personalidade ou de comportamento decorrente de doença, lesão ou disfunção cerebral não especificado

Inclui: psicossíndrome orgânica

F09 Transtorno mental orgânico ou sintomático, não especificado

Inclui: psicose orgânica SOE
psicose sintomática SOE

Exclui: psicose SOE (F29)

F10 — F19
Transtornos mentais e de comportamento decorrentes do uso de substâncias psicoativas

Visão geral deste bloco

F10. — Transtornos mentais e de comportamento decorrentes do uso de álcool
F11. — Transtornos mentais e de comportamento decorrentes do uso de opioides
F12. — Transtornos mentais e de comportamento decorrentes do uso de canabinoides
F13. — Transtornos mentais e de comportamento decorrentes do uso de sedativos ou hipnóticos
F14. — Transtornos mentais e de comportamento decorrentes do uso de cocaína
F15. — Transtornos mentais e de comportamento decorrentes do uso de outros estimulantes, incluindo cafeína
F16. — Transtornos mentais e de comportamento decorrentes do uso de alucinógenos
F17. — Transtornos mentais e de comportamento decorrentes do uso de tabaco
F18. — Transtornos mentais e de comportamento decorrentes do uso de solventes voláteis
F19. — Transtornos mentais e de comportamento decorrentes do uso de múltiplas drogas e do uso de outras substâncias psicoativas

Códigos de quatro e cinco caracteres podem ser usados para especificar as condições clínicas, como se segue:

F1x.0 Intoxicação aguda
.00 Não complicada
.01 Com trauma ou outra lesão corporal
.02 Com outras complicações médicas
.03 Com *delirium*
.04 Com distorções perceptivas
.05 Com coma
.06 Com convulsões
.07 Intoxicação patológica

F1x.1 Uso nocivo

F1x.2 Síndrome de dependência
.20 Atualmente abstinente
.21 Atualmente abstinente, porém em ambiente protegido
.22 Atualmente em regime de manutenção ou substituição clinicamente supervisionado (dependência controlada)

.23 Atualmente abstinente, porém em tratamento com drogas aversivas ou bloqueadoras
.24 Atualmente usando a substância (dependência ativa)
.25 Uso contínuo
.26 Uso episódico (dipsomania)

F1x.3 Estado de abstinência
.30 Não complicado
.31 Com convulsões

F1x.4 Estado de abstinência com *delirium*
.40 Sem convulsões
.41 Com convulsões

F1x.5 Transtorno psicótico
.50 Esquizofreniforme
.51 Predominantemente delirante
.52 Predominantemente alucinatório
.53 Predominantemente polimórfico
.54 Predominantemente com sintomas depressivos
.55 Predominantemente com sintomas maníacos
.56 Misto

F1x.6 Síndrome amnéstica

F1x.7 Transtorno psicótico residual e de início tardio
.70 *Flashbacks* (revivescências)
.71 Transtorno de personalidade ou de comportamento
.72 Transtorno afetivo residual
.73 Demência
.74 Outro comprometimento cognitivo persistente
.75 Transtorno psicótico de início tardio

F1x.8 Outros transtornos mentais e de comportamento

F1x.9 Transtorno mental e de comportamento não especificado

F10 — F19 TRANSTORNOS DECORRENTES DO USO DE SUBSTÂNCIAS PSICOATIVAS

Introdução

Este bloco contém uma ampla variedade de transtornos que diferem em gravidade (de intoxicação não complicada e uso nocivo até transtornos psicóticos óbvios e demência), porém que são atribuíveis ao uso de uma ou mais substâncias psicoativas (as quais podem ou não terem sido prescritas pelo médico).

A substância envolvida é indicada por meio do segundo e terceiro caracteres (isto é, os primeiros dois dígitos depois da letra F) e o quarto e quinto caracteres especificam os estados clínicos. Para economizar espaço, todas as substâncias psicoativas são listadas primeiro, seguidas pelos códigos de quatro caracteres; estes devem ser usados, quando necessários, para cada substância especificada, porém deve-se notar que nem todos os códigos de quatro caracteres são aplicáveis a todas as substâncias.

Diretrizes diagnósticas

A identificação da substância psicoativa usada pode ser feita com base em dados fornecidos pelo próprio paciente, análise objetiva de amostras de urina, sangue, etc. ou outra evidência (presença de amostras de drogas em posse do paciente, sinais e sintomas clínicos ou relatos de terceiros). É sempre aconselhável procurar corroboração de evidência do uso de substância de mais de uma fonte.

Análises objetivas fornecem a evidência mais convincente de uso atual ou recente, embora esses dados tenham limitações no que diz respeito ao uso passado e níveis atuais de uso.

Muitos usuários de drogas tomam mais de um tipo de droga, mas o diagnóstico do transtorno deve ser classificado, sempre que possível, de acordo com a substância única (ou classe de substâncias) mais importante usada. Isso pode usualmente ser feito no que diz respeito à droga ou tipo de droga em particular, causadora do transtorno apresentado. Quando em dúvida, codifique a droga ou tipo de droga mais frequentemente usada em abuso, particularmente naqueles casos que envolvem uso contínuo ou diário.

Somente nos casos nos quais os padrões de uso de substância psicoativa são caóticos e indiscriminados ou nos quais as contribuições de diferentes drogas estão inextrincavelmente misturadas, deve ser usado o código F19. — (transtornos resultantes do uso de múltiplas drogas).

Abusos de outras substâncias que não são psicoativas, tais como laxativos ou aspirina, devem ser codificados por meio de F55. — (abuso de substâncias que não causam dependência) com um quarto caractere e para especificar o tipo de substância envolvida.

Casos nos quais transtornos mentais (particularmente *delirium* no idoso) são decorrentes de substâncias psicoativas, porém sem a presença de um dos transtornos neste bloco (p. ex., uso nocivo ou síndrome de dependência), devem ser codificados como F00 — F09. Onde um estado de *delirium* está sobreposto a um transtorno neste bloco, ele deve ser codificado através de F1x.3 ou F1x.4.

O nível de envolvimento alcoólico pode ser indicado por meio de um código suplementar do Capítulo XX da CID-10: Y90. — (evidência de envolvimento alcoólico determinado por conteúdo alcoólico sanguíneo) ou Y91. — (evidência de envolvimento alcoólico determinado por nível de intoxicação).

F1 x.0 Intoxicação aguda

Uma condição transitória seguindo-se a administração de álcool ou outra substância psicoativa, resultando em perturbações no nível de consciência, cognição, percepção, afeto ou comportamento ou outras funções ou respostas psicofisiológicas.

Esse deve ser um diagnóstico principal somente em casos onde a intoxicação ocorre sem que problemas mais persistentes relacionados ao uso de álcool ou drogas estejam concomitantemente presentes. Onde existem tais problemas, a precedência deve ser dada aos diagnósticos de uso nocivo (F1x.1), síndrome de dependência (F1x.2) ou transtorno psicótico (F1x.5).

Diretrizes diagnósticas

A intoxicação aguda está usual e intimamente relacionada aos níveis de doses (ver CID-10, Capítulo XX). Exceções a isto podem ocorrer em indivíduos portadores de certas condições orgânicas subjacentes (p. ex., insuficiência renal ou hepática), nos quais pequenas doses de uma substância podem produzir um efeito intoxicante desproporcionalmente grave. Desinibição decorrente do contexto social deve ser também levada em consideração (p. ex., desinibição do comportamento em festas ou carnavais). A intoxicação aguda é um fenômeno transitório. A intensidade da intoxicação diminui com o tempo e os efeitos finalmente desaparecem na ausência de uso posterior da substância. A recuperação é completa, portanto, exceto quando surgirem lesão tecidual ou complicações.

Sintomas de intoxicação não refletem, necessariamente, sempre ações primárias da substância: por exemplo, drogas depressoras podem levar a sintomas de agitação ou hiperatividade e drogas estimulantes podem levar a comportamento socialmente retraído e introvertido. Efeitos de substâncias tais como a *cannabis* e alucinógenos podem ser particularmente imprevisíveis. Além disso, muitas substâncias psicoativas são capazes de produzir diferentes tipos de efeito em diferentes níveis de doses. Por exemplo, o álcool pode ter efeitos aparentemente estimulantes no comportamento em baixas doses, levar a agitação e agressão com doses crescentes e produzir sedação evidente em níveis muito altos.

Inclui: embriaguez aguda em alcoolismo
"más viagens" *(bad trips)* (decorrente de drogas alucinógenas)
embriaguez SOE.

Diagnóstico diferencial. Considerar traumatismo craniano agudo e hipoglicemia. Considerar também as possibilidades de intoxicação como o resultado do uso de substâncias misturadas.

Os seguintes códigos de cinco caracteres podem ser usados para indicar se a intoxicação aguda estava associada a quaisquer complicações:

F1x.00 Não complicada
Sintomas de gravidade variável, usualmente dose-dependentes, particularmente em altos níveis de dose.

F1x.01 Com traumatismo ou outra lesão corporal

F1x.02 Com outras complicações médicas
Condições tais como hematêmese, aspiração de vômito.

F1x.03 Com *delirium*

F1x.04 Com distorções perceptivas

F1x.05 Com coma

F1x.06 Com convulsões

F1x.07 Intoxicação patológica
Usada somente para álcool. Início abrupto de agressão e frequentemente comportamento violento que não é típico do indivíduo quando sóbrio, logo após ter ingerido quantidades de álcool que não produziriam intoxicação na maioria das pessoas.

F1x.1 **Uso nocivo**
Um padrão de uso de substância psicoativa que está causando dano à saúde. O dano pode ser físico (como nos casos de hepatite decorrente de autoadministração de drogas injetáveis) ou mental (p. ex., episódios de transtorno depressivo secundários a um grande consumo de álcool).

Diretrizes diagnósticas

O diagnóstico requer que um dano real deva ter sido causado à saúde física e mental do usuário.

Padrões nocivos de uso são frequentemente criticados por outras pessoas e estão com frequência associados a consequências sociais diversas de vários tipos. O fato de que um padrão de uso ou uma substância em particular não seja aprovado por outra pessoa, pela cultura ou possa ter levado a consequências socialmente negativas, tais como prisão ou brigas conjugais, não é por si mesmo evidência de uso nocivo.

A intoxicação aguda (ver F1*x*.0) ou a "ressaca" não é por si mesma evidência suficiente do dano à saúde requerido para codificar uso nocivo.

O uso nocivo não deve ser diagnosticado se a síndrome de dependência (F1*x*.2), um transtorno psicótico (F1*x*.5) ou outra forma específica de transtorno relacionado ao uso de drogas ou álcool está presente.

F1x.2 Síndrome de dependência

Um conjunto de fenômenos fisiológicos, comportamentais e cognitivos, no qual o uso de uma substância ou uma classe de substâncias alcança uma prioridade muito maior para um determinado indivíduo que outros comportamentos que antes tinham maior valor. Uma característica descritiva central da síndrome de dependência é o desejo (frequentemente forte, algumas vezes irresistível) de consumir drogas psicoativas (as quais podem ou não terem sido medicamente prescritas), álcool ou tabaco. Pode haver evidência que o retorno ao uso da substância após um período de abstinência leva a um reaparecimento mais rápido de outros aspectos da síndrome do que o que ocorre com indivíduos não dependentes.

Diretrizes diagnósticas

Um diagnóstico definitivo de dependência deve usualmente ser feito somente se três ou mais dos seguintes requisitos tenham sido experenciados ou exibidos em algum momento durante o ano anterior:

(a) um forte desejo ou senso de compulsão para consumir a substância;
(b) dificuldades em controlar o comportamento de consumir a substância em termos de seu início, término ou níveis de consumo;
(c) um estado de abstinência fisiológico (ver F1*x*.3 e F1*x*.4) quando o uso da substância cessou ou foi reduzido, como evidenciado por: a síndro-

me de abstinência característica para a substância ou o uso da mesma substância (ou de uma intimamente relacionada) com a intenção de aliviar ou evitar sintomas de abstinência;

(d) evidência de tolerância, de tal forma que doses crescentes da substância psicoativa são requeridas para alcançar efeitos originalmente produzidos por doses mais baixas (exemplos claros disto são encontrados em indivíduos dependentes de álcool e opiáceos, que podem tomar doses diárias suficientes para incapacitar ou matar usuários não tolerantes);

(e) abandono progressivo de prazeres ou interesses alternativos em favor do uso da substância psicoativa, aumento da quantidade de tempo necessária para obter ou tomar a substância ou para se recuperar de seus efeitos;

(f) persistência no uso da substância, a despeito de evidência clara de consequências manifestamente nocivas, tais como dano ao fígado por consumo excessivo de bebidas alcoólicas, estados de humor depressivos consequentes a períodos de consumo excessivo da substância ou comprometimento do funcionamento cognitivo relacionado à droga; deve-se fazer esforços para determinar se o usuário estava realmente (ou se poderia esperar que estivesse) consciente da natureza e extensão do dano.

Estreitamento do repertório pessoal de padrões de uso de substância psicoativa também tem sido descrito como um aspecto característico (p. ex., uma tendência a tomar bebidas alcoólicas da mesma forma em dias úteis e fins de semana, a despeito de restrições sociais que determinam o comportamento adequado de beber).

É uma característica essencial da síndrome de dependência que tanto a ingestão de substância psicoativa quanto um desejo de ingerir uma substância em particular devem estar presentes; a consciência subjetiva da compulsão a usar drogas é mais comumente observada durante tentativas de parar ou controlar o uso da substância. Esta exigência diagnóstica excluiria, por exemplo, pacientes cirúrgicos tomando drogas opioides para alívio de dor, que podem mostrar sinais de um estado de abstinência opioide quando as drogas não são administradas, mas que não têm desejo de continuar consumindo as drogas.

A síndrome de dependência pode estar presente para uma substância específica (p. ex., tabaco ou diazepam), para uma classe de substâncias (p. ex., drogas opioides) ou para uma gama mais variada de diferentes substâncias (como para aqueles indivíduos que regularmente sentem compulsão a usar quaisquer drogas disponíveis e que mostram angústia, agitação e/ou sinais físicos de um estado de abstinência cessado o uso da droga).

Inclui: alcoolismo crônico
dipsomania
drogadição

O diagnóstico de síndrome de dependência pode ser mais especificado pelos seguintes códigos de cinco caracteres:

F1x.20 Atualmente abstinente

F1x.21 Atualmente abstinente, mas em ambiente protegido
(p. ex., em hospital, em uma comunidade terapêutica, prisão, etc.)

F1x.22 Atualmente em regime de manutenção ou substituição clinicamente supervisionada
(p. ex., com metadona ou goma de nicotina)

F1x.23 Atualmente abstinente, porém recebendo tratamento com drogas aversivas ou bloqueadoras
(p. ex., naltrexona ou disulfiram)

F1x.24 Atualmente usando a substância (dependência ativa)

F1x.25 Uso contínuo

F1x.26 Uso episódico (dipsomania)

F1x.3 Estado de abstinência

Um conjunto de sintomas, de agrupamento e gravidade variáveis, ocorrendo em abstinência absoluta ou relativa de uma substância, após uso repetido e usualmente prolongado e/ou uso de altas doses daquela substância. O início e curso do estado de abstinência são limitados no tempo e relacionados ao tipo de substância e a dose que vinha sendo utilizada imediatamente antes da abstinência. O estado de abstinência pode ser complicado por convulsões.

Diretrizes diagnósticas

O estado de abstinência é um dos indicadores de síndrome de dependência (ver F1x.2) e este último diagnóstico deve também ser considerado.

Estado de abstinência deve ser codificado como o diagnóstico principal, se é a razão para o encaminhamento e grave o suficiente para requerer atenção médica por si só.

Os sintomas físicos variam de acordo com a substância que vinha sendo usada. Perturbações psicológicas (p. ex., ansiedade, depressão e transtornos de sono) são também aspectos comuns de abstinência. Tipicamente, é provável que o paciente refira que os sintomas de abstinência são atenuados pelo uso ulterior da substância.

Deve ser lembrado que sintomas de abstinência podem ser induzidos por estímulos condicionados/aprendidos na ausência de uso imediatamente precedente da substância. Em tais casos, um diagnóstico de estado de abstinência deve ser feito somente se ele é justificado em termos de gravidade.

Diagnóstico diferencial. Muitos sintomas presentes no estado de abstinência de drogas podem também ser causados por outras condições psiquiátricas, por exemplo estados de ansiedade e transtornos depressivos. Simples "ressaca" ou tremor decorrentes de outras condições não devem ser confundidos com os sintomas de um estado de abstinência.

O diagnóstico de estado de abstinência pode ser mais especificado usando-se os seguintes códigos de cinco caracteres:

F1x.30 Não complicado

F1x.31 Com convulsões

F1x.4   Estado de abstinência com *delirium*

Uma condição na qual o estado de abstinência (ver F1x.3) é complicado por *delirium* (ver critérios para F05. —).

Delirium tremens induzido por álcool deve ser codificado aqui. *Delirium tremens* é um estado toxiconfusional breve, mas ocasionalmente com risco de vida, que se acompanha de perturbações somáticas. É usualmente uma consequência de abstinência absoluta ou relativa de álcool em usuários gravemente dependentes, com uma longa história de uso. O início usualmente ocorre após abstinência de álcool. Em alguns casos, o transtorno aparece durante um episódio de consumo excessivo de bebidas alcoólicas, em cujo caso ele deve ser codificado aqui.

Os sintomas prodrômicos tipicamente incluem insônia, tremores e medo. O início pode também ser precedido por convulsões por abstinência. A clássica tríade de sintomas inclui obnubilação de consciência e confusão, alucinações e ilusões vívidas afetando qualquer modalidade sensorial e tremor marcante. Delírios, agitação, insônia ou inversão do ciclo do sono e hiperatividade autonômica estão também usualmente presentes.

Exclui: delirium, não induzido por drogas e álcool (F05. —)

O diagnóstico de estado de abstinência com *delirium* pode ser mais especificado usando-se os seguintes códigos de cinco caracteres:

F1x.40 Sem convulsão

F1x.41 Com convulsão

F1x.5 Transtorno psicótico

Um conjunto de fenômenos psicóticos que ocorrem durante ou imediatamente após o uso de substâncias psicoativas e que são caracterizados por alucinações vívidas (tipicamente auditivas, porém frequentemente em mais de uma modalidade sensorial), falsos reconhecimentos, delírios e/ou ideias de referência (frequentemente de natureza paranoide ou persecutória), transtornos psicomotores (excitação ou estupor) e afeto anormal, o qual pode variar de medo intenso a êxtase. O sensório está usualmente claro, mas algum grau de obnubilação da consciência, ainda que não confusão grave, pode estar presente. O transtorno tipicamente se resolve, pelo menos parcialmente, dentro de 1 mês e completamente dentro de 6 meses.

Diretrizes diagnósticas

Um transtorno psicótico ocorrendo durante ou imediatamente após o uso de drogas (usualmente dentro de 48 horas) deve ser registrado aqui, desde que ele não seja uma manifestação de um estado de abstinência de drogas com *delirium* (ver F1x.4) ou de início tardio. Transtornos psicóticos de início tardio (com início mais de 2 semanas após o uso da substância) podem ocorrer, porém devem ser codificados como F1x.75.

Transtornos psicóticos induzidos por substâncias psicoativas podem apresentar-se com vários padrões de sintomas. Essas variações serão influenciadas pelo tipo de substância envolvida e pela personalidade do usuário. Para drogas estimulantes, tais como cocaína e anfetaminas, transtornos psicóticos induzidos por drogas estão em geral intimamente relacionados com altos níveis de dose e/ou uso prolongado da substância.

Um diagnóstico de um transtorno psicótico não deve ser feito meramente com base em distorções perceptivas ou experiências alucinatórias, quando substâncias que têm efeitos primariamente alucinógenos [p. ex., ácido lisérgico (LSD), mescalina, *cannabis* em altas doses] têm sido usadas. Em tais casos e também nos casos de estados confusionais, um possível diagnóstico de intoxicação aguda (F1x.0) deve ser considerado.

Um cuidado particular deve ser tomado para se evitar diagnosticar erroneamente uma condição mais séria (p. ex., esquizofrenia), quando um diagnóstico de psicose induzida por substância psicoativa é apropriado. Muitos estados psicóticos induzidos por substâncias psicoativas são de curta duração, desde que a droga não continue sendo consumida (como no caso de psicoses por anfetamina e cocaína). Em tais casos, um diagnóstico errôneo pode ter implicações angustiantes e dispendiosas para o paciente e para os serviços de saúde.

Inclui: alucinose alcoólica
ciúme alcoólico
paranoia alcoólica
psicose alcoólica SOE

Diagnóstico diferencial. Considerar a possibilidade de um outro transtorno mental sendo agravado ou precipitado pelo uso de substância psicoativa [p. ex., esquizofrenia (F20. —); transtorno do humor (afetivo) (F30 — F39); transtorno de personalidade paranoide ou esquizoide (F60.0, F60.1)]. Em tais casos, um diagnóstico de estado psicótico induzido por substância psicoativa pode ser inapropriado.

O diagnóstico de estado psicótico pode ser mais especificado pelos seguintes códigos de cinco caracteres:

F1x.50 Esquizofreniforme

F1x.51 Predominantemente delirante

F1x.52 Predominantemente alucinatório
(inclui alucinose alcoólica)

F1x.53 Predominantemente polimórfico

F1x.54 Predominantemente sintomas depressivos

F1x.55 Predominantemente sintomas maníacos

F1x.56 Misto

F1x.6 Síndrome amnéstica

Uma síndrome associada a um comprometimento crônico e proeminente da memória recente; a memória remota está às vezes comprometida, enquanto a imediata está preservada. Perturbações da orientação temporal e cronológica de eventos são usualmente evidentes, assim como dificuldades em aprender material novo. Confabulação pode ser marcante, mas não está invariavelmente presente. Outras funções cognitivas estão em geral relativamente bem preservadas e os defeitos amnésticos são desproporcionais em relação a outras perturbações.

Diretrizes diagnósticas

A síndrome amnéstica, induzida por álcool ou outras substâncias psicoativas, aqui codificada, deve preencher os critérios gerais para síndrome amnéstica orgânica (ver F04). Os requisitos primários para esse diagnóstico são:

(a) comprometimento de memória como exibido em comprometimento de memória recente (aprendizagem de material novo); perturbações do sentido de tempo (rearranjos da sequência cronológica, superposição de eventos repetidos em um só, etc.);
(b) ausência de defeito da memória imediata, de comprometimento de consciência e de comprometimento cognitivo generalizado;
(c) história ou evidência objetiva de uso crônico (e particularmente altas doses) de álcool ou drogas.

Alterações de personalidade, frequentemente com apatia e perda de iniciativa aparentes e uma tendência a autonegligência, podem também estar presentes, mas não devem ser consideradas como condições necessárias para o diagnóstico.

Embora confabulação possa ser marcante, ela não deve ser considerada como um pré-requisito necessário para o diagnóstico.

Inclui: psicose ou síndrome de Korsakov induzida por álcool ou outra substância psicoativa.

Diagnóstico diferencial. Considerar: síndrome amnéstica orgânica (não alcoólica) (ver F04); outras síndromes orgânicas envolvendo comprometimento marcante de memória (p. ex., demência ou *delirium*) (F00 — F03; F05. —); um transtorno depressivo (F31 — F33).

F1x.7 Transtorno psicótico residual de início tardio

Um transtorno no qual alterações de cognição, afeto, personalidade ou comportamento induzidas por álcool ou outra substância psicoativa persistem além do período durante o qual um efeito direto da substância psicoativa pode ser razoavelmente considerado operante.

Diretrizes diagnósticas

O início do transtorno deve estar diretamente relacionado ao uso de álcool ou de uma substância psicoativa. Casos nos quais o aparecimento inicial ocorre posteriormente ao(s) episódio(s) de uso de substância devem ser codificados aqui somente quando houver evidência clara e forte de que o estado é atribuível ao efeito residual da substância. O transtorno deve representar uma alteração ou exacerbação marcante do estado anterior e normal de funcionamento.

O transtorno deve persistir além de qualquer período de tempo, durante o qual efeitos diretos da substância psicoativa possam ser considerados operantes (ver F1.*x*0, intoxicação aguda). Demência induzida por álcool ou substância psicoativa não é sempre irreversível; depois de um período longo de abstinência total, funções intelectuais e memória podem melhorar.

O transtorno deve ser cuidadosamente distinguido de condições relacionadas à abstinência (ver F1*x*.3 e F1*x*.4). Deve ser lembrado que, sob certas condições e para certas substâncias, fenômenos de estado de abstinência podem estar presentes por um período de muitos dias ou semanas após a interrupção da substância.

Condições induzidas por uma substância psicoativa, persistindo após o uso da droga e satisfazendo os critérios para diagnóstico de transtorno psicótico não devem ser diagnosticadas aqui (usar F1*x*.5, transtorno psicótico). Pacientes que mostram um estado final crônico de síndrome de Korsakov devem ser codificados em F1*x*.6.

Diagnóstico diferencial. Considerar: transtorno mental pre-existente mascarado por uso de substância e reemergindo quando do desaparecimento dos efeitos relacionados ao uso de substâncias psicoativas (por exemplo, ansiedade fóbica, um transtorno depressivo, esquizofrenia ou transtorno esquizotípico). No caso de *flashbacks*, considerar transtornos psicóticos agudos e transitórios (F23. —). Considerar também lesão orgânica e retardo mental leve ou moderado (F70 — F71), os quais podem coexistir com abuso de substância psicoativa.

Essa rubrica diagnóstica pode ser posteriormente subdividida utilizando-se os seguintes códigos de cinco caracteres:

F1x.70 *Flashbacks* (revivescências)
Podem ser distinguidos de transtornos psicóticos em parte por sua natureza episódica, frequentemente de muito curta duração (segundos ou minutos) e em parte pela reprodução (às vezes exata) de experiências prévias relacionadas à droga.

F1x.71 Transtorno de personalidade ou de comportamento
Preenchendo os critérios para transtorno orgânico de personalidade (F07.0).

F1x.72 Transtorno afetivo residual
Preenchendo os critérios para transtornos orgânicos do humor (afetivos) (F06.3).

F1x.73 Demência
Preenchendo os critérios gerais para demência como descritos na introdução para F00 — F09.

F1x.74 Outro comprometimento cognitivo persistente
Uma categoria residual para transtornos com comprometimento cognitivo persistente, os quais não preenchem os critérios para síndrome amnéstica (F1*x*.6) ou demência (F1*x*.73) induzidas por substância psicoativa.

F1x.75 Transtorno psicótico de início tardio

F1x.8   Outros transtornos mentais e de comportamento
Codifique aqui qualquer outro transtorno no qual o uso de uma substância pode ser identificado como contribuindo diretamente para a condição, porém o qual não preenche os critérios para inclusão em qualquer um dos transtornos acima.

F1x.9   Transtorno mental e de comportamento não especificado

F20 — F29
Esquizofrenia, transtornos esquizotípico e delirantes

Visão geral deste bloco

F20 Esquizofrenia
    F20.0 Esquizofrenia paranoide
    F20.1 Esquizofrenia hebefrênica
    F20.2 Esquizofrenia catatônica
    F20.3 Esquizofrenia indiferenciada
    F20.4 Depressão pós-esquizofrênica
    F20.5 Esquizofrenia residual
    F20.6 Esquizofrenia simples
    F20.8 Outra esquizofrenia
    F20.9 Esquizofrenia, não especificada

Um quinto caractere pode ser usado para classificar o curso:
    F20.x0 Contínuo
    F20.x1 Episódico com déficit progressivo
    F20.x2 Episódico com déficit estável
    F20.x3 Episódico remitente
    F20.x4 Remissão incompleta
    F20.x5 Remissão completa
    F20.x8 Outros
    F20.x9 Período de observação menor do que um ano

F21 Transtorno esquizotípico

F22 Transtornos delirantes persistentes
    F22.0 Transtorno delirante
    F22.8 Outros transtornos delirantes persistentes
    F22.9 Transtorno delirante persistente, não especificado

F23 Transtornos psicóticos agudos e transitórios
    F23.0 Transtorno psicótico polimórfico agudo sem sintomas de esquizofrenia
    F23.1 Transtorno psicótico polimórfico agudo com sintomas de esquizofrenia
    F23.2 Transtorno psicótico esquizofreniforme agudo
    F23.3 Outro transtorno psicótico agudo predominantemente delirante
    F23.8 Outros transtornos psicóticos agudos e transitórios
    F23.9 Transtorno psicótico agudo e transitório, não especificado

Um quinto caractere pode ser usado para identificar a presença ou ausência de estresse agudo associado:
    F23.*x*0 Sem estresse agudo associado
    F23.*x*1 Com estresse agudo associado

F24   **Transtorno delirante induzido**

F25   **Transtornos esquizoafetivos**
    F25.0 Transtorno esquizoafetivo, tipo maníaco
    F25.1 Transtorno esquizoafetivo, tipo depressivo
    F25.2 Transtorno esquizoafetivo, tipo misto
    F25.8 Outros transtornos esquizoafetivos
    F25.9 Transtorno esquizoafetivo, não especificado

F28   **Outros transtornos psicóticos não orgânicos**

F29   **Psicose não orgânica não especificada**

F20 — F29 ESQUIZOFRENIA, TRANSTORNOS ESQUIZOTÍPICO E DELIRANTES

Introdução

A esquizofrenia é o mais comum e o mais importante transtorno deste grupo. O transtorno esquizotípico possui muitos dos aspectos característicos dos transtornos esquizofrênicos e é, provavelmente, geneticamente relacionado a eles; entretanto, as alucinações, delírios e as perturbações grosseiras do comportamento da esquizofrenia estão ausentes e, por isso, esse transtorno nem sempre vem aos cuidados médicos. A maioria dos transtornos delirantes provavelmente não é relacionada à esquizofrenia, embora seja difícil distingui-los clinicamente, particularmente nos seus primeiros estágios. Eles constituem um grupo de transtornos heterogêneos e mal-compreendidos, que podem convenientemente ser divididos de acordo com sua duração típica dentro de um grupo de transtornos delirantes persistentes e um grupo maior de transtornos psicóticos agudos e transitórios. Os últimos parecem ser particularmente comuns nos países em desenvolvimento. As subdivisões listadas aqui devem ser vistas como provisórias. Os transtornos esquizoafetivos foram mantidos nesta seção, apesar de sua natureza controversa.

F20 Esquizofrenia

Os transtornos esquizofrênicos são caracterizados, em geral, por distorções fundamentais e características do pensamento e da percepção e por afeto inadequado ou embotado. A consciência clara e a capacidade intelectual estão usualmente mantidas, embora certos déficits cognitivos possam surgir no curso do tempo. A perturbação envolve as funções mais básicas que dão à pessoa normal um senso de individualidade, unicidade e de direção de si mesmo. Os pensamentos, sentimentos e atos mais íntimos são sentidos como conhecidos ou partilhados por outros e podem se desenvolver delírios explicativos, a ponto de que forças naturais ou sobrenaturais trabalham de forma a influenciar os pensamentos e as ações do indivíduo atingido, de formas que são muitas vezes bizarras. O paciente pode ver a si próprio como o pivô de tudo o que acontece. As alucinações, especialmente auditivas, são comuns e podem comentar sobre o comportamento ou os pensamentos do paciente. A percepção é frequentemente perturbada de outras formas: cores ou sons podem aparecer excessivamente vívidos ou alterados em qualidade e aspectos irrelevantes das coisas comuns podem parecer mais importantes que todo o objeto ou a situação. Perplexidade é também comum no início e leva frequentemente a uma crença de que situações cotidianas possuem um significado especial, usualmente sinistro, destinado unicamente ao indivíduo. Na perturbação característica do pensamento esquizofrênico, aspectos periféricos e irrelevantes de um conceito total, que estão inibidos na atividade mental normalmente dirigida, são trazidos para o primeiro plano e utilizados no lugar daqueles são relevantes e adequados à situação. Dessa forma, o pensamento se torna vago, elíptico e obscuro e sua expressão em palavras, algumas vezes incompreensível. São assíduas as interrupções e interpolações no curso do pensamento e os pensamentos podem parecer serem retirados por um agente exterior. O humor é caracteristicamente superficial, caprichoso ou incongruente. A ambivalência e a perturbação da volição podem aparecer como inércia, negativismo ou estupor. A catatonia pode estar presente. O começo pode ser agudo, com comportamento seriamente perturbado, ou insidioso, com um desenvolvimento gradual de ideias e condutas estranhas. O curso do transtorno mostra igualmente uma grande variação e não é, sem dúvida, inevitavelmente crônico ou deteriorante (o curso é especificado pelas categorias de cinco caracteres). Numa proporção de casos, que pode variar em diferentes culturas e populações, a evolução é para uma completa ou quase completa recuperação. Os sexos são mais ou menos igualmente afetados, mas o começo tende a ser mais tardio nas mulheres.

Embora nenhum sintoma estritamente patognomônico possa ser identificado, para fins práticos é útil dividir os sintomas acima em grupos que têm importância especial para o diagnóstico e frequentemente ocorrem juntos, tais como:

(a) eco do pensamento, inserção ou roubo do pensamento, irradiação do pensamento;
(b) delírios de controle, influência ou passividade claramente referindo-se ao corpo ou movimentos dos membros ou pensamentos específicos, ações ou sensações, percepção delirante;
(c) vozes alucinatórias comentando o comportamento do paciente ou discutindo entre elas sobre o paciente ou outros tipos de vozes alucinatórias vindos de alguma parte do corpo;
(d) delírios persistentes de outros tipos que são culturalmente inapropriados e completamente impossíveis, tais como identidade política ou religiosa ou poderes e capacidades sobre-humanas (p. ex., ser capaz de controlar o tempo ou de se comunicar com alienígenas de outro planeta);
(e) alucinações persistentes de qualquer modalidade, quando acompanhadas por delírios "superficiais" ou parciais, sem claro conteúdo afetivo, ou por ideias sobrevaloradas persistentes ou quando ocorrem todos os dias durante semanas ou meses continuadamente;
(f) intercepções ou interpolações no curso do pensamento resultando em discurso incoerente, irrelevante ou neologismos;
(g) comportamento catatônico, tal como excitação, postura inadequada ou flexibilidade cérea, negativismo, mutismo e estupor;
(h) sintomas "negativos", tais como apatia marcante, pobreza do discurso e embotamento ou incongruência de respostas emocionais, usualmente

resultando em retraimento social e diminuição do desempenho social; deve ficar claro que esses sintomas não são decorrentes de depressão ou medicação neuroléptica;

(i) uma alteração significativa e consistente na qualidade global de alguns aspectos do comportamento pessoal, manifestada por perda de interesse, falta de objetivos, inatividade, uma atitude ensimesmada e retraimento social.

Diretrizes diagnósticas

A exigência normal para um diagnóstico de esquizofrenia é que um mínimo de um sintoma claro (e em geral dois ou mais se são menos claros) pertencente a qualquer um dos grupos listados como (a) e (d), acima, ou sintomas de pelo menos dois dos grupos referidos como (e) a (h) devem estar claramente presentes pela maior parte do tempo durante um período de 1 mês ou mais. As condições que preenchem essas exigências sintomatológicas, porém de duração menor do que 1 mês (tratadas ou não), devem ser diagnosticadas em primeira instância como transtorno psicótico esquizofreniforme agudo (F23.2) e reclassificadas como esquizofrenia, se os sintomas persistirem por períodos mais longos.

Vendo retrospectivamente, pode ficar claro que uma fase prodrômica na qual sintomas e comportamento, tais como perda de interesse em trabalho, atividades sociais, aparência pessoal e higiene, juntos com ansiedade generalizada e graus leves de depressão e preocupação, precedeu o início dos sintomas psicóticos durante semanas ou mesmo meses. Por causa da dificuldade em determinar o início, o critério de 1 mês de duração aplica-se somente para os sintomas específicos listados acima e não para qualquer fase prodrômica não psicótica.

O diagnóstico de esquizofrenia não deve ser feito na presença de sintomas depressivos ou maníacos nítidos, a menos que seja claro que os sintomas esquizofrênicos precederam o transtorno afetivo. Se ambos os sintomas, esquizofrênicos e afetivos, se desenvolvem juntos e estão igualmente balanceados, o diagnóstico de transtorno esquizoafetivo (F25. —) deve ser feito, mesmo se os sintomas esquizofrênicos, por eles próprios, tivessem justificado o diagnóstico de esquizofrenia. A esquizofrenia não deve ser diagnosticada na presença de doença cerebral clara ou durante estados de intoxicação ou de abstinência de drogas. Transtornos similares que se desenvolvem na presença de epilepsia ou outra doença cerebral devem ser codificados sob F06.2 e aqueles induzidos por drogas, sob F1x.5.

Padrão de curso

O curso dos transtornos esquizofrênicos pode ser classificado usando-se os seguintes códigos de cinco caracteres:

F20.x0 Contínuo
F20.x1 Episódico com déficit progressivo
F20.x2 Episódico com déficit estável
F20.x3 Episódico remitente
F20.x4 Remissão incompleta
F20.x5 Remissão completa
F20.x8 Outro
F20.x9 Período de observação menor do que um ano

F20.0 Esquizofrenia paranoide

Esse é o tipo de esquizofrenia mais comum em muitas partes do mundo. O quadro clínico é dominado por delírios relativamente estáveis, com frequência paranoides, usualmente acompanhados por alucinações, particularmente da variedade auditiva, e perturbações da percepção. Perturbações do afeto, volição e discurso e sintomas catatônicos não são proeminentes.

São exemplos dos sintomas paranoides mais comuns:

(a) delírios de perseguição, referência, ascendência importante, missão especial, mudanças corporais ou ciúmes;
(b) vozes alucinatórias que ameaçam o paciente ou lhe dão ordens ou alucinações auditivas sem conteúdo verbal, tais como assobios, zunidos ou risos;
(c) alucinações olfativas ou gustativas, de sensações sexuais ou outras corporais; alucinações visuais podem ocorrer, porém raramente são predominantes.

O transtorno do pensamento pode ser óbvio nos estados agudos, porém mesmo quando acontece, ele não impede que os delírios ou alucinações típicos sejam descritos claramente. O afeto está usualmente menos embotado do que em outras variedades de esquizofrenia, porém um grau menor de incongruência é comum, assim como o são perturbações do humor, tais como irritabilidade, raiva repentina, receio e suspeita. Sintomas "negativos", tais como embotamento afetivo e comprometimento da volição, estão frequentemente presentes, porém não dominam o quadro clínico.

O curso da esquizofrenia paranoide pode ser episódico com remissões parciais ou completas ou crônico. Nos casos crônicos, os sintomas floridos persistem por anos e é difícil distinguir episódios bem delimitados. O começo tende a ser mais tardio do que nas formas hebefrênica e catatônica.

Diretrizes diagnósticas

Os critérios gerais para um diagnóstico de esquizofrenia (ver introdução para F20 acima) devem ser satisfeitos. Em adição, alucinações e/ou os delírios devem ser proeminentes e perturbações do afeto, da volição e da fala e os sintomas catatônicos devem ser relativamente inconspícuos. As alucinações serão normalmente do tipo descrito em (b) e (c), acima. Os delírios podem ser de quase qualquer tipo, mas os de controle, influência ou passividade e crenças persecutórias de vários tipos são os mais característicos.

Inclui: esquizofrenia parafrênica

Diagnóstico diferencial. É importante excluir psicoses epilépticas e induzidas por drogas e lembrar que os delírios persecutórios podem receber pequeno peso diagnóstico em pessoas de certos países ou culturas.

Exclui: estado paranoide involutivo (F22.8)
  paranoia (F22.0)

F20.1 Esquizofrenia hebefrênica

Uma forma de esquizofrenia na qual as mudanças afetivas são proeminentes, os delírios e as alucinações fugazes e fragmentários e o comportamento irresponsável e imprevisível; maneirismos são comuns. O afeto é superficial e inadequado e muitas vezes acompanhado por risadinhas ou sorrisos de autossatisfação, sorrisos de absorção em si mesmo ou por uma postura altiva, caretas, maneirismos, brincadeiras, queixas hipocondríacas e frases reiteradas. O pensamento está desorganizado e o discurso é cheio de divagações e incoerente. Há uma tendência a permanecer solitário e o comportamento parece vazio de propósito e sentimento. Essa forma de esquizofrenia usualmente se inicia entre as idades de 15 e 25 anos e tende a ter um prognóstico pobre por causa do rápido desenvolvimento de sintomas "negativos", particularmente embotamento afetivo e perda da volição.

Além disso, as perturbações do afeto e de volição e os transtornos do pensamento são usualmente proeminentes. Alucinações e delírios podem estar presentes, mas não são usualmente proeminentes. O impulso e a determinação estão perdidos e os objetivos abandonados, de tal forma que o comportamento do paciente se torna caracteristicamente sem objetivo e vazio de propósito. Uma preocupação superficial e maneirística com religião, filosofia e outros temas abstratos pode aumentar a dificuldade do ouvinte em seguir o curso do pensamento.

Diretrizes diagnósticas

Os critérios gerais para um diagnóstico de esquizofrenia (ver introdução para F20 acima) devem ser satisfeitos. A hebefrenia deve normalmente ser diagnosticada pela primeira vez apenas em adolescentes e adultos jovens. A personalidade pré-mórbida é característica, mas não necessariamente, tímida e solitária. Para um diagnóstico confiável de hebefrenia, um período de 2 a 3 meses de contínua observação é usualmente necessário, no sentido de se assegurar que os comportamentos característicos descritos acima se mantêm.

Inclui: esquizofrenia desorganizada
hebefrenia

F20.2 Esquizofrenia catatônica

Perturbações psicomotoras proeminentes são aspectos essenciais e dominantes e podem se alternar entre extremos tais como hipercinesia e estupor ou obediência automática e negativismo. Atitudes e posturas forçadas podem ser mantidas por longos períodos. Episódios de agitação violenta podem ser um aspecto notável da condição.

Por razões que ainda são pouco compreendidas, a esquizofrenia catatônica é agora raramente vista em países industrializados, embora ela permaneça comum em outros lugares. Esses fenômenos catatônicos podem estar combinados com um estado semelhante ao sonho (oniroide) com vívidas alucinações cênicas.

Diretrizes diagnósticas

Os critérios gerais para um diagnóstico de esquizofrenia (ver introdução para F20 acima) devem ser satisfeitos. Sintomas catatônicos transitórios e isolados podem ocorrer no contexto de qualquer outro subtipo de esquizofrenia, porém para um diagnóstico de esquizofrenia catatônica, um ou mais dos seguintes comportamentos deve dominar o quadro clínico:

(a) estupor (diminuição marcante da reatividade ao meio ambiente e de movimentos e atividades espontâneos) ou mutismo;

(b) excitação (atividade motora aparentemente sem sentido, não influenciada por estímulos externos);
(c) postura inadequada (assunção voluntária e a manutenção de posturas inapropriadas ou bizarras);
(d) negativismo (uma resistência aparentemente imotivada a todas as instruções ou tentativas de ser movido ou movimento em direção oposta);
(e) rigidez (manutenção de uma postura rígida contra esforços de ser movido);
(f) flexibilidade cérea (manutenção de membros e corpo em posições externamente impostas);
(g) outros sintomas, tais como obediência automática (cumprimento automático de instruções) e perseveração de palavras e frases.

Em pacientes que não se comunicam, com manifestações comportamentais de transtorno catatônico, o diagnóstico de esquizofrenia pode vir a ser provisório, até que a evidência adequada da presença de outros sintomas seja obtida. É também vital considerar que os sintomas catatônicos não são diagnósticos de esquizofrenia. Um sintoma ou sintomas catatônicos podem ser provocados por doença cerebral, perturbações metabólicas ou por álcool e drogas e podem também ocorrer em transtornos do humor.

Inclui: estupor catatônico
       catalepsia esquizofrênica
       catatonia esquizofrênica
       flexibilidade cérea esquizofrênica

F20.3 **Esquizofrenia indiferenciada**

Condições que satisfazem os critérios diagnósticos gerais para esquizofrenia (ver introdução para F20 acima), mas que não se adequam a nenhum dos subtipos acima (F20.0 – F20.2) ou apresentando aspectos de mais de um deles, sem uma clara predominância de um conjunto de características diagnósticas em particular. Essa rubrica deve ser usada somente para condições psicóticas (isto é, a esquizofrenia residual (F20.5) e a depressão pós-esquizofrênica (F20.4) são excluídas) e após ter sido feita uma tentativa de classificar a condição em uma das três categorias precedentes.

Diretrizes diagnósticas

Essa categoria deve ser reservada para transtornos que:

(a) satisfazem os critérios diagnósticos para esquizofrenia;
(b) não satisfazem os critérios para os subtipos paranoide, hebefrênico ou catatônico;

(c) não satisfazem os critérios para esquizofrenia residual ou depressão pós-esquizofrênica.

Inclui: esquizofrenia atípica

F20.4 Depressão pós-esquizofrênica

Um episódio depressivo, o qual pode ser prolongado, surgindo após uma doença esquizofrênica. Alguns sintomas esquizofrênicos devem ainda estar presentes, mas não dominam mais o quadro clínico. Esses sintomas esquizofrênicos persistentes podem ser "positivos" ou "negativos", embora os últimos sejam mais comuns. É incerto e irrelevante para o diagnóstico saber em que extensão os sintomas depressivos foram meramente revelados pela resolução dos sintomas psicóticos iniciais (ao invés de serem um novo desenvolvimento) ou são uma parte intrínseca da esquizofrenia ao invés de uma reação psicológica a ela. Eles raramente são suficientemente graves ou extensos para preencher os critérios de um episódio depressivo grave (F32.2 e F32.3) e é muitas vezes difícil decidir quais dos sintomas do paciente são devidos à depressão e quais às medicações neurolépticas ou ao comprometimento da volição e ao embotamento afetivo da própria esquizofrenia. Esse estado depressivo está associado a um aumento do risco de suicídio.

Diretrizes diagnósticas

O diagnóstico deve ser feito somente se:

(a) o paciente tem tido uma doença esquizofrênica que satisfaz os critérios gerais para esquizofrenia (ver introdução para F20 acima) dentro dos últimos 12 meses;
(b) alguns sintomas esquizofrênicos ainda estão presentes;
(c) os sintomas depressivos são proeminentes e angustiantes, preenchendo pelo menos os critérios para um episódio depressivo (F32. —) e estiveram presentes por pelo menos duas semanas.

Se o paciente não apresenta mais quaisquer sintomas esquizofrênicos, um episódio depressivo (F32.) deve ser diagnosticado. Se os sintomas esquizofrênicos são ainda floridos e proeminentes, o diagnóstico deve permanecer aquele do subtipo esquizofrênico adequado (F20.0, F20.1, F20.2 ou F20.3).

F20.5 Esquizofrenia residual

Um estágio crônico no desenvolvimento de um transtorno esquizofrênico, no qual houve uma progressão clara de um estágio inicial (compreendendo um ou mais episódios com sintomas psicóticos que satisfazem os critérios gerais para esquizofrenia descritos acima) para um estágio mais tardio caracterizado por sintomas "negativos" de longa duração, embora não necessariamente irreversíveis.

Diretrizes diagnósticas

Para um diagnóstico confiável, os seguintes requisitos devem ser satisfeitos:

(a) os sintomas esquizofrênicos "negativos" são proeminentes, isto é, retardo psicomotor, hipoatividade, afeto embotado, passividade e falta de iniciativa, pobreza da quantidade ou do conteúdo do discurso, comunicação não verbal pobre através da expressão facial, do olhar, da modulação da voz e da postura, autocuidado e desempenho social pobres;
(b) evidência, no passado, de pelo menos um episódio psicótico bem definido satisfazendo os critérios diagnósticos para esquizofrenia;
(c) um período de *pelo menos um ano* durante o qual a intensidade e a frequência dos sintomas floridos, tais como delírios e alucinações, foram mínimos ou substancialmente reduzidos e a síndrome esquizofrênica "negativa" esteve presente;
(d) ausência de demência ou outra doença ou transtorno cerebral orgânicos e de depressão crônica ou institucionalismo suficientes para explicar os comprometimentos negativos.

Se não puder ser obtida informação adequada acerca da história prévia do paciente e por isso mesmo não puder ser estabelecido que os critérios para esquizofrenia foram satisfeitos em algum tempo do passado, pode ser necessário que se faça um diagnóstico provisório de esquizofrenia residual.

Inclui: esquizofrenia indiferenciada crônica
Restzustand
estado esquizofrênico residual

F20.6 Esquizofrenia simples

Um transtorno incomum, no qual há um desenvolvimento insidioso mas progressivo de conduta estranha, incapacidade para atender as exigências da sociedade e um declínio no desempenho total. Delírios e alucinações não são evidentes e o transtorno é menos obviamente psicótico do que os subtipos hebefrênico, paranoide e catatônico da esquizofrenia. Os aspectos "negativos" característicos da esquizofrenia residual (p. ex., embotamento afetivo, perda da volição) se desenvolvem sem serem precedidos por nenhum sintoma francamente psicótico. Com o aumento do empobrecimento social pode seguir-se a adoção de uma conduta de vagante e o indivíduo pode então se tornar absorto em si mesmo, inativo e sem objetivo.

Diretrizes diagnósticas

A esquizofrenia simples é um diagnóstico difícil de ser feito com alguma confiabilidade porque depende do estabelecimento do desenvolvimento lentamente progressivo dos sintomas "negativos" característicos da esquizofrenia residual (ver F20.5 acima), sem nenhuma história de alucinações, delírios ou outras manifestações de um episódio psicótico anterior e com alterações significativas no comportamento pessoal, manifestadas como uma perda de interesse marcante, inatividade e retraimento social.

Inclui: esquizofrenia simplex.

F20.8 Outra esquizofrenia

Inclui: esquizofrenia cenestopática
transtorno esquizofreniforme SOE

Exclui: transtorno esquizofreniforme agudo (F23.2)
esquizofrenia cíclica (F25.2)
esquizofrenia latente (F23.2)

F20.9 Esquizofrenia, não especificada

F21 Transtorno esquizotípico

Um transtorno caracterizado por comportamento excêntrico e anomalias do pensamento e do afeto, os quais se assemelham àqueles vistos na esquizofrenia, embora nenhuma anomalia esquizofrênica definida e característica tenha ocorrido em qualquer estágio. Não existe perturbação dominante ou típica, mas algumas das seguintes podem estar presentes:

(a) afeto inapropriado e constrangido (o indivíduo parece frio e distante);
(b) comportamento ou aparência que é estranho, excêntrico ou peculiar;
(c) pobre relacionamento com outros e uma tendência a retraimento social;
(d) crenças estranhas ou pensamento mágico influenciando o comportamento e inconsistentes com normas subculturais;
(e) suspeita ou ideias paranoides;
(f) ruminações obsessivas sem resistência interna, frequentemente com conteúdos dismorfofóbicos, sexuais ou agressivos;

(g) experiências perceptivas inusuais, incluindo somatossensoriais (corporais) ou outras ilusões, despersonalização ou desrealização;
(h) pensamento vago, circunstancial, metafórico, superelaborado ou estereotipado, manifestado por um discurso estranho ou de outras formas, sem incoerência grosseira;
(i) episódios quase psicóticos ocasionais e transitórios, com intensas ilusões, alucinações auditivas ou outras e ideias deliroides, usualmente ocorrendo sem provocação externa.

O transtorno segue um curso crônico com flutuações de intensidade. Ocasionalmente, ele evolui para esquizofrenia franca. Não há um início definido e sua evolução e curso são usualmente aqueles de um transtorno de personalidade. É mais comum em indivíduos geneticamente aparentados com esquizofrênicos e se acredita ser parte do "spectrum" genético da esquizofrenia.

Diretrizes diagnósticas

Essa rubrica diagnóstica não é recomendada para uso geral, porque ela não é claramente demarcada, nem da esquizofrenia simples, nem dos transtornos de personalidade esquizoide e paranoide. Se o termo é usado, três ou quatro dos aspectos típicos listados acima devem estar presentes, contínua e episodicamente, por *pelo menos 2 anos*. O indivíduo não deve nunca ter preenchido os critérios para esquizofrenia. Uma história de esquizofrenia em um parente de primeiro grau dá um peso adicional ao diagnóstico, mas não é um pré-requisito.

Inclui: esquizofrenia *borderline*
       esquizofrenia latente
       reação esquizofrênica latente
       esquizofrenia pré-psicótica
       esquizofrenia prodrômica
       esquizofrenia pseudoneurótica
       esquizofrenia pseudopsicopática
       transtorno de personalidade esquizotípica

Exclui: síndrome de Asperger (F84.5)
       transtorno de personalidade esquizoide (F60.1)

F22 Transtornos delirantes persistentes

Esse grupo inclui uma variedade de transtornos nos quais os delírios de longa duração constituem a única ou a mais conspícua característica clínica e os quais não podem ser classificados como orgânicos, esquizofrênicos ou afetivos. Eles são provavelmente heterogêneos e têm relações incertas com a esquizofrenia. A importância relativa de fatores genéticos, características de personalidade e circunstâncias de vida na sua gênese é incerta e provavelmente variável.

F22.0 Transtorno delirante

Esse grupo de transtornos é caracterizado pelo desenvolvimento de um delírio isolado ou de um conjunto de delírios relacionados entre si, que são usualmente persistentes e muitas vezes duram toda a vida. Os delírios são altamente variáveis no conteúdo. Frequentemente, eles são persecutórios, hipocondríacos ou grandiosos, mas podem estar relacionados com litígios, ciúmes, expressar a convicção que o corpo do indivíduo é disforme, que os outros pensam que ele cheira mal ou é homossexual. Outra psicopatologia está caracteristicamente ausente, mas podem estar presentes, de forma intermitente, sintomas depressivos e podem se desenvolver alucinações olfativas e táteis, em alguns casos. Alucinações auditivas (vozes) claras e persistentes, sintomas esquizofrênicos, tais como delírios de controle e embotamento afetivo marcante, e evidência de doença cerebral definitiva são todos incompatíveis com esse diagnóstico. Contudo, alucinações auditivas transitórias ou ocasionais, particularmente em pacientes idosos, não excluem esse diagnóstico, desde que elas não sejam tipicamente esquizofrênicas e constituam apenas uma pequena parte do quadro clínico global. O início é comumente na meia-idade, mas algumas vezes no começo da idade adulta, particularmente no caso de crenças de ter o corpo disforme. O conteúdo do delírio e o momento de sua emergência podem, muitas vezes, estar relacionados com as situações de vida do indivíduo, p. ex., delírios persecutórios em membros de minorias. Excetuando-se as ações e atitudes diretamente relacionadas ao delírio ou ao sistema delirante, o afeto, a fala e o comportamento são normais.

Diretrizes diagnósticas

Os delírios constituem a mais conspícua ou a única característica clínica. Eles devem estar presentes por pelo menos 3 meses e serem claramente pessoais ao invés de subculturais. Sintomas depressivos ou mesmo um episódio depressivo bem marcado (F32. —) podem estar presentes de forma intermitente, desde que o delírio persista em épocas quando não há perturbação do humor. Não deve haver evidência de doença cerebral nem, ou apenas ocasionais, alucinações auditivas e nem história de sintomas esquizofrênicos (delírios de controle, irradiação do pensamento, etc.).

Inclui: paranoia
　　　　psicose paranoide
　　　　estado paranoide
　　　　parafrenia (tardia)
　　　　"sensitiver Beziehungswahn" (delírio sensitivo de autorreferência)

Exclui: transtorno de personalidade paranoide (F60.0)
　　　　psicose paranoide psicogênica (F23.3)
　　　　reação paranoide (F23.3)
　　　　esquizofrenia paranoide (F20.0)

F22.8　Outros transtornos delirantes persistentes

Essa é uma categoria residual para transtornos delirantes persistentes que não satisfazem os critérios para transtorno delirante (F22.0). Transtornos nos quais os delírios são acompanhados por vozes alucinatórias persistentes ou por sintomas esquizofrênicos que são insuficientes para satisfazerem os critérios para esquizofrenia (F20. —) devem ser codificados aqui. Transtornos delirantes que duram menos de 3 meses devem, entretanto, ser codificados, pelo menos temporariamente, sob F23.—.

Inclui: dismorfofobia delirante
　　　　estado paranoide involutivo
　　　　paranoia querelante

F22.9　Transtorno delirante persistente, não especificado

F23　Transtornos psicóticos agudos e transitórios

Informação clínica sistemática, que daria uma orientação definitiva na classificação de transtornos psicóticos agudos, ainda não é disponível e os dados limitados e a tradição clínica que, portanto, devem ser usados não produzem conceitos que podem ser claramente definidos e separados entre si. Na ausência de um sistema multiaxial tentado e testado, o método usado aqui para evitar confusão diagnóstica é construir uma sequência diagnóstica que reflita a ordem de prioridade dada aos aspectos-chave selecionados do transtorno. A ordem de prioridade usada aqui é:

(a)　um início agudo (dentro de duas semanas) como o aspecto definidor de todo o grupo;
(b)　a presença de síndromes típicas;
(c)　a presença de estresse agudo associado.

A classificação, contudo, é arranjada de maneira que aqueles que não concordam com essa ordem de prioridade, podem ainda assim, identificar transtornos psicóticos agudos com cada um desses aspectos especificados.

É também recomendado que, sempre que possível, uma posterior subdivisão da forma de início seja usada, se aplicável, para todos os transtornos desse grupo. *Início agudo* é definido como uma mudança de um estado sem sintomas psicóticos para um estado psicótico claramente anormal dentro de um período de duas semanas ou menos. Há alguma evidência de que o início agudo está associado com uma boa evolução e pode ser que quanto mais agudo for o início, melhor será a evolução. É portanto recomendado que, sempre que apropriado, um *início abrupto* (dentro de 48 horas ou menos) seja especificado.

As *síndromes típicas* que foram selecionadas são: primeira, o estado rapidamente mutável e variável, aqui chamado "polimórfico", ao qual foi dado proeminência nos estados psicóticos agudos em vários países, e segundo, a presença de sintomas esquizofrênicos típicos.

Estresse agudo associado pode também ser especificado com um quinto caractere, se desejado, em virtude de sua tradicional ligação com psicose aguda. A evidência limitada disponível, contudo, indica que uma proporção substancial dos transtornos psicóticos agudos surge sem estresse associado e foi feita, portanto, uma concessão para se registrar a presença ou a ausência de estresse. Estresse agudo associado é tomado no sentido de que os primeiros sintomas psicóticos ocorrem dentro de cerca de duas semanas de um ou mais eventos, que poderiam ser considerados como estressantes para a maioria das pessoas sob circunstâncias similares, na cultura da pessoa em questão. Eventos típicos poderiam ser luto, perda inesperada de parceiro ou emprego, casamento ou o trauma psicológico de combate, terrorismo e tortura. Dificuldades ou problemas de longa duração não devem ser incluídos como uma fonte de estresse nesse contexto.

Uma recuperação completa usualmente ocorre dentro de 2 ou 3 meses, muitas vezes dentro de poucas semanas ou mesmo dias e somente uma pequena proporção de pacientes com esses transtornos desenvolve estados persistentes e incapacitantes. Infelizmente, o estado atual de conhecimento não permite uma previsão precoce daquela pequena proporção de pacientes que não se recuperará rapidamente.

Essas descrições clínicas e diretrizes diagnósticas são escritas assumindo-se que elas serão usadas por clínicos que talvez precisem fazer um diagnóstico, quando têm que avaliar e tratar pacientes dentro de poucos dias ou semanas do início do transtorno, sem saberem quanto tempo este durará. Um número de lembretes acerca dos limites de tempo e transição de um transtorno para outro foram portanto incluídos, de maneira a alertar aqueles que registram o diagnóstico para a necessidade de mantê-los atualizados.

A nomenclatura desses transtornos agudos é tão incerta quanto seu *status* nosológico, porém foi feita uma tentativa para usar termos simples e familiares. "Transtorno psicótico" é usado como um termo de conveniência para todos os membros desse grupo (psicótico é definido na introdução geral, página 3) com um termo qualificativo adicional indicando o aspecto definidor maior de cada tipo separado, como ele aparece na sequência anotada acima.

Diretrizes diagnósticas

Nenhum dos transtornos nesse grupo satisfaz os critérios diagnósticos para episódio maníaco (F30. —) ou depressivo (F32. —), ainda que alterações emocionais e sintomas afetivos isolados possam ser proeminentes de vez em quando.

Esses transtornos são também definidos pela ausência de causação orgânica, tais como estados de concussão cerebral, *delirium* ou demência. Perplexidade, preocupação e desatenção à conversação imediata estão frequentemente presentes, porém se elas são tão marcantes ou persistentes de forma a sugerir *delirium* ou demência de causa orgânica, o diagnóstico deve ser protelado até que a investigação ou observação tenha clarificado esse ponto. Similarmente, transtornos em F23.— não devem ser diagnosticados na presença de intoxicação óbvia por drogas ou álcool. Contudo, um pequeno aumento recente no consumo de, por exemplo, álcool ou maconha, sem evidência de intoxicação grave ou desorientação, não deve excluir o diagnóstico de um desses transtornos psicóticos agudos.

É importante notar que os critérios de 48 horas e duas semanas não são colocados como os períodos de máxima gravidade e perturbação, porém como os períodos nos quais os sintomas psicóticos se tornam óbvios e perturbam pelo menos alguns aspectos da vida diária e do trabalho. O pico da perturbação pode ocorrer mais tardiamente em ambos os exemplos; os sintomas e a perturbação podem ser óbvios somente nos períodos já mencionados e no sentido de que eles usualmente colocarão o paciente em contato com alguma forma de ajuda ou assistência médica. Períodos prodrômicos de ansiedade, depressão, retraimento social ou comportamento levemente anormal não se qualificam para inclusão nesses períodos de tempo.

Um quinto caractere pode ser usado para indicar se o transtorno psicótico agudo está associado ou não com estresse agudo:

F23.x0 Sem estresse agudo associado com estresse agudo

F23.x1 Com estresse agudo associado

F23.0 Transtorno polimórfico agudo, sem sintoma de esquizofrenia

Um transtorno psicótico agudo no qual alucinações, delírios e perturbações da percepção são óbvios, mas marcadamente variáveis, mudando de dia a dia ou mesmo de hora a hora. Tumultos emocionais com sentimentos intensos e transitórios de felicidade e êxtase ou ansiedade e irritabilidade estão, também, frequentemente presentes. Esse quadro clínico polimórfico, instável e mutável é característico e ainda que sintomas afetivos ou psicóticos isolados possam eventualmente estar presentes, os critérios para episódio maníaco (F30. —), episódio depressivo (F32. —) ou esquizofrenia (F20. —) não são preenchidos. É particularmente provável que esse transtorno tenha um início abrupto (dentro de 48 horas) e uma resolução rápida dos sintomas; em uma grande proporção de casos não há um estresse precipitante óbvio.

Se os sintomas persistem por mais do que 3 meses, o diagnóstico deve ser mudado [transtorno delirante persistente (F22. —) ou outro transtorno psicótico não orgânico (F28) é provavelmente o diagnóstico mais apropriado].

Diretrizes diagnósticas

Para um diagnóstico definitivo:

(a) o início deve ser agudo (de um estado não psicótico para um estado claramente psicótico dentro de duas semanas ou menos);
(b) deve haver vários tipos de alucinações ou delírio variando tanto em tipo quanto em intensidade de dia a dia ou dentro do mesmo dia;
(c) deve haver um estado emocional semelhantemente variável;
(d) apesar da variedade de sintomas, nenhum deve estar presente com consistência suficiente para preencher os critérios diagnósticos para esquizofrenia (F20. —) ou para episódio maníaco ou depressivo (F30. — ou F32. —).

Inclui: bouffée délirante sem sintomas de esquizofrenia ou não especificada
psicose cicloide sem sintomas de esquizofrenia ou não especificada

F23.1 Transtorno psicótico polimórfico agudo com sintomas de esquizofrenia

Um transtorno psicótico agudo, o qual satisfaz os critérios descritivos para transtorno psicótico polimórfico agudo (F23.0), porém, no qual sintomas tipicamente esquizofrênicos estão também consistentemente presentes.

Diretrizes diagnósticas

Para um diagnóstico definitivo, os critérios (a), (b) e (c), especificados para transtorno psicótico polimórfico agudo (F23.0), devem ser preenchidos; além disso, sintomas que satisfazem os critérios para esquizofrenia (F20.—) devem estar presentes a maior parte do tempo, desde o estabelecimento de um quadro clínico obviamente psicótico.

Se os sintomas esquizofrênicos persistem por mais do que 1 mês, o diagnóstico deve ser mudado para esquizofrenia (F20. —).

Inclui: bouffée délirante com sintomas de esquizofrenia
  psicose cicloide com sintomas de esquizofrenia

F23.2 Transtorno psicótico esquizofreniforme agudo

Um transtorno psicótico agudo no qual os sintomas psicóticos são comparativamente estáveis e satisfazem os critérios para esquizofrenia (F20. —) porém têm durado menos do que 1 mês. Algum grau de variabilidade ou instabilidade emocional pode estar presente, porém não na extensão descrita em transtorno polimórfico agudo (F23.0).

Diretrizes diagnósticas

Para um diagnóstico definitivo:

(a) o início dos sintomas psicóticos deve ser agudo (duas semanas ou menos, de um estado não psicótico para um estado claramente psicótico);
(b) sintomas que preenchem os critérios para esquizofrenia (F20.—) devem estar presentes na maior parte do tempo, desde o estabelecimento de um quadro clínico obviamente psicótico;
(c) os critérios para transtorno psicótico polimórfico agudo não são preenchidos.

Se os sintomas esquizofrênicos durarem mais do que 1 mês, o diagnóstico deve ser mudado para esquizofrenia (F20. —).

Inclui: esquizofrenia aguda (indiferenciada)
transtorno esquizofreniforme breve
psicose esquizofreniforme breve
oneirofrenia
reação esquizofrênica

Exclui: transtorno delirante (esquizofreniforme) orgânico (F06.2)
transtorno esquizofreniforme SOE (F20.8)

F23.3 Outros transtornos psicóticos agudos predominantemente delirantes

Transtornos psicóticos agudos nos quais delírios ou alucinações comparativamente estáveis são os aspectos clínicos principais, porém não preenchem os critérios para esquizofrenia (F20. —). Delírios de perseguição ou de referência são comuns e as alucinações são usualmente auditivas (vozes falando diretamente com o paciente).

Diretrizes diagnósticas

Para um diagnóstico definitivo:

(a) o início dos sintomas psicóticos deve ser agudo (duas semanas ou menos, de um estado não psicótico para um estado claramente psicótico);
(b) delírios ou alucinações devem estar presentes a maior parte do tempo, desde o estabelecimento de um estado obviamente psicótico; e
(c) os critérios para esquizofrenia (F20. —) ou episódio psicótico polimórfico agudo (F23.0) não são preenchidos.

Se os delírios persistem por mais do que 3 meses, o diagnóstico deve ser mudado para transtorno delirante persistente (F22. —). Se apenas alucinações persistem por mais do que 3 meses, o diagnóstico deve ser mudado para outro transtorno psicótico não orgânico (F28).

Inclui: reação paranoide
psicose paranoide psicogênica

F23.8 Outros transtornos psicóticos agudos e transitórios

Quaisquer outros transtornos psicóticos agudos que não são classificáveis sob qualquer outra categoria em F23 (tais como estados psicóticos agudos, nos quais delírios ou alucinações definitivas ocorrem, porém persistem só por pequenas proporções de tempo) devem ser codificados aqui. Estados de excitação indiferenciada devem também ser codificados aqui, se mais informação detalhada acerca do estado mental do paciente não está disponível, desde que não haja evidência de uma causa orgânica.

F23.9 Transtorno psicótico agudo e transitório, não especificado

Inclui: psicose reativa (breve) SOE

F24 Transtorno delirante induzido

Um transtorno delirante raro partilhado por duas ou, ocasionalmente, mais pessoas que mantém laços emocionais íntimos. Somente uma pessoa sofre de um transtorno psicótico genuíno; os delírios são induzidos no(s) outro(s) e usualmente desaparecem quando as pessoas são separadas. A doença psicótica da pessoa dominante é mais comumente a esquizofrenia, mas isto não é necessária ou invariavelmente assim. Ambos, os delírios originais na pessoa dominante e os delírios induzidos, são usualmente crônicos e de natureza persecutória ou grandiosa. Crenças delirantes são transmitidas desta maneira somente em circunstâncias incomuns. Quase invariavelmente, as pessoas implicadas têm um relacionamento inusualmente íntimo e estão isoladas das demais por língua, cultura ou geografia. O indivíduo, no qual os delírios são induzidos, é usualmente dependente ou subserviente à pessoa que apresenta a psicose genuína.

Diretrizes diagnósticas

Um diagnóstico de transtorno delirante induzido deve ser feito somente se:

(a) duas ou mais pessoas partilham o mesmo delírio ou sistema delirante e apoiam-se reciprocamente nessa crença;
(b) elas mantêm um relacionamento inusualmente íntimo do tipo descrito acima; e
(c) existe uma evidência temporal ou outra contextual de que o delírio foi induzido no(s) membro(s) passivo(s) do par ou grupo por contato com o membro ativo.

As alucinações induzidas são inusuais, mas não negativam o diagnóstico. Entretanto, se existem razões para se acreditar que duas pessoas vivendo juntas têm transtornos psicóticos independentes, nenhum dos dois deve ser codificado aqui, mesmo se alguns dos delírios são partilhados.

Inclui: folie à deux
   transtorno paranoide ou psicótico induzido
   psicose simbiótica

Exclui: *folie simultanée*

F25 Transtornos esquizoafetivos

Esses são transtornos episódicos, nos quais ambos os sintomas, afetivos e esquizofrênicos, são proeminentes dentro do mesmo episódio de doença, preferivelmente de forma simultânea ou pelo menos distam poucos dias uns dos outros. Seu relacionamento com os transtornos típicos de humor (afetivos) (F3 — F39) e transtornos esquizofrênicos (F20 — F24) é incerto. Eles recebem uma categoria separada porque são comuns demais para serem ignorados. Outras condições nas quais sintomas afetivos são sobrepostos ou fazem parte de uma doença esquizofrênica pre-existente ou nas quais eles coexistem ou se alternam com outros tipos de transtornos delirantes persistentes são classificadas sob a categoria adequada em F20 — F29. Delírios ou alucinações humor-incongruentes em transtornos afetivos (F30.2, F31.2, F31.5, F32.3 ou F33.3) não justificam por si só um diagnóstico de transtorno esquizoafetivo.

Pacientes que sofrem de episódios esquizoafetivos recorrentes, particularmente aqueles cujos sintomas são do tipo maníaco, mais do que do depressivo, usualmente apresentam uma recuperação completa e apenas raramente desenvolvem um estado deficitário.

Diretrizes diagnósticas

Um diagnóstico de transtorno esquizoafetivo deve ser feito apenas quando *ambos*, sintomas esquizofrênicos e afetivos definitivos, são proeminentes *simultaneamente* ou distam poucos dias uns dos outros, dentro do mesmo episódio de doença e quando, como uma consequência disso, o episódio da doença não satisfaz os critérios quer para esquizofrenia quer para um episódio depressivo ou maníaco. O termo não deve ser aplicado a pacientes que apresentam sintomas esquizofrênicos e sintomas afetivos somente em episódios diferentes de doença. É comum, por exemplo, para um paciente esquizofrênico apresentar sintomas depressivos como consequência de um episódio psicótico [ver depressão pós-esquizofrênica (F20.4)]. Alguns pacientes apresentam episódios esquizoafetivos recorrentes, os quais podem ser do tipo maníaco ou depressivo ou uma mescla dos dois. Outros apresentam um ou dois episódios esquizoafetivos interpostos entre episódios típicos de mania ou depressão. No primeiro caso, transtorno esquizoafetivo é o diagnóstico adequado. No último, a ocorrência de um episódio esquizoafetivo ocasional não invalida um diagnóstico de transtorno afetivo bipolar ou transtorno depressivo recorrente se o quadro clínico for típico sob outros aspectos.

F25.0   Transtorno esquizoafetivo, tipo maníaco

Um transtorno no qual sintomas esquizofrênicos e maníacos são ambos proeminentes no mesmo episódio de doença. A anormalidade do humor assume usualmente a forma de elação, acompanhada por aumento da autoestima e ideias grandiosas, mas às vezes excitação e irritabilidade são mais óbvias e estão acompanhadas por um comportamento agressivo e ideias persecutórias. Em ambos os casos, há um aumento de energia, hiperatividade, concentração comprometida e uma perda da inibição social normal. Delírios de referência, grandiosidade ou persecutoriedade podem estar presentes, mas outros sintomas mais tipicamente esquizofrênicos são necessários para se estabelecer o diagnóstico. Os pacientes podem insistir, por exemplo, que seus pensamentos estão sendo irradiados ou sofrendo interferência, que forças alienígenas estão tentando controlá-los ou podem relatar ouvir vozes de diversos tipos ou expressar ideias delirantes bizarras que não são meramente grandiosas ou persecutórias. Frequentemente, é necessário um cuidadoso questionamento para se estabelecer que um paciente realmente está experimentando esses fenômenos mórbidos e não meramente brincando ou falando por metáforas. Os transtornos esquizoafetivos do tipo maníaco são usualmente psicoses floridas com um início agudo; ainda que o comportamento esteja com frequência grosseiramente perturbado, a recuperação total geralmente ocorre dentro de poucas semanas.

Diretrizes diagnósticas

Deve existir uma elevação proeminente do humor ou uma elevação menos óbvia do humor combinada com um aumento da irritabilidade ou excitação. Dentro do mesmo episódio, pelo menos um e preferivelmente dois sintomas tipicamente esquizofrênicos [como especificados para a esquizofrenia (F20. —), nas diretrizes diagnósticas (a) — (d)] devem estar claramente presentes.

Essa categoria deve ser utilizada tanto para um episódio esquizoafetivo tipo maníaco isolado, quanto para um transtorno recorrente, no qual a maioria dos episódios seja esquizoafetivo, tipo maníaco.

Inclui: psicose esquizoafetiva, tipo maníaco
psicose esquizofreniforme, tipo maníaco

F25.1 Transtorno esquizoafetivo, tipo depressivo

Um transtorno no qual sintomas esquizofrênicos e depressivos são ambos proeminentes no mesmo episódio de doença. A depressão do humor é usualmente acompanhada por vários sintomas depressivos característicos ou anormalidades comportamentais, tais como retardo, insônia, perda de energia, de apetite ou de peso, redução dos interesses normais, comprometimento de concentração, culpa, sentimentos de desesperança e pensamentos suicidas. Ao mesmo tempo ou dentro do mesmo episódio, outros sintomas mais tipicamente esquizofrênicos estão presentes; os pacientes podem insistir, por exemplo, que seus pensamentos estão sendo irradiados ou sofrendo interferência ou que forças alienígenas estão tentando controlá-los. Eles podem estar convencidos de que estão sendo espionados ou que tramam contra eles e isso não é justificado por seus próprios comportamentos. Podem escutar vozes que não são meramente depreciatórias ou condenatórias, mas que falam em matá-los ou discutem seu comportamento entre elas. Os episódios esquizoafetivos do tipo depressivo são usualmente menos floridos e alarmantes que os episódios esquizoafetivos do tipo maníaco, porém eles tendem a durar mais e o prognóstico é menos favorável. Embora a maioria dos pacientes se recupere completamente, alguns eventualmente desenvolvem um defeito esquizofrênico.

Diretrizes diagnósticas

Deve existir depressão proeminente, acompanhada por pelo menos dois sintomas depressivos característicos ou anormalidades comportamentais associadas, como as relacionadas para episódio depressivo (F32. —); dentro do mesmo episódio, pelo menos um e preferivelmente dois sintomas tipicamente esquizofrênicos [como especificados para esquizofrenia (F20. —), diretrizes diagnósticas (a)-(d)] devem estar claramente presentes.

Essa categoria deve ser usada tanto para um episódio esquizoafetivo tipo depressivo isolado, quanto para um transtorno recorrente, no qual a maioria dos episódios seja esquizoafetivo, tipo depressivo.

Inclui: psicose esquizoafetiva, tipo depressivo
psicose esquizofreniforme, tipo depressivo

F25.2 Transtorno esquizoafetivo, tipo misto

Transtornos nos quais sintomas de esquizofrenia (F20. —) coexistem com aqueles de um transtorno afetivo bipolar misto (F31.6) devem ser codificados aqui.

Inclui: esquizofrenia cíclica
psicose esquizofrênica e afetiva mista

F25.8　Outros transtornos esquizoafetivos

F25.9　Transtorno esquizoafetivo, não especificado

Inclui: psicose esquizoafetiva SOE

F28　Outros transtornos psicóticos não orgânicos

Transtornos psicóticos que não satisfazem os critérios para esquizofrenia (F20. —) ou para tipos psicóticos de transtornos do humor (afetivos) (F30 —F39) e transtornos psicóticos que não satisfazem os critérios sintomatológicos para transtorno delirante persistente (F22. —) devem ser codificados aqui.

Inclui: psicose alucinatória crônica SOE.

F29　Psicose não orgânica não especificada

Inclui: psicose SOE

Exclui: transtorno mental SOE (F99)
psicose orgânica ou sintomática SOE (F09)

F30 – F39
Transtornos do humor (afetivos)

Visão geral deste bloco

F30 Episódio maníaco
    F30.0 Hipomania
    F30.1 Mania sem sintomas psicóticos
    F30.2 Mania com sintomas psicóticos
    F30.8 Outros episódios maníacos
    F30.9 Episódio maníaco, não especificado

F31 Transtorno afetivo bipolar
    F31.0 Transtorno afetivo bipolar, episódio atual hipomaníaco
    F31.1 Transtorno afetivo bipolar, episódio atual maníaco sem sintomas psicóticos
    F31.2 Transtorno afetivo bipolar, episódio atual maníaco com sintomas psicóticos
    F31.3 Transtorno afetivo bipolar, episódio atual depressivo leve ou moderado
        .30 Sem sintomas somáticos
        .31 Com sintomas somáticos
    F31.4 Transtorno afetivo bipolar, episódio atual depressivo grave sem sintomas psicóticos
    F31.5 Transtorno afetivo bipolar, episódio atual depressivo grave com sintomas psicóticos
    F31.6 Transtorno afetivo bipolar, episódio atual misto
    F31.7 Transtorno afetivo bipolar, atualmente em remissão
    F31.8 Outros transtornos afetivos bipolares
    F31.9 Transtorno afetivo bipolar, não especificado

F32 Episódio depressivo
    F32.0 Episódio depressivo leve
        .00 Sem sintomas somáticos
        .01 Com sintomas somáticos
    F32.1 Episódio depressivo moderado
        .10 Sem sintomas somáticos
        .11 Com sintomas somáticos
    F32.2 Episódio depressivo grave sem sintomas psicóticos
    F32.3 Episódio depressivo grave com sintomas psicóticos
    F32.8 Outros episódios depressivos
    F32.9 Episódio depressivo, não especificado

F33 Transtorno depressivo recorrente
F33.0 Transtorno depressivo recorrente, episódio atual leve
.00 Sem sintomas somáticos
.01 Com sintomas somáticos
F33.1 Transtorno depressivo recorrente, episódio atual moderado
.10 Sem sintomas somáticos
.11 Com sintomas somáticos
F33.2 Transtorno depressivo recorrente, episódio atual grave sem sintomas psicóticos
F33.3 Transtorno depressivo recorrente, episódio atual grave com sintomas psicóticos
F33.4 Transtorno depressivo recorrente, atualmente em remissão
F33.8 Outros transtornos depressivos recorrentes
F33.9 Transtorno depressivo recorrente, não especificado

F34 Transtornos persistentes do humor (afetivos)
F34.0 Ciclotimia
F34.1 Distimia
F34.8 Outros transtornos persistentes do humor (afetivos)
F34.9 Transtorno persistente do humor (afetivo), não especificado

F38 Outros transtornos do humor (afetivos)
F38.0 Outros transtornos únicos do humor (afetivos)
.00 Episódio afetivo misto
F38.1 Outros transtornos recorrentes do humor (afetivos)
.10 Transtorno depressivo breve recorrente
F38.8 Outros transtornos especificados do humor (afetivos)

F39 Transtorno do humor (afetivo) não especificado

Introdução

A relação entre etiologia, sintomas, processos bioquímicos subjacentes, resposta ao tratamento e evolução dos transtornos do humor (afetivos) ainda não é suficientemente bem compreendida para permitir sua classificação de forma a receber aprovação universal. Entretanto, uma classificação deve ser tentada e esta aqui apresentada é colocada na esperança de que será pelo menos aceitável, uma vez que é o resultado de ampla consulta.

Nestes transtornos, a perturbação fundamental é uma alteração do humor ou afeto, usualmente para depressão (com ou sem ansiedade associada) ou elação. Essa alteração de humor é normalmente acompanhada por uma alteração no nível global de atividade e a maioria dos outros sintomas é secundária ou facilmente compreendida no contexto de tais alterações. A maioria desses transtornos tende a ser recorrente e o início dos episódios individuais é frequentemente relacionado com eventos ou situações estressantes. Este bloco lida com transtornos do humor em todos os grupos etários; aqueles que surgem na infância e adolescência devem, portanto, ser codificados aqui.

Os principais critérios pelos quais os transtornos afetivos têm sido classificados foram escolhidos por razões práticas, de maneira que eles permitam que transtornos clínicos comuns sejam facilmente identificados. Episódios únicos foram distinguidos de transtornos bipolares e de outros transtornos de episódios múltiplos, porque proporções substanciais de pacientes têm somente um episódio de doença e é dada proeminência à gravidade por causa das implicações para o tratamento e para a oferta de diferentes níveis de serviços. É reconhecido que os sintomas descritos aqui como "somáticos" poderiam também ser chamados de "melancólicos", "vitais", "biológicos" ou "endogenomórficos" e que o *status* científico dessa síndrome é, de qualquer forma, algo questionável. É de se esperar que o resultado de sua inclusão aqui seja a abordagem crítica ampla da utilidade de sua identificação em separado. A classificação é arranjada de tal forma que essa síndrome somática pode ser registrada por aqueles que o desejarem, mas também ser ignorada sem perda de qualquer outra informação.

Distinguir entre diferentes graus de gravidade permanece um problema; os três graus de leve, moderada e grave foram especificados aqui porque muitos clínicos desejam tê-los disponíveis.

Os termos "mania" e "depressão grave" são usados nesta classificação para denotar os extremos opostos do espectro afetivo; "hipomania" é usado para denotar um estado intermediário, sem delírios, alucinações ou a completa perturbação das atividades normais, a qual é muitas vezes (mas não exclusivamente) vista quando os pacientes desenvolvem ou se recuperam da mania.

F30 Episódio maníaco

Três graus de gravidade são especificados aqui, compartilhando as características comuns subjacentes de humor elevado e um aumento na quantidade e na velocidade da atividade física e mental. Todas as subdivisões desta categoria devem ser usadas somente para um episódio único de mania. Se há episódios afetivos prévios ou subsequentes (depressivos, maníacos ou hipomaníacos), o transtorno deve ser codificado sob transtorno afetivo bipolar (F31. –).

Inclui: transtorno bipolar, episódio maníaco único

F30.0 Hipomania

Hipomania é um grau mais leve de mania (F30.1), no qual as anormalidades do humor e do comportamento são por demais persistentes e marcantes para serem incluídas sob ciclotimia (F34.0), mas não são acompanhadas por alucinações ou delírios. Há uma elevação leve e persistente do humor (por pelo menos vários dias continuamente), aumento de energia e atividade e usualmente sentimentos marcantes de bem-estar e de eficiência tanto física quanto mental. Sociabilidade aumentada, loquacidade, familiaridade excessiva, aumento da energia sexual e diminuição da necessidade de sono estão frequentemente presentes, mas não numa extensão que leve a uma perturbação grave do trabalho ou resulte em rejeição social. Irritabilidade, comportamento presunçoso e grosseiro podem tomar lugar da sociabilidade eufórica mais usual.

A concentração e a atenção podem estar comprometidas, diminuindo assim a capacidade de se fixar no trabalho, relaxamento e lazer, mas isto não evita o aparecimento de interesses em aventuras e atividades completamente novas ou gastos excessivos leves.

Diretrizes diagnósticas

Vários dos aspectos mencionados acima, consistentes com alteração ou elevação do humor e aumento de atividade, devem estar presentes por pelo menos vários dias continuadamente, em um grau e com uma persistência maior do que os descritos para a ciclotimia (F34.0). Uma interferência considerável com o trabalho ou atividade social é consistente com o diagnóstico de hipomania, mas se a perturbação destes é grave ou completa, mania (F30.1 ou F30.2) deve ser diagnosticada.

Diagnóstico diferencial. A hipomania cobre a série de transtornos do humor e nível de atividade entre ciclotimia (F34.0) e mania (F30.1 e F30.2). A atividade aumentada e a inquietação (e frequentemente perda de peso) devem ser distinguidos dos mesmos sintomas ocorrendo no hipertireoidismo e anorexia nervosa; estados iniciais de "depressão agitada", particularmente no final da meia-idade, podem ter uma semelhança superficial com hipomania da variedade irritável. Pacientes com sintomas obsessivos graves podem estar ativos durante parte da noite para completar seus rituais de limpeza doméstica, mas seu afeto será usualmente o oposto daquele descrito aqui.

Quando um período curto de hipomania ocorre como um prelúdio ou consequência de mania (F30.1 e F30.2), usualmente não vale a pena especificar a hipomania separadamente.

F30.1 Mania sem sintomas psicóticos

O humor está desproporcionalmente elevado em relação às circunstâncias do indivíduo e pode variar de uma jovialidade despreocupada a uma excitação quase incontrolável. A elação é acompanhada por um aumento de energia, resultando em hiperatividade, pressão para falar e uma diminuição da necessidade de sono. Inibições sociais normais são perdidas, a atenção não pode ser sustentada e frequentemente há distraibilidade marcante. A autoestima está inflada e grandiosidade ou ideias superotimistas são livremente expressas.

Transtornos perceptivos podem ocorrer, tais como a apreciação de cores como especialmente vívidas (e usualmente bonitas), uma preocupação com detalhes finos de superfícies ou texturas e hiperacusia subjetiva. O indivíduo pode se envolver em esquemas extravagantes e não práticos, gastar dinheiro irresponsavelmente ou tornar-se agressivo, amoroso ou jocoso em circunstâncias inapropriadas. Em alguns episódios maníacos, o humor é irritável e desconfiado, mais do que exaltado. O primeiro ataque ocorre mais comumente entre as idades de 15 e 30 anos, mas pode ocorrer em qualquer idade, desde o final da infância até a sétima ou oitava década.

Diretrizes diagnósticas

O episódio deve durar pelo menos uma semana e ser grave o suficiente para perturbar o ritmo normal de trabalho e atividades sociais, de forma mais ou menos completa. A alteração de humor deve ser acompanhada por um aumento de energia e vários dos sintomas referidos acima (particularmente pressão para falar, diminuição da necessidade de sono, grandiosidade e otimismo excessivo).

F30 — F39 TRANSTORNOS DO HUMOR (AFETIVOS)

F30.2 Mania com sintomas psicóticos

O quadro clínico é aquele de uma forma mais grave de mania, como descrito em F30.1. A autoestima inflada e ideias grandiosas podem evoluir para delírios e a irritabilidade e desconfiança, para delírios de perseguição. Em casos graves, delírios grandiosos ou religiosos de identidade ou papéis podem ser proeminentes, e fuga de ideias e pressão para falar podem tornar o indivíduo incompreensível. A atividade física e excitação graves e continuadas podem resultar em agressão ou violência e a negligência com alimentação, ingestão de líquidos e higiene pessoal podem resultar em perigosos estados de desidratação e autonegligência. Se necessário, delírios ou alucinações podem ser especificados como congruentes ou incongruentes com o humor. "Incongruente" deve ser compreendido como incluindo delírios e alucinações afetivamente neutros, por exemplo, delírios de referência sem qualquer culpa ou conteúdo acusatório ou vozes falando para o indivíduo sobre eventos que não têm nenhuma significação emocional especial.

Diagnóstico diferencial. Um dos problemas mais comuns é a diferenciação desse transtorno da esquizofrenia, particularmente se os estágios de desenvolvimento desde a hipomania não foram detectados e o paciente é visto somente no pico da doença, quando delírios difusos, discurso incompreensível e excitação violenta podem obscurecer a perturbação básica do afeto. Pacientes com mania, que estão respondendo à medicação neuroléptica, podem apresentar um problema diagnóstico similar, no estágio em que eles retornaram aos níveis normais de atividade física e mental, mas ainda apresentam delírios ou alucinações. Alucinações ou delírios ocasionais como especificado para esquizofrenia (F20. —) podem também ser classificados como humor-incongruente, mas se estes sintomas são proeminentes e persistentes, o diagnóstico de transtorno esquizoafetivo (F25. —) é provavelmente o mais apropriado (ver também p. 14-15).

Inclui: estupor maníaco

F30.8 Outros episódios maníacos

F30.9 Episódio maníaco, não especificado

Inclui: mania SOE

F31 Transtorno afetivo bipolar

Este transtorno é caracterizado por episódios repetidos (isto é, pelo menos dois) nos quais o humor e os níveis de atividade do paciente estão significativamente perturbados; esta alteração consiste em algumas ocasiões de uma elevação do humor e aumento de energia e atividade (mania ou hipomania) e em outras de um rebaixamento do humor e diminuição de energia e atividade (depressão). Caracteristicamente, a recuperação entre os episódios é usualmente completa e a incidência em ambos os sexos é mais aproximadamente igual do que em outros transtornos do humor. Como os pacientes que sofrem somente de episódios repetidos de mania são comparativamente raros e se assemelham (em sua história familiar, personalidade pré-mórbida, idade de início e prognóstico a longo prazo) àqueles que têm também, pelo menos, episódios ocasionais de depressão, tais pacientes são classificados como bipolares (F31.8).

Episódios maníacos usualmente começam abruptamente e duram entre duas semanas e 4-5 meses (duração mediana ao redor de 4 meses). Depressões tendem a durar mais tempo (duração mediana ao redor de 6 meses), embora raramente por mais de um ano, exceto em idosos. Episódios de ambos os tipos frequentemente se seguem a eventos da vida estressantes ou outros traumas mentais, mas a presença de tal estresse não é essencial para o diagnóstico. O primeiro episódio pode ocorrer em qualquer idade, da infância à velhice. A frequência de episódios e o padrão de remissões e recaídas são ambos muito variáveis, ainda que as remissões tendam a tornar-se mais breves com o passar do tempo e as depressões a tornarem-se cada vez mais comuns e a ter maior duração depois da meia-idade.

Embora o conceito original de "psicose maníaco-depressiva" também inclua pacientes que sofriam apenas de depressão, o termo "transtorno ou psicose maníaco-depressiva" é agora usado principalmente como um sinônimo para transtorno bipolar.

Inclui: doença, psicose ou reação maníaco-depressiva

Exclui: transtorno bipolar, episódio maníaco único (F30. —)
    ciclotimia (F34.0)

F31.0 Transtorno afetivo bipolar, episódio atual hipomaníaco

Diretrizes diagnósticas

Para um diagnóstico definitivo:

(a) o episódio atual deve preencher os critérios para hipomania (F30.0);
(b) deve ter havido pelo menos um outro episódio afetivo (hipomaníaco, maníaco, depressivo ou misto) no passado.

F31.1 Transtorno afetivo bipolar, episódio atual maníaco sem sintomas psicóticos

Diretrizes diagnósticas

Para um diagnóstico definitivo:

(a) o episódio atual deve preencher os critérios para mania sem sintomas psicóticos (F30.1);
(b) deve ter havido pelo menos um outro episódio afetivo (hipomaníaco, maníaco, depressivo ou misto) no passado.

F31.2 Transtorno afetivo bipolar, episódio atual maníaco com sintomas psicóticos

Diretrizes diagnósticas

Para um diagnóstico definitivo:

(a) o episódio atual deve preencher os critérios para mania com sintomas psicóticos (F30.2);
(b) deve ter havido pelo menos um outro episódio afetivo (hipomaníaco, maníaco, depressivo ou misto) no passado.

Se necessário, delírios ou alucinações podem ser especificados como congruentes ou incongruentes com o humor (ver F30.2).

F31.3 Transtorno afetivo bipolar, episódio atual depressivo leve ou moderado

Diretrizes diagnósticas

Para um diagnóstico definitivo:

(a) o episódio atual deve preencher os critérios para um episódio depressivo de gravidade leve (F32.0) ou moderada (F32.1);
(b) deve ter havido pelo menos um outro episódio afetivo hipomaníaco, maníaco ou misto no passado.

Um quinto caractere pode ser usado para especificar a presença ou ausência de sintomas somáticos no episódio atual de depressão:

F31.30 Sem sintomas somáticos

F31.31 Com sintomas somáticos

F31.4 Transtorno afetivo bipolar, episódio atual depressivo grave sem sintomas psicóticos

Diretrizes diagnósticos

Para um diagnóstico definitivo:

(a) o episódio atual deve preencher os critérios para um episódio depressivo grave sem sintomas psicóticos (F32.2);
(b) deve ter havido pelo menos um outro episódio afetivo hipomaníaco, maníaco ou misto no passado.

F31.5 Transtorno afetivo bipolar, episódio atual depressivo grave com sintomas psicóticos

Diretrizes diagnósticas

Para um diagnóstico definitivo:

(a) o episódio atual deve preencher os critérios para um episódio depressivo grave com sintomas psicóticos (F32.3);
(b) deve ter havido pelo menos um outro episódio afetivo hipomaníaco, maníaco ou misto no passado.

Se necessário, delírios ou alucinações podem ser especificados como congruentes ou incongruentes com o humor (ver F30.2).

F31.6 Transtorno afetivo bipolar, episódio atual misto

O paciente teve pelo menos um episódio afetivo maníaco, hipomaníaco ou misto no passado e atualmente exibe uma mistura ou uma alternância rápida de sintomas maníacos, hipomaníacos e depressivos.

Diretrizes diagnósticas

Embora a forma mais típica de transtorno bipolar consista da alternância de episódios maníacos e depressivos separados por períodos de humor normal, não é incomum para um humor depressivo ser acompanhado durante dias ou semanas, continuadamente, por hiperatividade e pressão para falar, ou para um humor maníaco e grandiosidade serem acompanhados por agitação e perda de energia e libido. Sintomas depressivos e sintomas de hipomania ou mania podem também alternar-se rapidamente de um dia para outro, ou mesmo de uma hora para outra. Um diagnóstico de transtorno afetivo bipolar misto deve ser feito somente se os dois conjuntos de sintomas são ambos proeminentes pela maior parte do tempo, no episódio atual da doença e se esse episódio tem durado pelo menos duas semanas.

Exclui: episódio afetivo misto único (F38.0)

F31.7 Transtorno afetivo bipolar, atualmente em remissão

O paciente teve pelo menos um episódio afetivo maníaco, hipomaníaco ou misto no passado e, em adição, pelo menos um outro episódio afetivo do tipo hipomaníaco, maníaco, depressivo ou misto, mas não está atualmente sofrendo de nenhuma perturbação significativa do humor e assim tem estado por vários meses. O paciente pode, entretanto, estar recebendo tratamento para reduzir o risco de episódios futuros.

F31.8 Outros transtornos afetivos bipolares

Inclui: transtorno bipolar II
episódios maníacos recorrentes

F31.9 Transtorno afetivo bipolar, não especificado

F32 Episódio depressivo

Em episódios depressivos típicos, de todas as três variedades descritas abaixo [leve (F32.0), moderado (F32.1) e grave (F32.2 e F32.3)], o indivíduo usualmente sofre de humor deprimido, perda de interesse e prazer e energia reduzida levando a uma fatigabilidade aumentada e atividade diminuída. Cansaço marcante após esforços apenas leves é comum. Outros sintomas comuns são:

(a) concentração e atenção reduzidas;
(b) autoestima e autoconfiança reduzidas;
(c) ideias de culpa e inutilidade (mesmo em um tipo leve de episódio);
(d) visões desoladas e pessimistas do futuro;
(e) ideias ou atos autolesivos ou suicídio;
(f) sono perturbado;
(g) apetite diminuído.

O humor rebaixado varia pouco de dia para dia e, frequentemente, não é responsivo às circunstâncias, mas pode ainda mostrar uma variação diurna característica, à medida que o dia passa. Assim como nos episódios maníacos, a apresentação clínica mostra marcantes variações individuais, e apresentações atípicas são particularmente comuns na adolescência. Em alguns casos, ansiedade, angústia e agitação motora podem ser mais proeminentes em alguns momentos do que a depressão e a mudança do humor pode também ser mascarada por aspectos adicionais tais como irritabilidade, consumo excessivo de álcool, comportamento histriônico, exacerbação de sintomas fóbicos ou obsessivos preexistentes ou por preocupações hipocondríacas. Para episódios depressivos de todos os três graus de gravidade, uma duração de pelo menos duas semanas é usualmente requerida para o diagnóstico, mas períodos mais curtos podem ser razoáveis se os sintomas são inusualmente graves e de início rápido.

Alguns dos sintomas acima podem ser marcantes e desenvolver aspectos característicos que são amplamente considerados como tendo uma significação clínica especial. Os exemplos mais típicos destes sintomas "somáticos" (ver introdução a este bloco, p. 110) são: perda de interesse ou prazer em atividades que normalmente agradáveis; falta de reatividade emocional a ambientes e eventos normalmente prazerosos; acordar pela manhã 2 ou mais horas antes do horário habitual; depressão pior pela manhã; evidência objetiva de retardo ou agitação psicomotora definitiva (percebida ou relatada por outras pessoas); marcante perda de apetite; perda de peso (frequentemente definida como 5% ou mais do peso corporal no mês anterior); marcante perda da libido. Usualmente essa síndrome somática não é considerada como presente, a menos que cerca de quatro desses sintomas estejam definitivamente presentes.

As categorias de episódios depressivos leve (F32.0), moderado (F32.1) e grave (F32.2 e F32.3), descritas abaixo em mais detalhes, devem ser usadas somente para um episódio depressivo único (primeiro). Episódios depressivos posteriores devem ser classificados sob uma das subdivisões de transtorno depressivo recorrente (F33. —).

Esses graus de gravidade são especificados para cobrir uma ampla variedade de estados clínicos que são encontrados em diferentes tipos da prática psiquiátrica. Indivíduos com episódios depressivos leves são comuns em cuidados primários e em Medicina geral, enquanto unidades psiquiátricas de internação lidam amplamente com pacientes sofrendo de graus graves.

Atos de danos a si próprio associados a transtornos do humor (afetivos), mais comumente autoenvenenamento por medicação prescrita, devem ser registrados através de um código adicional do Capítulo XX da CID-10 (X60-X84). Estes códigos não envolvem diferenciação entre tentativa de suicídio e "para-suicídio", desde que ambos estão incluídos na categoria geral de autolesão.

F30 — F39 TRANSTORNOS DO HUMOR (AFETIVOS)

A diferenciação entre episódios depressivos leve, moderado e grave baseia-se em um julgamento clínico complicado que envolve o número, tipo e gravidade dos sintomas presentes. A extensão das atividades sociais e laborativas habituais é, com frequência, um guia geral útil para avaliar o grau provável de gravidade do episódio, mas influências individuais, sociais e culturais que perturbam uma relação direta entre gravidade dos sintomas e desempenho social são suficientemente comuns e poderosas para tornar desaconselhável a inclusão do desempenho social entre os critérios essenciais de gravidade.

A presença de demência (F00 — F03) ou retardo mental (F70 — F79) não exclui o diagnóstico de um episódio depressivo tratável, mas dificuldades de comunicação provavelmente farão ser necessário para o diagnóstico depender, mais do que o habitual, de sintomas somáticos objetivamente observados, tais como retardo psicomotor, perda de apetite e peso e perturbação do sono.

Inclui: episódios únicos de reação depressiva, depressão maior (sem sintomas psicóticos), depressão psicogênica ou depressão reativa (F32.0, F32.1 ou F32.2).

F32.0 Episódio depressivo leve

Diretrizes diagnósticas

Humor deprimido, perda de interesse e prazer e fatigabilidade aumentada são usualmente tidos como os sintomas mais típicos de depressão e pelo menos dois desses, mais pelo menos dois dos outros sintomas descritos na página 117 (para F32. —) devem usualmente estar presentes para um diagnóstico definitivo. Nenhum dos sintomas deve estar presente em um grau intenso. A duração mínima do episódio completo é cerca de duas semanas.

Um indivíduo com um episódio depressivo leve está usualmente angustiado pelos sintomas e tem alguma dificuldade em continuar com o trabalho do dia a dia e atividades sociais, mas provavelmente não irá parar suas funções completamente.

Um quinto caractere pode ser usado para especificar a presença da síndrome somática:

F32.00 Sem sintomas somáticos
Os critérios para episódio depressivo leve são preenchidos e poucos ou nenhum dos sintomas somáticos estiverem presentes.

F32.01 Com sintomas somáticos
Os critérios para episódio depressivo leve são preenchidos e quatro ou mais dos sintomas somáticos estão também presentes (se somente dois ou três sintomas somáticos estão presentes, mas são inusualmente graves, o uso desta categoria pode ser justificado).

F32.1 Episódio depressivo moderado

Diretrizes diagnósticas

Pelo menos dois dos três sintomas mais típicos anotados para episódio depressivo leve (F32.0) devem estar presentes, pelo menos três (e preferencialmente quatro) dos outros sintomas. Vários sintomas provavelmente estão presentes em um grau marcante, mas isto não é essencial se uma variedade particularmente ampla de sintomas está globalmente presente. A duração mínima do episódio completo é de cerca de duas semanas.

Um indivíduo com episódio depressivo, moderadamente grave, usualmente terá dificuldade considerável em continuar com atividades sociais, laborativas ou domésticas.

Um quinto caractere pode ser usado para especificar a ocorrência de sintomas somáticos:

F32.10 Sem sintomas somáticos
Os critérios para episódio depressivo moderado são preenchidos e, se alguns, poucos sintomas somáticos estão presentes.

F32.11 Com sintomas somáticos
Os critérios para episódio depressivo moderado são preenchidos e quatro ou mais dos sintomas somáticos estão presentes (se somente dois ou três sintomas somáticos estiverem presentes, mas de forma inusualmente grave, o uso desta categoria pode ser justificado).

F32.2 Episódio depressivo grave sem sintomas psicóticos

Em um episódio depressivo grave, o paciente usualmente apresenta angústia ou agitação considerável, a menos que retardo seja um aspecto marcante. Perda de autoestima ou sentimentos de inutilidade ou culpa, provavelmente, são proeminentes e o suicídio é um perigo marcante nos casos particularmente graves. Presume-se, aqui, que a síndrome somática estará quase sempre presente em um episódio depressivo grave.

F30 — F39 TRANSTORNOS DO HUMOR (AFETIVOS)

Diretrizes diagnósticas

Todos os três dos sintomas típicos anotados para episódios depressivos leve e moderado (F32.0 e F32.1) devem estar presentes, pelo menos quatro outros sintomas, alguns dos quais devem ser de intensidade grave. Entretanto, se sintomas importantes tais como agitação ou retardo são marcantes, o paciente pode não cooperar ou ser incapaz de descrever muitos sintomas em detalhes. Uma gradação global do episódio grave pode ainda ser justificada em tais circunstâncias. O episódio depressivo deve usualmente durar pelo menos duas semanas, mas se os sintomas são particularmente graves e de início muito rápido, pode ser justificado fazer esse diagnóstico com menos de duas semanas.

Durante um episódio depressivo grave é muito improvável que o paciente seja capaz de continuar com suas atividade sociais, laborativas ou domésticas, exceto em uma extensão muito limitada.

Essa categoria deve ser usada somente para episódios únicos de depressão grave sem sintomas psicóticos; para episódios posteriores, uma subcategoria de transtorno depressivo recorrente (F33. —) deve ser usada.

Inclui: episódios únicos de depressão agitada
melancolia ou depressão vital sem sintomas psicóticos

F32.3 Episódio depressivo grave com sintomas psicóticos

Diretrizes diagnósticas

Um episódio depressivo grave o qual satisfaz os critérios dados para F32.2, acima, e no qual delírios, alucinações ou estupor depressivo estão presentes. Os delírios usualmente envolvem ideias de pecado, pobreza ou desastres iminentes, pelos quais o paciente pode assumir a responsabilidade. Alucinações auditivas ou olfativas são usualmente de vozes difamatórias ou acusativas, ou de sujeira apodrecida ou carne em decomposição. Retardo psicomotor grave pode evoluir para estupor. Se necessário, delírios ou alucinações podem ser especificados como humor-congruentes ou humor-incongruentes (ver F30.2).

Diagnóstico diferencial. Estupor depressivo deve ser diferenciado da esquizofrenia catatônica (F20.2), do estupor dissociativo (F44.2) e das formas orgânicas de estupor. Essa categoria deve ser usada somente para episódios únicos de depressão grave com sintomas psicóticos; para episódios posteriores, uma subcategoria do transtorno depressivo recorrente (F33. —) deve ser usada.

Inclui: episódios únicos de depressão maior com sintomas psicóticos, depressão psicótica, psicose depressiva psicogênica, psicose depressiva reativa.

F32.8 Outros episódios depressivos

Deve-se incluir aqui episódios os quais não se encaixam nas descrições dadas para episódios depressivos descritos em F32.0 – F32.3, mas para os quais a impressão diagnóstica global indica que eles são depressivos em natureza. Exemplos incluem misturas flutuantes de sintomas depressivos (particularmente a variedade somática) com sintomas não diagnósticos, tais como tensão, preocupação e angústia e misturas de sintomas depressivos somáticos com dor ou fadiga persistente, não decorrente de causas orgânicas (como algumas vezes vistas em serviços de hospital geral).

Inclui: depressão atípica
  episódios únicos de depressão "mascarada" SOE

32.9 Episódio depressivo, não especificado

Inclui: depressão SOE
  transtorno depressivo SOE

F33 Transtorno depressivo recorrente

O transtorno é caracterizado por episódios repetidos de depressão, como especificada em episódio depressivo [leve (F32.0), moderado (F32.1) ou grave (F32. e F32.3)] sem qualquer história de episódios independentes de elevação do humor e hiperatividade que preencham os critérios para mania (F30.1 e F30.2). Contudo, a categoria deve ainda ser usada se há evidência de episódios breves de elevação do humor e hiperatividade leves, os quais preenchem os critérios para hipomania (F30.0), imediatamente após um episódio depressivo (às vezes aparentemente precipitado pelo tratamento de uma depressão). A idade de início e a gravidade, duração e frequência dos episódios de depressão são todas altamente variáveis. De maneira geral, o primeiro episódio ocorre mais tardiamente do que no transtorno bipolar, com uma média de idade de início na quinta década. Os episódios individuais duram também entre 3 e 12 meses (duração mediana de cerca de 6 meses), mas reaparecem com menos frequência. A recuperação entre os episódios é habitualmente completa, mas uma minoria de pacientes pode desenvolver uma depressão persistente, principalmente na velhice (para os quais essa categoria deve ainda ser usada). Episódios individuais de qualquer gravidade são frequentemente precipitados por eventos de vida estressantes; em muitas culturas, episódios individuais e depressão persistente são ambos duas vezes mais comuns em mulheres do que em homens.

O risco de que um paciente com transtorno depressivo recorrente venha a ter um episódio de mania nunca desaparece completamente, não importa quantos episódios depressivos ele tenha experimentado. Se um episódio maníaco ocorre, o diagnóstico deve mudar para transtorno afetivo bipolar.

O transtorno depressivo recorrente pode ser subdividido, como abaixo, especificando primeiro o tipo de episódio recorrente e então (se informação suficiente é disponível) o tipo que predomina em todos os episódios.

Inclui: episódios recorrentes de reação depressiva, depressão psicogênica, depressão reativa, transtorno afetivo sazonal (F33.0 ou F33.1) episódios recorrentes de depressão endógena, depressão maior, psicose maníaco-depressiva (tipo depressivo), psicose depressiva psicogênica ou reativa, depressão psicótica, depressão vital (F33.2 ou F33.3)

Exclui: episódios depressivos breves recorrentes (F38.1)

F33.0 Transtorno depressivo recorrente, episódio atual leve

Diretrizes diagnósticas

Para um diagnóstico definitivo:

(a) os critérios para transtorno depressivo recorrente (F33. —) devem ser preenchidos e o episódio atual deve preencher os critérios para episódio depressivo, gravidade leve (F32.0);
(b) pelos menos dois episódios devem ter durado por um mínimo de duas semanas e devem ter sido separados por vários meses, sem perturbação significativa do humor.

Caso contrário, o diagnóstico deve ser outro transtorno recorrente do humor (afetivo) (F38.1).

Um quinto caractere pode ser usado para especificar a presença de sintomas somáticos no episódio atual:

F33.00 Sem sintomas somáticos
(ver F32.00)

F33.01 Com sintomas somáticos
(ver F32.01)

Se necessário, o tipo predominante dos episódios prévios (leve, moderado, grave ou incerto) pode ser especificado.

F33.1 Transtorno depressivo recorrente, episódio atual moderado

Diretrizes diagnósticas

Para um diagnóstico definitivo:

(a) os critérios para transtorno depressivo recorrente (F33. —) devem ser preenchidos e o episódio atual deve preencher os critérios para episódio depressivo, gravidade moderada (F32.1);
(b) pelos menos dois episódios devem ter durado por um mínimo de duas semanas e devem ter sido separados por vários meses sem perturbação significativa do humor.

Caso contrário, o diagnóstico deve ser outro transtorno recorrente do humor (afetivo) (F38.1).

Um quinto caractere pode ser usado para especificar a presença de sintomas somáticos no episódio atual:

F33.10 Sem sintomas somáticos
(ver F32.10)

F33.11 Com sintomas somáticos
(ver F32.11)

Se necessário, o tipo predominante dos episódios prévios (leve, moderado, grave ou incerto) pode ser especificado.

F33.2 Transtorno depressivo recorrente, episódio atual grave sem sintomas psicóticos

Diretrizes diagnósticas

Para um diagnóstico definitivo:

(a) os critérios para transtorno depressivo recorrente (F33. —) devem ser preenchidos e o episódio atual deve preencher os critérios para episódio depressivo grave, sem sintomas psicóticos (F32.2);

(b) pelo menos dois episódios devem ter durado por um mínimo de duas semanas e devem ter sido separados por pelo menos vários meses sem perturbação significativa do humor.

Caso contrário, o diagnóstico deve ser outro transtorno recorrente do humor (afetivo) (F38.1).

Se necessário, o tipo predominante dos episódios prévios (leve, moderado, grave ou incerto) pode ser especificado.

F33.3 Transtorno depressivo recorrente, episódio atual grave com sintomas psicóticos

Diretrizes diagnósticas

Para um diagnóstico definitivo:

(a) os critérios para transtorno depressivo recorrente (F33. —) devem ser preenchidos e o episódio atual deve preencher os critérios para episódio depressivo grave, com sintomas psicóticos (F32.3);
(b) pelo menos dois episódios devem ter durado por um mínimo de duas semanas e devem ter sido separados por pelo menos vários meses sem perturbação significativa do humor.

Caso contrário, o diagnóstico deve ser outro transtorno recorrente do humor (afetivo) (F38.1).

Se necessário, delírios ou alucinações podem ser especificados como humor--congruentes ou humor-incongruentes (ver F30.2).

Se necessário, o tipo predominante dos episódios prévios (leve, moderado, grave ou incerto) pode ser especificado.

F33.4 Transtorno depressivo recorrente, atualmente em remissão

Diretrizes diagnósticas

Para um diagnóstico definitivo:

(a) os critérios para transtorno depressivo recorrente (F33. —) devem ter sido preenchidos no passado, mas o estado atual não deve preencher os critérios para episódio depressivo de qualquer grau de gravidade ou para nenhum outro transtorno em F30 – F39;

(b) pelo menos dois episódios devem ter durado por um mínimo de duas semanas e devem ter sido separados por pelo menos vários meses, sem perturbação significativa do humor.

Caso contrário, o diagnóstico deve ser outro transtorno recorrente do humor (afetivo) (F38.1).

Essa categoria pode ainda ser usada se o paciente está recebendo tratamento para reduzir o risco de episódios futuros.

F33.8 Outros transtornos depressivos recorrentes

F33.9 Transtorno depressivo recorrente, não especificado
Inclui: depressão monopolar SOE

F34 Transtornos persistentes do humor (afetivos)

Esses são transtornos de humor persistentes e usualmente flutuantes, nos quais os episódios individuais raramente são, se é que o são, suficientemente graves para garantir serem descritos como hipomaníacos ou como episódios depressivos mesmo leves. Uma vez que eles duram por anos e às vezes pela maior parte da vida adulta do indivíduo, eles envolvem considerável angústia e incapacidade subjetivas. Em algumas circunstâncias, entretanto, episódios recorrentes ou únicos de transtorno maníaco ou de transtorno depressivo leve ou grave podem se tornar sobrepostos a um transtorno afetivo persistente. Os transtornos afetivos persistentes são classificados aqui ao invés de com os transtornos de personalidade, devido à evidência originada de estudos familiares de que eles são geneticamente relacionados aos transtornos de humor e porque são algumas vezes passíveis dos mesmos tratamentos que esses. Ambas as variedades de ciclotimia e distimia, de início precoce e de início tardio, são descritas e devem ser especificadas, se necessário.

F34.0 Ciclotimia

Uma instabilidade persistente de humor, envolvendo numerosos períodos de depressão e elação leves. Essa instabilidade usualmente se desenvolve no início da vida adulta e segue um curso crônico, embora às vezes o humor possa ser normal e estável por meses. As oscilações do humor são usualmente percebidas pelo indivíduo como não relacionadas a eventos de vida. O diagnóstico é difícil de ser estabelecido sem um período prolongado de observação ou sem um relato inusualmente bom sobre o comportamento passado do indivíduo. Como as oscilações de humor são relativamente leves e os períodos de elevação de humor podem ser agradáveis, a ciclotimia frequentemente foge à atenção médica. Em alguns casos, isto ocorre porque a mudança de humor, embora presente, é menos proeminente que as mudanças cíclicas na atividade, autoconfiança, sociabilidade ou comportamento. Se necessário, a idade de início pode ser especificada como precoce (final da adolescência ou terceira década) ou tardia.

Diretrizes diagnósticas

O aspecto essencial é uma instabilidade persistente de humor, envolvendo numerosos períodos de depressão e elação leves, nenhum dos quais suficientemente grave ou prolongado para preencher os critérios para transtorno afetivo bipolar (F31. —) ou transtorno depressivo recorrente (F33. —). Isto implica que episódios individuais de flutuações do humor não preenchem os critérios para quaisquer das categorias descritas sob episódio maníaco (F30. —) ou episódio depressivo (F32. —).

Inclui: transtorno afetivo de personalidade
 personalidade cicloide
 personalidade ciclotímica

Diagnóstico diferencial. Esse transtorno é comum nos parentes de pacientes com transtorno afetivo bipolar (F31. —) e alguns indivíduos com ciclotimia, eventualmente, desenvolvem eles mesmos um transtorno afetivo bipolar. Ele pode persistir através de toda a vida adulta, cessar temporária ou permanentemente ou evoluir até oscilações mais graves de humor, satisfazendo os critérios para transtorno afetivo bipolar (F31. —) ou transtorno depressivo recorrente (F33.—).

F34.1 Distimia

Uma depressão crônica de humor, a qual não preenche atualmente os critérios para transtorno depressivo recorrente, gravidade leve ou moderada (F33.0 ou F33.1), em termos tanto de gravidade quanto de duração dos episódios individuais, embora os critérios para episódio depressivo leve possam ter sido preenchidos no passado, particularmente no início do transtorno. O equilíbrio entre as fases individuais de depressão leve e os períodos intermediários de comparativa normalidade é muito variável. Os pacientes, usualmente, têm períodos de dias ou semanas quando descrevem a si mesmos como estando bem, mas na maior parte do tempo (com frequência por meses) sentem-se cansados e deprimidos; tudo é um esforço e nada é desfrutável. Eles se preocupam e se queixam, dormem mal e sentem-se inadequados, mas são usualmente capazes de lidar com as exigências básicas do dia a dia. A distimia, portanto, tem muito em comum com os conceitos de neurose depressiva e depressão neurótica. Se necessário, a idade de início pode ser especificada como precoce (final da adolescência ou terceira década) ou tardia.

Diretrizes diagnósticas

O aspecto essencial é uma depressão de humor muito duradoura, a qual nunca ou apenas muito raramente é grave o bastante para preencher os critérios para transtorno depressivo recorrente, gravidade leve ou moderada (F33.0 ou F33.1). Começa usualmente no início da vida adulta e dura pelo menos vários anos, às vezes indefinidamente. Quando o início ocorre mais tarde na vida, o transtorno é frequentemente a consequência de um episódio depressivo distinto (F32. –) e associado à perda ou a outro estresse óbvio.

Inclui: neurose depressiva
transtorno depressivo de personalidade
depressão neurótica (com mais de dois anos de duração)
depressão ansiosa persistente

Exclui: depressão ansiosa (leve ou não persistente) (F41.2)
reação de perda durante menos de 2 anos (F43.21, reação depressiva prolongada)
esquizofrenia residual (F20.5)

F34.8 Outros transtornos persistentes do humor (afetivos)

Uma categoria residual para transtornos afetivos persistentes que não são suficientemente graves ou duradouros para preencher os critérios para ciclotimia (F34.0) ou distimia (F34.1), mas que, por outro lado, são clinicamente significativos. Alguns tipos de depressão, anteriormente chamados de "neuróticos", são incluídos aqui, desde que eles não satisfaçam os critérios para ciclotimia (F34.0), distimia (F34.1) ou episódio depressivo de gravidade leve (F32.0) ou moderada (F32.1).

F34.9 Transtorno persistente do humor (afetivo), não especificado

F38 Outros transtornos do humor (afetivos)

F38.0 Outros transtornos únicos do humor (afetivos)

F38.0 Episódio afetivo misto

Um episódio afetivo durando pelo menos duas semanas, caracterizado tanto por uma mistura quanto por uma alternância rápida (usualmente em poucas horas) de sintomas hipomaníacos, maníacos e depressivos.

F38.1 Outros transtornos recorrentes do humor (afetivos)

F38.10 Transtorno depressivo breve recorrente
Episódios depressivos breves recorrentes ocorrendo aproximadamente uma vez por mês, durante o último ano. Os episódios depressivos individuais têm todos menos de duas semanas de duração (tipicamente 2-3 dias, com recuperação completa), mas preenchem os critérios sintomáticos para episódio depressivo leve, moderado ou grave (F32.0, F32.1, F32.2).

Diagnóstico diferencial. Em contraste com aqueles com distimia (F34.1), os pacientes não estão deprimidos a maior parte do tempo. Se os episódios depressivos ocorrem apenas em relação com o ciclo menstrual, F38.8 deve ser usado com um segundo código para a causa subjacente (N94.8, outras condições especificadas associadas aos órgãos genitais femininos e ciclo menstrual).

F38.8 Outros transtornos especificados do humor (afetivos)

Essa é uma categoria residual para transtornos afetivos que não satisfazem os critérios para quaisquer outras categorias F30 F38.1, acima.

F39 Transtorno do humor (afetivo), não especificado

Para ser usado somente como um último recurso, quando nenhum outro termo pode ser usado.

Inclui: psicose afetiva SOE

Exclui: transtorno mental SOE (F99)

F40 — F48
Transtornos neuróticos, relacionados ao estresse e somatoformes

Visão geral deste bloco

F40   Transtornos fóbico-ansiosos
    F40.0   Agorafobia
        .00   Sem transtorno de pânico
        .01   Com transtorno de pânico
    F40.1   Fobias sociais
    F40.2   Fobias específicas (isoladas)
    F40.8   Outros transtornos fóbico-ansiosos
    F40.9   Transtorno fóbico-ansioso, não especificado

F41   Outros transtornos de ansiedade
    F41.0   Transtorno de pânico (ansiedade paroxística episódica)
    F41.1   Transtorno de ansiedade generalizada
    F41.2   Transtorno misto de ansiedade e depressão
    F41.3   Outros transtornos mistos de ansiedade
    F41.8   Outros transtornos de ansiedade especificados
    F41.9   Transtorno de ansiedade, não especificado

F42.   Transtorno obsessivo-compulsivo
    F42.0   Predominantemente pensamentos obsessivos ou ruminações
    F42.1   Predominantemente atos compulsivos (rituais obsessivos)
    F42.2   Pensamentos e atos obsessivos mistos
    F42.8   Outros transtornos obsessivo-compulsivos
    F42.9   Transtorno obsessivo-compulsivo, não especificado

F43   Reação a estresse grave e transtornos de ajustamento
    F43.0   Reação aguda a estresse
    F43.1   Transtorno de estresse pós-traumático
    F43.2   Transtornos de ajustamento
        .20   Reação depressiva breve
        .21   Reação depressiva prolongada
        .22   Reação mista depressiva e ansiosa
        .23   Com perturbação predominante de outras emoções
        .24   Com perturbação predominante de conduta
        .25   Com perturbação mista de emoções e conduta
        .28   Outros sintomas predominantes especificados

F43.8 Outras reações a estresse grave
F43.9 Reação a estresse grave, não especificada

F44 Transtornos dissociativos (ou conversivos)
F44.0 Amnésia dissociativa
F44.1 Fuga dissociativa
F44.2 Estupor dissociativo
F44.3 Transtornos de transe e possessão
F44.4 Transtornos motores dissociativos
F44.5 Convulsões dissociativas
F44.6 Anestesia e perda sensorial dissociativas
F44.7 Transtornos dissociativos (ou conversivos) mistos
F44.8 Outros transtornos dissociativos (ou conversivos)
    .80 Síndrome de Ganser
    .81 Transtorno de personalidade múltipla
    .82 Transtornos dissociativos (ou conversivos) transitórios ocorrendo na infância e adolescência
    .88 Outros transtornos dissociativos (ou conversivos) especificados
F44.9 Transtorno dissociativo (ou conversivo), não especificado

F45 Transtornos somatoformes
F45.0 Transtorno de somatização
F45.1 Transtorno somatoforme indiferenciado
F45.2 Transtorno hipocondríaco
F45.3 Disfunção autonômica somatoforme
    .30 Coração e sistema cardiovascular
    .31 Trato gastrintestinal superior
    .32 Trato gastrintestinal inferior
    .33 Sistema respiratório
    .34 Sistema geniturinário
    .38 Outro órgão ou sistema
F45.4 Transtorno doloroso somatoforme persistente
F45.8 Outros transtornos somatoformes
F45.9 Transtorno somatoforme, não especificado

F48 Outros transtornos neuróticos
F48.0 Neurastenia
F48.1 Síndrome de despersonalização-desrealização
F48.8 Outros transtornos neuróticos especificados
F48.9 Transtorno neurótico, não especificado

Introdução

Os transtornos neuróticos, relacionados a estresse e somatoformes foram colocados juntos em um grande grupo global devido à sua associação histórica ao conceito de neurose e à associação de uma substancial (embora incerta) proporção desses transtornos à causação psicológica. Como ressaltado na introdução geral a esta classificação, o conceito de neurose não foi conservado como um princípio organizador superior, mas tomou-se o cuidado de permitir a identificação fácil de transtornos que alguns usuários ainda possam, se desejarem, considerar como neuróticos em seu uso próprio do termo (ver nota sobre neurose na introdução geral, p. 3).

Misturas de sintomas são comuns (a coexistência de depressão e ansiedade sendo de longe a mais frequente), particularmente nas variedades menos graves desses transtornos, frequentemente vistas em cuidados primários. Embora esforços devam ser feitos para decidir qual é a síndrome predominante, é fornecida uma categoria para aqueles casos mistos de depressão e ansiedade nos quais seria artificial forçar uma decisão (F41.2).

F40 Transtornos fóbico-ansiosos

Nesse grupo de transtornos, a ansiedade é evocada apenas, ou predominantemente, por certas situações ou objetos (externos ao indivíduo) bem definidos, os quais não são correntemente perigosos. Como um resultado, essas situações ou objetos são caracteristicamente evitados ou suportados com pavor. A ansiedade fóbica é subjetiva, psicológica e comportamentalmente indistinguível de outros tipos de ansiedade e pode variar em gravidade desde leve desconforto até terror. A preocupação do paciente pode estar focalizada em sintomas individuais, tais como palpitações ou sensação de desmaio e está frequentemente associada a medos secundários de morrer, perder o controle ou enlouquecer. A ansiedade não é aliviada pelo reconhecimento de que outras pessoas não consideram a situação em questão como perigosa ou ameaçadora. A mera perspectiva de entrar na situação fóbica usualmente gera ansiedade antecipatória.

A adoção do critério de que o objeto ou a situação fóbica é externa ao indivíduo implica em que muitos dos medos relacionados à presença de doença (nosofobia) e de desfiguração (dismorfofobia) são agora classificados sob F45.2 (transtorno hipocondríaco). Entretanto, se o medo de doenças surge predominante e repetidamente a partir de possível exposição à infecção ou contaminação ou é simplesmente um medo de procedimentos médicos (injeções, operações, etc.) ou estabelecimentos médicos (consultórios odontológicos, hospitais, etc.), uma categoria proveniente de F40. — será apropriada (usualmente F40.2, fobia específica).

A ansiedade fóbica frequentemente coexiste com a depressão. Ansiedade fóbica preexistente quase invariavelmente piora durante um episódio depressivo intercorrente. Alguns episódios depressivos são acompanhados por ansiedade fóbica temporária e um humor depressivo frequentemente acompanha algumas fobias, particularmente agorafobia. O que determina se os dois diagnósticos, ansiedade fóbica e episódio depressivo, são necessários ou apenas um deles, é se um transtorno se desenvolveu claramente antes do outro e se, no momento do diagnóstico, um é claramente predominante. Se os critérios para transtorno depressivo foram satisfeitos antes do aparecimento dos sintomas fóbicos, deve ser dada precedência diagnóstica ao primeiro (ver nota na Introdução, p. 6 e 7).

A maioria dos transtornos fóbicos, excluídas as fobias sociais, é mais comum em mulheres do que em homens.

Nesta classificação, um ataque de pânico (F41.0) ocorrendo numa situação fóbica estabelecida é considerado como uma expressão da gravidade da fobia, a qual deve ser dada precedência diagnóstica. O transtorno de pânico como tal deve ser diagnosticado apenas na ausência de qualquer das fobias relacionadas em F40. —.

F40.0 Agorafobia

O termo "agorafobia" é usado aqui com um sentido mais amplo do que quando foi originalmente introduzido e como é ainda usado em alguns países. Ele é agora usado para incluir medos não apenas de espaços abertos mas também de aspectos relacionados tais como a presença de multidões e a dificuldade de um escape fácil e imediato para um local seguro (usualmente o lar). O termo, portanto, refere-se a um agrupamento inter-relacionado e frequentemente sobreposto de fobias que abrangem medos de sair de casa: medo de entrar em lojas, multidões e lugares públicos ou de viajar sozinho em trens, ônibus ou aviões. Embora a gravidade da ansiedade e a extensão do comportamento de evitação sejam variáveis, esse é o mais incapacitante dos transtornos fóbicos e alguns pacientes tornam-se completamente confinados ao lar; muitos são aterrorizados pelo pensamento de terem um colapso e serem deixados sem socorro em público. A falta de uma saída imediatamente disponível é um dos aspectos-chave de muitas dessas situações agorafóbicas. A maioria dos pacientes é do sexo feminino e o início é usualmente no começo da vida adulta. Sintomas depressivos e obsessivos e fobias sociais podem também estar presentes, mas não dominam o quadro clínico. Na ausência de tratamento eficaz, a agorafobia frequentemente se torna crônica, embora usualmente flutuante.

Diretrizes diagnósticas

Todos os critérios seguintes devem ser preenchidos para um diagnóstico definitivo:

(a) os sintomas psicológicos ou autonômicos devem ser primariamente manifestações de ansiedade e não secundários a outros sintomas tais como delírios ou pensamentos obsessivos;
(b) a ansiedade deve estar restrita (ou ocorrer principalmente) a pelo menos duas das seguintes situações: multidões, lugares públicos, viajar para longe de casa e viajar sozinho;
(c) a evitação da situação fóbica deve ser ou estar sendo um aspecto proeminente.

Diagnóstico diferencial. Deve-se lembrar que alguns agorafóbicos experimentam pouca ansiedade porque eles são consistentemente capazes de evitar suas situações fóbicas. A presença de outros sintomas tais como depressão, despersonalização, sintomas obsessivos e fobias sociais não invalida o diagnóstico, desde que esses sintomas não dominem o quadro clínico. Entretanto, se o paciente já estava significativamente deprimido quando os sintomas fóbicos iniciaram, episódio depressivo pode ser um diagnóstico principal mais apropriado; isso é mais comum em casos de início tardio.

A presença ou ausência de transtorno de pânico (F41.0) na situação agorafóbica na maioria das ocasiões pode ser registrada por meio de um quinto caractere:

F40.00 Sem transtorno de pânico

F40.01 Com transtorno de pânico

Inclui: transtorno de pânico com agorafobia

F40.1 Fobias sociais

Fobias sociais frequentemente se iniciam na adolescência e estão centradas em torno de um medo de expor-se a outras pessoas em grupos comparativamente pequenos (em oposição a multidões), levando à evitação de situações sociais. Diferentemente da maioria das outras fobias, as fobias sociais são igualmente comuns em homens e mulheres. Elas podem ser delimitadas (isto é, restritas a comer ou falar em público ou encontrar-se com o sexo oposto) ou difusas, envolvendo quase todas as situações sociais fora do círculo familiar. Um medo de vomitar em público pode ser importante. Confrontação direta olho a olho pode ser particularmente estressante em algumas culturas. Fobias sociais estão usualmente associadas à baixa autoestima e ao medo de críticas. Elas podem se apresentar como uma queixa de rubor, tremores das mãos, náuseas ou urgência miccional e o indivíduo às vezes está convencido de que uma dessas manifestações secundárias de ansiedade é o problema primário; os sintomas podem progredir para ataques de pânico. A evitação é frequentemente marcante e em casos extremos pode resultar em isolamento social quase completo.

Diretrizes diagnósticas

Todos os critérios seguintes devem ser preenchidos para um diagnóstico definitivo:

(a) os sintomas psicológicos, comportamentais ou autonômicos devem ser primariamente manifestações de ansiedade e não secundários a outros sintomas tais como delírios ou pensamentos obsessivos;
(b) a ansiedade deve ser restrita ou predominar em situações sociais;
(c) a evitação das situações fóbicas deve ser um aspecto proeminente.

Inclui: antropofobia neurose social

Diagnóstico diferencial. Agorafobia e transtornos depressivos são frequentemente proeminentes e podem ambos contribuir para que os pacientes se tornem "confinados ao lar". Se a distinção entre fobia social e agorafobia é muito difícil, a precedência deve ser dada à agorafobia; um diagnóstico de depressão não deve ser feito a menos que uma síndrome depressiva plena possa ser claramente identificada.

F40.2 Fobias específicas (isoladas)

Essas são fobias restritas a situações altamente específicas tais como proximidade a determinados animais, altura, trovão, escuridão, voar, espaços fechados, urinar ou evacuar em banheiros públicos, comer certos alimentos, dentistas, visão de sangue ou ferimentos e medo de exposição a doenças específicas. Ainda que a situação desencadeante seja delimitada, o contato com ela pode evocar pânico como na agorafobia ou nas fobias sociais. Fobias específicas usualmente surgem na infância ou cedo na vida adulta e podem persistir por décadas se permanecerem sem tratamento. A seriedade do prejuízo resultante depende de quão fácil é para o paciente evitar a situação fóbica. O medo da situação fóbica tende a não flutuar, em contraste com a agorafobia. Doença por radiação e infecções venéreas e, mais recentemente, AIDS são temas comuns de fobias de doença.

Diretrizes diagnósticas

Todos os critérios seguintes devem ser preenchidos para um diagnóstico definitivo:

(a) os sintomas psicológicos ou autonômicos devem ser manifestações primárias de ansiedade e não secundários a outros sintomas tais como delírio ou pensamento obsessivo;
(b) a ansiedade deve estar restrita à presença do objeto ou situação fóbica determinada;
(c) a situação fóbica é evitada sempre que possível.

Inclui: acrofobia
fobias de animais
claustrofobia
fobia de exame
fobia simples

Diagnóstico diferencial. É usual não haver outros sintomas psiquiátricos, em contraste com a agorafobia e fobias sociais. Fobias a ferimentos com sangue diferem de outras por levarem à bradicardia e às vezes à sincope, ao invés de taquicardia. Medos de doenças específicas, tais como câncer, doença cardíaca ou infecção venérea, devem ser classificados sob transtorno hipocondríaco (F45.2), a menos que eles se relacionem a situações específicas onde a doença poderia ser adquirida. Se a convicção de doença alcança intensidade delirante, o diagnóstico deve ser transtorno delirante (F22.0). Indivíduos que estão convencidos de que têm uma anormalidade ou desfiguração de uma parte (frequentemente face) ou partes do corpo, a qual não é objetivamente percebida por outros (às vezes denominada dismorfofobia), devem ser classificados sob transtorno hipocondríaco (F45.2) ou transtorno delirante (F22.0), dependendo da força e persistência de sua convicção.

F40.8 Outros transtornos fóbico-ansiosos

F40.9 Transtorno fóbico-ansioso, não especificado
Inclui: fobia SOE
estados fóbicos SOE

F41 Outros transtornos de ansiedade

Manifestações de ansiedade são os sintomas principais desses transtornos e não estão restritas a qualquer situação ambiental em particular. Sintomas depressivos e obsessivos e mesmo alguns elementos de ansiedade fóbica podem também estar presentes, desde que sejam claramente secundários ou menos graves.

F41.0 Transtorno de pânico (ansiedade paroxística episódica)

Os aspectos essenciais são ataques recorrentes de ansiedade grave (pânico), os quais não estão restritos a qualquer situação ou conjunto de circunstâncias em particular e que são, portanto, imprevisíveis. Assim como em outros transtornos de ansiedade, os sintomas dominantes variam de pessoa para pessoa, porém início súbito de palpitações, dor no peito, sensações de choque, tontura e sentimentos de irrealidade (despersonalização ou desrealização) são comuns. Quase invariavelmente há também um medo secundário de morrer, perder o controle ou ficar louco. Os ataques individuais usualmente duram apenas minutos, ainda que às vezes sejam mais prolongados; sua frequência e o curso do transtorno são, ambos, muito variáveis. Um indivíduo em um ataque de pânico frequentemente experimenta um crescendo de medo e sintomas autonômicos, o qual resulta em uma saída, usualmente apressada, de onde quer que ele esteja. Se isso ocorre numa situação específica, tal como em um ônibus ou em uma multidão, o paciente pode subsequentemente evitar aquela situação. De modo similar, ataques de pânico constantes e imprevisíveis produzem medo de ficar sozinho ou ir a lugares públicos. Um ataque de pânico com frequência é seguido por um medo persistente de ter outro ataque.

Diretrizes diagnósticas

Nesta classificação, um ataque de pânico que ocorre em uma situação fóbica estabelecida é considerado como uma expressão da gravidade da fobia, a qual deve ser dada precedência diagnóstica. Transtorno de pânico deve ser o diagnóstico principal somente na ausência de quaisquer das fobias em F40. —.

Para um diagnóstico definitivo, vários ataques graves de ansiedade autonômica devem ter ocorrido num período de cerca de 1 mês:

(a) em circunstâncias onde não há perigo objetivo;
(b) sem estarem confinados a situações conhecidas ou previsíveis;
(c) com relativa liberdade de sintomas ansiosos entre os ataques (ainda que ansiedade antecipatória seja comum).

Inclui: ataque de pânico
estado de pânico

Diagnóstico diferencial. Transtorno de pânico deve ser distinguido de ataques de pânico ocorrendo como parte de transtornos fóbicos estabelecidos, como já ressaltado. Ataques de pânico podem ser secundários a transtornos depressivos, particularmente em homens, e se os critérios para um transtorno depressivo são preenchidos ao mesmo tempo, o transtorno de pânico não deve ser firmado como o diagnóstico principal.

F41.1 Transtorno de ansiedade generalizada

O aspecto essencial é ansiedade, a qual é generalizada e persistente, mas não restrita ou mesmo fortemente predominante em quaisquer circunstâncias ambientais em particular (isto é, ela é "livremente flutuante"). Como em outros transtornos ansiosos, os sintomas dominantes são altamente variáveis, mas queixas de sentimentos contínuos de nervosismo, tremores, tensão muscular, sudorese, sensação de cabeça leve, palpitações, tonturas e desconforto epigástrico são comuns. Medos de que o paciente ou um parente irá brevemente adoecer ou sofrer um acidente são frequentemente expressados, junto com uma variedade de outras preocupações e pressentimentos. Esse transtorno é mais comum em mulheres e frequentemente relacionado a estresse ambiental crônico. Seu curso é variável, mas tende a ser flutuante e crônico.

Diretrizes diagnósticas

O paciente deve ter sintomas primários de ansiedade na maioria dos dias por pelo menos várias semanas e usualmente por vários meses. Esses sintomas devem usualmente envolver elementos de:

(a) apreensão (preocupações sobre desgraças futuras, sentir-se "no limite", dificuldade de concentração, etc.);
(b) tensão motora (movimentação inquieta, cefaleias tencionais, tremores, incapacidade de relaxar);
(c) hiperatividade autonômica (sensação de cabeça leve, sudorese, taquicardia ou taquipneia, desconforto epigástrico, tonturas, boca seca, etc.).

Em crianças, a necessidade frequente de reasseguramento e queixas somáticas recorrentes podem ser proeminentes.

O aparecimento transitório (às vezes por poucos dias) de outros sintomas, particularmente depressão, não descarta transtorno de ansiedade generaliza-

F40 — F48 TRANSTORNOS NEURÓTICOS, ESTRESSE E SOMATOFORMES

da como um diagnóstico principal, mas o paciente não deve preencher os critérios completos para episódio depressivo (F32. —), transtorno fóbico--ansioso (F40. —), transtorno de pânico (F41.0) ou transtorno obsessivo-compulsivo (F42. —).

Inclui: neurose de ansiedade
reação de ansiedade
estado de ansiedade

Exclui: neurastenia (F48.0)

F41.2 Transtorno misto de ansiedade e depressão

Essa categoria mista deve ser usada quando ambos os sintomas, de ansiedade e depressão, estão presentes, porém nenhum conjunto de sintomas, considerado separadamente, é grave o suficiente para justificar um diagnóstico. Se ansiedade grave está presente com um grau menor de depressão, uma das outras categorias para transtornos de ansiedade ou fóbicos deve ser usada. Quando ambas as síndromes, depressão e ansiedade, estão presentes e são graves o suficiente para justificar diagnósticos individuais, ambos os transtornos devem ser registrados e essa categoria não deve ser usada; se, por razões práticas de registro, somente um diagnóstico puder ser feito, deve--se dar precedência ao de depressão. Alguns sintomas autonômicos (tremor, palpitações, boca seca, estômago embrulhado, etc.) devem estar presentes, mesmo se apenas intermitentemente; se apenas preocupação ou intranquilidade estiver presente, sem sintomas autonômicos, essa categoria não deve ser usada. Se sintomas que preenchem os critérios para esse transtorno ocorrem em associação estreita a significativas mudanças de vida ou eventos de vida estressantes, a categoria F43.2, transtornos de ajustamento, deve ser usada.

Indivíduos com essa mistura de sintomas comparativamente leves são frequentemente vistos em cuidados primários, porém existem muito mais casos entre a população geral, os quais nunca vêm à atenção médica ou psiquiátrica.

Inclui: depressão ansiosa (leve ou não persistente)

Exclui: depressão ansiosa persistente (distimia) (F34.1)

F41.3 Outros transtornos mistos de ansiedade

Essa categoria deve ser usada para transtornos que satisfazem os critérios para transtorno de ansiedade generalizada (F41.1) e que também têm aspectos proeminentes (ainda que frequentemente de curta duração) de outros transtornos em F40 — F49, embora os critérios completos para esses transtornos adicionais não sejam satisfeitos. Os exemplos mais comuns são transtorno obsessivo-compulsivo (F42. —), transtornos dissociativos (F44. —), transtorno de somatização (F45.0), transtorno somatoforme indiferenciado (F45.1) e transtorno hipocondríaco (F45.2). Se os sintomas que preenchem os critérios para esse transtorno ocorrem em associação estreita a significativas mudanças de vida ou eventos de vida estressantes, a categoria F43.2, transtornos de ajustamento, deve ser usada.

F41.8 Outros transtornos de ansiedade especificados

Inclui: histeria de ansiedade

F41.9 Transtorno de ansiedade, não especificado

Inclui: ansiedade SOE

F42 Transtorno obsessivo-compulsivo

O aspecto essencial desse transtorno são pensamentos obsessivos ou atos compulsivos recorrentes (para ser conciso, "obsessivo" será usado subsequentemente em lugar de "obsessivo-compulsivo" quando referido a sintoma). Pensamentos obsessivos são ideias, imagens ou impulsos que entram na mente do indivíduo repetidamente de uma forma estereotipada. Eles são quase invariavelmente angustiantes (porque são violentos ou obscenos ou simplesmente porque são percebidos como sem sentido) e o paciente usualmente tenta, sem sucesso, resistir-lhes. Eles são, contudo, reconhecidos como pensamentos do próprio indivíduo, ainda que sejam involuntários e frequentemente repugnantes. Atos ou rituais compulsivos são comportamentos estereotipados que se repetem muitas vezes. Eles não são em si mesmo agradáveis nem resultam na execução de tarefas inerentemente úteis. O indivíduo seguidamente os vê como prevenindo algum evento objetivamente improvável, envolvendo com assiduidade dano para o paciente ou por ele causado. Usual, embora não invariavelmente, esse comportamento é reconhecido pelo indivíduo como desproposital ou ineficaz e tentativas repetidas são feitas para resistir a ele; em casos de muito longa duração, a resistência pode ser mínima. Sintomas autonômicos de ansiedade estão muitas vezes presentes, porém sentimentos angustiantes de tensão interna ou psíquica sem excitação autonômica óbvia são também comuns. Há uma estreita relação entre sintomas obsessivos, particularmente pensamentos obsessivos, e depressão. Indivíduos com transtorno obsessivo-compulsivo frequentemente têm sintomas depressivos e pacientes sofrendo de transtorno depressivo recorrente (F33. —) podem desenvolver pensamentos obsessivos durante seus episódios de depressão. Em ambas as situações, aumentos ou diminuições na gravidade dos sintomas depressivos são geralmente acompanhados por mudanças paralelas na gravidade dos sintomas obsessivos.

Transtorno obsessivo-compulsivo é igualmente comum em homens e mulheres e frequentemente há aspectos anancásticos proeminentes na personalidade de base. O início é usualmente na infância ou no começo da vida adulta. O curso é variável e mais provavelmente crônico na ausência de sintomas depressivos significativos.

Diretrizes diagnósticos

Para um diagnóstico definitivo, sintomas obsessivos, atos compulsivos ou ambos devem estar presentes na maioria dos dias por pelo menos duas semanas consecutivas e ser uma fonte de angústia ou de interferência com as atividades. Os sintomas obsessivos devem ter as seguintes características:

(a) eles devem ser reconhecidos como pensamentos ou impulsos do próprio indivíduo;
(b) deve haver pelo menos um pensamento ou ato que é ainda resistido, sem sucesso, ainda que possam estar presentes outros aos quais o paciente não resiste mais;
(c) o pensamento de execução do ato não deve ser em si mesmo prazeroso (o simples alívio de tensão ou ansiedade não é, neste sentido, considerado como prazer);
(d) os pensamentos, imagens ou impulsos devem ser desagradavelmente repetitivos.

Inclui: neurose anancástica
neurose obsessiva
neurose obsessivo-compulsiva

Diagnóstico diferencial. A diferenciação entre transtorno obsessivo-compulsivo e um transtorno depressivo pode ser difícil porque esses dois tipos de sintomas muito frequentemente ocorrem juntos. Num episódio agudo de transtorno, a precedência deve ser dada aos sintomas que surgiram primeiro; quando ambos os tipos estão presentes mas nenhum predomina, é usualmente melhor considerar a depressão como primária. Em transtornos crônicos, deve ser dada prioridade aos sintomas que mais frequentemente persistem na ausência dos outros.

Ataques de pânico ou sintomas fóbicos leves ocasionais não são obstáculos para o diagnóstico. Entretanto, sintomas obsessivos que se desenvolvem na presença de esquizofrenia, síndrome de Gilles de la Tourette ou transtorno mental orgânico devem ser considerados como parte dessas condições.

Embora pensamentos obsessivos e atos compulsivos comumente coexistam, é útil ser capaz de especificar um conjunto de sintomas como predominante em alguns indivíduos, uma vez que eles podem responder a tratamentos diferentes.

F42.0   Predominantemente pensamentos obsessivos ou ruminações

Esses podem aparecer sob a forma de ideias, imagens mentais ou impulsos para agir. Eles são muito variáveis em conteúdo, mas quase sempre angustiantes para o indivíduo. Uma mulher pode ser atormentada, por exemplo, por um medo de que ela possa eventualmente ser incapaz de resistir a um impulso de matar o filho que ela ama ou pela qualidade obscena ou blasfema e estranha ao ego de uma imagem mental recorrente. Às vezes as ideias são meramente fúteis, envolvendo um questionamento infindável e quase filosófico de alternativas imponderáveis. Esse questionamento indeciso de alternativas é um elemento importante em muitas outras ruminações obsessivas e está frequentemente associado a uma incapacidade de tomar decisões triviais mas necessárias à vida diária.

A relação entre ruminações obsessivas e depressão é particularmente estreita: um diagnóstico de transtorno obsessivo-compulsivo deve ser preferido apenas se as ruminações surgem ou persistem na ausência de um transtorno depressivo.

F42.1   Predominantemente atos compulsivos (rituais obsessivos)

A maioria dos atos compulsivos diz respeito à limpeza (particularmente lavagem de mãos), verificação repetida para se assegurar que não foi permitido que uma situação potencialmente perigosa se desenvolva ou organização e arrumação. Subjacente ao comportamento manifesto está um medo, usualmente de um perigo para o paciente ou causado por ele, e o ato ritual é uma tentativa ineficaz ou simbólica de afastar aquele perigo. Atos rituais compulsivos podem ocupar várias horas todos os dias e às vezes estão associados à indecisão e à lentidão marcantes. Globalmente, eles são igualmente comuns nos dois sexos, mas rituais de lavar as mãos são mais comuns em mulheres e lentidão sem repetição é mais comum em homens.

Atos rituais compulsivos estão menos intimamente associados à depressão do que pensamentos obsessivos e são mais prontamente tratáveis por terapias comportamentais.

F42.2 Pensamentos e atos obsessivos mistos

A maioria dos indivíduos obsessivo-compulsivos tem elementos de ambos, pensamento obsessivo e comportamento compulsivo. Essa subcategoria deve ser usada se os dois são igualmente proeminentes, como é frequentemente o caso, mas é útil especificar apenas um se ele é claramente predominante, uma vez que pensamentos e atos podem responder a tratamentos diferentes.

F42.8 Outros transtornos obsessivo-compulsivos

F42.9 Transtorno obsessivo-compulsivo, não especificado

F43 Reação a estresse grave e transtornos de ajustamento

Essa categoria difere de outras por incluir transtornos identificáveis não somente com base em sintomatologia e curso, mas também em uma ou outra de duas influências causais um evento de vida excepcionalmente estressante produzindo uma reação aguda de estresse ou uma mudança de vida significativa levando a circunstâncias desagradáveis continuadas que resultam em um transtorno de ajustamento. Estresses psicossociais menos graves ("eventos de vida") podem precipitar o início ou contribuir para a apresentação de uma variedade muito ampla de transtornos classificados em outros locais deste trabalho, mas a importância etiológica de tais estresses não é sempre clara e em cada caso se percebe que depende da vulnerabilidade individual, frequentemente idiossincrásica. Em outras palavras, o estresse não é necessário nem suficiente para explicar a ocorrência e a forma do transtorno. Em contraste, os transtornos agrupados nessa categoria são supostos como surgindo sempre como uma consequência direta de grave estresse agudo ou de trauma continuado. O evento estressante ou contínuo desprazer de circunstâncias é fator causal primário e determinante e o transtorno não teria ocorrido sem seu impacto. Reações a estresse grave e transtornos de ajustamento em todos os grupos etários, incluindo crianças e adolescentes, são incluídos nessa categoria.

Embora cada sintoma individual dos quais ambas, a reação aguda a estresse e a reação de ajustamento, são compostas possa ocorrer em outros transtornos, há alguns aspectos especiais na forma pela qual os sintomas se manifestam que justificam a inclusão desses estados como uma entidade clínica. A terceira condição nesta seção transtorno de estresse pós-traumático tem aspectos clínicos relativamente específicos e característicos.

Esses transtornos podem, portanto, ser considerados como respostas maladaptáveis a estresse grave ou continuado, porque eles interferem com mecanismos de adaptação bem-sucedidos e assim levam a problemas no funcionamento social.

Atos de autolesão, mais comumente autoenvenenamento por medicação prescrita, que estão estreitamente associados no tempo ao início tanto de uma reação a estresse quanto de um transtorno de ajustamento, devem ser registrados através de um código X adicional do Capítulo XX da CID-10. Esses códigos não permitem diferenciação entre tentativa de suicídio e "parasuicídio", ambos incluídos na categoria geral de autolesão.

F43.0 Reação aguda a estresse

Um transtorno transitório de gravidade significativa, o qual se desenvolve em um indivíduo sem qualquer outro transtorno mental aparente em resposta à excepcional estresse físico e/ou mental e o qual usualmente diminui dentro de horas ou dias. O estressor pode ser uma experiência traumática esmagadora envolvendo séria ameaça à segurança ou integridade física do paciente ou de pessoa(s) amada(s) (p. ex., catástrofe natural, acidente, batalha, assalto, estupro) ou uma mudança inusualmente súbita e ameaçadora na posição social e/ou relações do indivíduo, tal como perdas múltiplas ou incêndio doméstico. O risco de esse transtorno se desenvolver é aumentado se exaustão física ou fatores orgânicos (p. ex., no idoso) estão também presentes.

Vulnerabilidade individual e capacidade de adaptação desempenham um papel na ocorrência e gravidade das reações agudas a estresse, como evidenciado pelo fato de que nem todas as pessoas expostas a estresse excepcional desenvolvem o transtorno. Os sintomas apresentam grande variação, mas tipicamente incluem um estado inicial de "atordoamento" com algum estreitamento do campo de consciência e diminuição da atenção, incapacidade de compreender estímulos e desorientação. Esse estado pode ser seguido tanto por um posterior retraimento da situação circundante (até o ponto de um estupor dissociativo — ver F44.2) quanto por agitação e hiperatividade (reação de escape ou fuga). Sinais autonômicos de ansiedade de pânico (taquicardia, sudorese, rubor) estão comumente presentes. Os sintomas usualmente aparecem dentro de minutos do impacto do estímulo ou evento estressante e desaparecem dentro de 2-3 dias (frequentemente dentro de horas). Amnésia parcial ou completa (ver F44.0) para o episódio pode estar presente.

F40 — F48 TRANSTORNOS NEURÓTICOS, ESTRESSE E SOMATOFORMES

Diretrizes diagnósticas

Deve haver uma conexão temporal imediata e clara entre o impacto de um estressor excepcional e o início dos sintomas; o início é usualmente dentro de poucos minutos, se não imediato. Além disso, os sintomas:

(a) mostram um quadro misto e em geral mutável; em adição ao estado inicial de "atordoamento", depressão, ansiedade, raiva, desespero, hiperatividade e retraimento podem todos ser vistos, mas nenhum tipo de sintoma predomina por muito tempo;
(b) resolvem-se rapidamente (no máximo dentro de poucas horas) naqueles casos onde remoção do ambiente estressante é possível; em casos onde o estresse continua ou não pode, por sua natureza, ser revertido, os sintomas geralmente começam a diminuir depois de 24-48 horas e são usualmente mínimos após cerca de 3 dias.

Esse diagnóstico não deve ser usado para incluir exacerbações súbitas de sintomas em indivíduos que já apresentam sintomas que preenchem os critérios de qualquer outro transtorno psiquiátrico, exceto para aqueles em F60. — (transtornos de personalidade). Entretanto, uma história de transtorno psiquiátrico prévio não invalida o uso deste diagnóstico.

Inclui: reação aguda de crise
fadiga de combate
estado de crise
choque psíquico

F43.1 Transtorno de estresse pós-traumático

Este surge como uma resposta tardia e/ou protraída a um evento ou situação estressante (de curta ou longa duração) de uma natureza excepcionalmente ameaçadora ou catastrófica, a qual provavelmente causa angústia invasiva em quase todas as pessoas (p. ex., desastre natural ou feito pelo homem, combate, acidente sério, testemunhar a morte violenta de outros ou ser vítima de tortura, terrorismo, estupro ou outro crime). Fatores predisponentes, tais como traços de personalidade (p. ex., compulsivos, astênicos) ou história prévia de doença neurótica, podem baixar o limiar para o desenvolvimento da síndrome ou agravar seu curso, mas não são necessários nem suficientes para explicar sua ocorrência.

Sintomas típicos incluem episódios de repetidas revivescências do trauma sob a forma de memórias intrusas (*flashbacks*) ou sonhos, ocorrendo contra o fundo persistente de uma sensação de "entorpecimento" e embotamento emocional, afastamento de outras pessoas, falta de responsividade ao ambiente, anedonia e evitação de atividades e situações recorda tivas do trauma. Comumente há medo e evitação de indicativos que relembrem ao paciente o trauma original. Raramente, podem haver surtos dramáticos e agudos de medo, pânico ou agressão, desencadeados por estímulos que despertam uma recordação e/ou revivescência súbita do trauma ou da reação original a ele.

Há usualmente um estado de hiperexcitação autonômica com hipervigilância, uma reação de choque aumentada e insônia. Ansiedade e depressão estão comumente associadas aos sintomas e sinais acima e ideação suicida não é infrequente. Uso excessivo de álcool ou drogas pode ser um fator de complicação.

O início segue o trauma com um período de latência que pode variar de poucas semanas a meses (mas raramente excede 6 meses). O curso é flutuante, mas a recuperação pode ser esperada na maioria dos casos. Em uma pequena proporção de pacientes, a condição pode apresentar um curso crônico por muitos anos e uma transição para uma alteração permanente de personalidade (ver F62.0).

Diretrizes diagnósticas

Esse transtorno não deve geralmente ser diagnosticado a menos que haja evidência que ele surgiu dentro de 6 meses após um evento traumático de excepcional gravidade. Um diagnóstico "provável" pode ainda ser possível se a demora entre o evento e o início for maior do que 6 meses, desde que as manifestações clínicas sejam típicas e nenhuma identificação alternativa do transtorno (p. ex., como um transtorno de ansiedade ou obsessivo-compulsivo ou um episódio depressivo) seja plausível. Além da evidência do trauma, deve haver uma recordação ou revivescência repetitiva e intrusa do evento em memórias, imaginação diurna ou sonhos. Distanciamento emocional notável, entorpecimento de sentimentos e evitação de estímulos que possam provocar recordação do trauma estão frequentemente presentes, mas não são essenciais para o diagnóstico. As perturbações autonômicas, transtorno do humor e anormalidades do comportamento são todos fatores que contribuem para o diagnóstico, mas não são de importância fundamental.

As sequelas crônicas tardias de estresse devastador, isto é, aquelas manifestadas décadas após a experiência estressante, devem ser classificadas sob F62.0.

Inclui: neurose traumática

F43.2 Transtornos de ajustamento

Estados de angústia subjetiva e perturbação emocional, usualmente interferindo com o funcionamento e o desempenho sociais e que surgem em um período de adaptação a uma mudança significativa de vida ou em consequência de um evento de vida estressante (incluindo a presença ou possibilidade de doença física séria). O estressor pode ter afetado a integridade das relações sociais de um indivíduo (por perdas ou experiências de separação) ou o sistema mais amplo de suportes e valores sociais (migração ou *status* de refugiado). O estressor pode envolver somente o indivíduo ou também seu grupo ou comunidade.

Predisposição ou vulnerabilidade individual desempenham um papel maior no risco da ocorrência e na configuração das manifestações dos transtornos de ajustamento do que em outras condições em F43. —, mas é, entretanto, assumido que a condição não teria surgido sem o estressor. As manifestações variam e incluem humor deprimido, ansiedade, preocupação (ou uma mistura destes), um sentimento de incapacidade de adaptação, planejar o futuro ou continuar na situação atual e algum grau de incompetência no desempenho da rotina diária. O indivíduo pode se sentir propenso a comportamento dramático ou explosões de violência, mas isto raramente ocorre. Entretanto, transtornos de conduta (p. ex., comportamento agressivo ou antissocial) podem ser um aspecto associado, particularmente em adolescentes. Nenhum dos sintomas é de gravidade ou proeminência suficiente por si só para justificar um diagnóstico mais específico.

Em crianças, fenômenos regressivos, tais como voltar a molhar a cama, falar infantilmente ou chupar o dedo, são frequentemente parte do padrão sintomatológico. Se esses aspectos predominam, F43.23 deve ser usado.

O início é usualmente dentro de 1 mês da ocorrência do evento estressante ou mudança de vida e a duração dos sintomas usualmente não excede 6 meses, exceto no caso de reação depressiva prolongada (F43.21). Se os sintomas persistem além desse período, o diagnóstico deve ser mudado de acordo com o quadro clínico atual e qualquer estresse continuado pode ser codificado por meio de um dos códigos Z no Capítulo XXI da CID-10.

Contatos com serviços médicos e psiquiátricos por causa de reações normais de perda, apropriadas para a cultura do indivíduo envolvido e usualmente não excedendo 6 meses em duração, não devem ser registrados por meio dos códigos neste livro, mas sim por um código do Capítulo XXI da CID-10, tal como Z63.4 (desaparecimento ou morte de membro da família) mais, por exemplo, Z71.9 (aconselhamento) ou Z73.3 (estresse não classificado em outro local). Reações de pesar de qualquer duração, consideradas anormais por causa de sua forma ou conteúdo, devem ser codificadas como F43.22, F43.23, F43.24 ou F43.25 e aquelas que são ainda intensas e duram mais que 6 meses como F43.21 (reação depressiva prolongada).

Diretrizes diagnósticas

O diagnóstico depende de uma cuidadosa avaliação da relação entre:

(a) forma, conteúdo e gravidade dos sintomas;
(b) história e personalidade prévias;
(c) evento ou situação estressante ou crise de vida.

A presença desse terceiro fator deve ser claramente estabelecida e deve haver evidência forte, ainda que talvez presuntiva, de que o transtorno não teria surgido sem ele. Se o estressor é relativamente menor ou se uma conexão temporal (menos que 3 meses) não pode ser demonstrada, o transtorno deve ser classificado em outro local, de acordo com seus aspectos atuais.

Inclui: choque cultural
 reação de pesar
 hospitalismo em crianças

Exclui: transtorno de ansiedade de separação na infância (F93.0)

Se os critérios para transtorno de ajustamento forem satisfeitos, a forma clínica ou os aspectos predominantes podem ser especificados por um quinto caractere:

F43.20 Reação depressiva breve
Um estado depressivo leve e transitório de duração não excedendo 1 mês.

F43.21 Reação depressiva prolongada
Um estado depressivo leve ocorrendo em resposta a uma exposição prolongada a uma situação estressante, mas de duração não excedendo 2 anos.

F43.22 Reação mista de ansiedade e depressão
Ambos, sintomas ansiosos e depressivos, são proeminentes, mas em níveis não maiores do que os especificados em transtorno misto de ansiedade e depressão (F41.2) ou outro transtorno misto de ansiedade (F41.3).

F43.23 Com perturbação predominante de outras emoções
Os sintomas são usualmente de vários tipos de emoção, tais como ansiedade, depressão, preocupação, tensões e raiva. Os sintomas de ansiedade e depres-

são podem preencher os critérios para transtorno misto de ansiedade e depressão (F41.2) ou outro transtorno misto de ansiedade (F41.3), mas eles não são tão predominantes que outros transtornos depressivos ou ansiosos mais específicos possam ser diagnosticados. Essa categoria deve também ser usada para reações em crianças nas quais comportamento regressivo, tal como molhar a cama ou chupar o dedo, está também presente.

F43.24 Com perturbação predominante de conduta
A perturbação principal envolve conduta, por exemplo, uma reação de pesar em adolescente resultando em comportamento agressivo ou antissocial.

F43.25 Com perturbação mista de emoções e conduta
Tanto sintomas emocionais quanto perturbação de conduta são aspectos proeminentes.

F43.28 Com outros sintomas predominantes especificados

F43.8   Outras reações a estresse grave

F43.9   Reação a estresse grave, não especificada

F44   Transtornos dissociativos (ou conversivos)

O tema comum compartilhado pelos transtornos dissociativos (ou conversivos) é uma perda parcial ou completa da integração normal entre as memórias do passado, consciência de identidade e sensações imediatas e controle dos movimentos corporais. Há normalmente um grau considerável de controle consciente sobre as memórias e sensações que podem ser selecionadas para a atenção imediata e sobre os movimentos que podem ser realizados. Nos transtornos dissociativos, presume-se que essa capacidade de exercer um controle consciente e seletivo está comprometida, em um grau que pode variar de dia para dia ou mesmo hora para hora. É usualmente muito difícil avaliar a extensão de quanto de perda de funções pode estar sob controle voluntário.

Esses transtornos foram anteriormente classificados como tipos diversos de "histeria de conversão", mas agora parece melhor evitar o termo "histeria" tanto quanto possível, em virtude de seus muitos e variados significados. Transtornos dissociativos, como descritos aqui, são presumivelmente psicogênicos em origem, estando intimamente associados no tempo a eventos traumáticos, problemas insolúveis e intoleráveis ou relacionamentos perturbados. É, portanto, frequentemente possível fazer interpretações e suposições sobre os meios do paciente para lidar com estresse intolerável, mas conceitos derivados de qualquer teoria em particular, tais como "motivação inconsciente" e "ganho secundário", não estão incluídos entre as diretrizes ou critérios para o diagnóstico.

O termo "conversão" é amplamente aplicado a alguns desses transtornos e implica em que o afeto desprazeroso produzido pelos problemas e conflitos que o paciente não pode resolver é de alguma forma transformado nos sintomas.

O início e o término dos estados dissociativos são frequentemente relatados como súbitos, mas eles raramente são observados, exceto durante internações ou procedimentos planejados, tais como hipnose ou ab-reação. Mudança ou desaparecimento de um estado dissociativo pode estar limitado à duração de tais procedimentos. Todos os tipos de estado dissociativo tendem a remitir após poucas semanas ou meses, particularmente se seu início foi associado a um evento de vida traumático. Estados mais crônicos, particularmente paralisias e anestesias, podem desenvolver-se (algumas vezes mais lentamente) se eles estão associados a problemas insolúveis ou dificuldades interpessoais. Estados dissociativos que têm se prolongado por mais de 1-2 anos antes de vir à atenção psiquiátrica são com frequência resistentes à terapia.

Indivíduos com transtornos dissociativos apresentam muitas vezes uma notável negação de problemas e dificuldades que podem ser óbvios para outras pessoas. Quaisquer problemas que eles próprios reconheçam podem ser por eles atribuídos a sintomas dissociativos.

A despersonalização e a desrealização não se incluem aqui, visto que somente aspectos limitados da identidade pessoal são usualmente afetados e não há perda associada de desempenho em termos de sensações, memórias ou movimentos.

Diretrizes diagnósticas

Para um diagnóstico definitivo, os seguintes critérios devem estar presentes:

(a) os aspectos clínicos, como especificados para os transtornos individuais em F44. —;
(b) nenhuma evidência de um transtorno físico que pudesse explicar os sintomas;
(c) evidência de causação psicológica, na forma de clara associação no tempo a acontecimentos e problemas estressantes ou relacionamentos perturbados (ainda que negados pelo indivíduo).

F40 — F48 TRANSTORNOS NEURÓTICOS, ESTRESSE E SOMATOFORMES

Evidências convincentes de causação psicológica podem ser difíceis de encontrar, ainda que fortemente suspeitadas. Na presença de transtornos conhecidos do sistema nervoso central ou periférico, o diagnóstico de transtorno dissociativo deve ser feito com grande cautela. Na ausência de evidência para causação psicológica, o diagnóstico deve permanecer provisório e a investigação em ambos os aspectos, físicos e psicológicos, deve continuar.

Inclui: histeria de conversão
reação de conversão
histeria
psicose histérica

Exclui: simulação (consciente) (Z76.5)

F44.0 Amnésia dissociativa

O aspecto principal é perda de memória, usualmente de eventos recentes importantes, a qual não é decorrente de transtorno mental orgânico e é extensa demais para ser explicada por esquecimento normal ou fadiga. A amnésia é usualmente centrada em eventos traumáticos, tais como acidentes ou perdas inesperadas, e é usualmente parcial e seletiva. A extensão e a totalidade da amnésia frequentemente variam de dia para dia e entre investigadores, mas há um núcleo comum persistente que não pode ser recordado no estado de vigília. A amnésia completa e generalizada é rara; é usualmente parte de uma fuga (F44.1) e, nesse caso, deve ser classificada como tal.

Os estados afetivos que acompanham a amnésia são muito variados, mas depressão grave é rara. Perplexidade, angústia e graus variáveis de comportamento de chamar atenção podem ser evidentes, mas aceitação calma é, algumas vezes, também notável. Adultos jovens são mais comumente afetados, os exemplos mais extremos usualmente ocorrendo em homens sujeitos a estresse de batalha. Estados dissociativos não orgânicos são raros no idoso. Um vaguear local sem propósito pode ocorrer; é usualmente acompanhado por descuido consigo mesmo e raramente dura mais que um dia ou dois.

Diretrizes diagnósticas

Um diagnóstico definitivo requer:

(a) amnésia parcial ou completa para eventos recentes que são de natureza traumática ou estressante (esses aspectos podem emergir apenas quando outros informantes estão disponíveis);

(b) ausência de transtornos mentais orgânicos, intoxicação ou fadiga excessiva.

Diagnóstico diferencial. Em transtornos mentais orgânicos há usualmente outros sinais de perturbação do sistema nervoso, mais sinais óbvios e consistentes de obnubilação de consciência, desorientação e flutuações do nível de consciência. A perda de memória imediata é mais típica de estados orgânicos, independente de quaisquer eventos ou problemas possivelmente traumáticos. "Apagamentos" (*blackouts*) decorrentes de abuso de álcool ou drogas estão intimamente associados ao momento de abuso e as memórias perdidas podem nunca ser recuperadas. A perda de memória de fixação do estado amnéstico (síndrome de Korsakov), no qual o recordar imediato é normal, mas o recordar após apenas 2-3 minutos está perdido, não é encontrada na amnésia dissociativa.

Amnésia seguindo-se a concussão ou traumatismo craniano sério é usualmente retrógrada, ainda que em casos graves possa ser também anterógrada; a amnésia dissociativa é, em geral, predominantemente retrógrada. Somente a amnésia dissociativa pode ser modificada por hipnose ou ab-reação. A amnésia pós-ictal em epilépticos e outros estados de estupor ou mutismo ocasionalmente encontrados em doenças esquizofrênicas ou depressivas podem usualmente ser diferenciados por outras características da doença subjacente.

A diferenciação mais difícil é com fingimento de amnésia (simulação) e pode ser necessária a avaliação repetida e detalhada da personalidade pré-mórbida e da motivação. A simulação de amnésia está relacionada a problemas óbvios relativos a dinheiro, perigo de vida em tempo de guerra ou possíveis sentenças de prisão ou morte.

Exclui: transtorno amnéstico induzido por álcool ou outra substância
psicoativa (F10 — F19 com quarto caractere comum .6)
amnésia SOE (R41.3)
amnésia anterógrada (R41.1)
síndrome amnéstica orgânica não alcoólica (F04)
amnésia pós-ictal em epilepsia (G40. —)
amnésia retrógrada (R41.2)

F44.1 Fuga dissociativa

A fuga dissociativa tem todos os aspectos da amnésia dissociativa, mais uma jornada aparentemente propositada para longe de casa ou do local de trabalho, durante a qual o cuidado consigo mesmo é mantido. Em alguns casos, uma nova identidade pode ser assumida, usualmente apenas por poucos dias, mas às vezes por longos períodos de tempo e em um grau surpreendente de perfeição. Viagens organizadas podem ser para lugares previamente conhecidos e de significação emocional. Embora haja amnésia para o período da fuga, o comportamento do indivíduo durante esse tempo pode parecer completamente normal para observadores independentes.

Diretrizes diagnósticas

Para um diagnóstico definitivo deve haver:

(a) os aspectos da amnésia dissociativa (F44.0);
(b) percurso propositado para além dos limites cotidianos usuais (a diferenciação entre percurso e vaguear deve ser feita por aqueles com conhecimento local);
(c) manutenção dos cuidados básicos consigo mesmo (alimentação, higiene, etc.) e da interação social simples com estranhos (tais como compra de passagens ou gasolina, indagação sobre direções, solicitação de refeições).

Diagnóstico diferencial. A diferenciação entre fuga pós-ictal, vista particularmente na epilepsia do lobo temporal, é usualmente clara por causa da história de epilepsia, da falta de eventos ou problemas estressantes e das atividades e percursos menos propositados e mais fragmentados dos epiléticos.

Como em relação à amnésia dissociativa, a diferenciação entre a simulação consciente e uma fuga pode ser muito difícil.

F44.2 Estupor dissociativo

O comportamento do indivíduo preenche os critérios para estupor, mas o exame e a investigação não revelam evidência de uma causa física. Em adição, assim como em outros transtornos dissociativos, há evidência positiva de causação psicogênica na forma de eventos estressantes recentes ou de problemas interpessoais ou sociais proeminentes.

O estupor é diagnosticado com base em uma diminuição extrema ou ausência de movimentos voluntários e de responsividade normal a estímulos externos tais como luz, ruído e toque. O indivíduo deita-se ou senta-se amplamente imóvel por longos períodos de tempo. Fala e movimentos espontâneos e propositais estão completa ou quase completamente ausentes. Ainda que algum grau de perturbação de consciência possa estar presente, o tônus muscular, a postura, a respiração e, algumas vezes, a abertura e os movimentos coordenados dos olhos são tais que fica claro que o paciente não está adormecido nem inconsciente.

Diretrizes diagnósticas

Para um diagnóstico definitivo deve haver:

(a) estupor, como descrito acima;
(b) ausência de um transtorno físico ou de outro transtorno psiquiátrico que possa explicar o estupor;
(c) evidência de eventos estressantes recentes ou de problemas atuais.

Diagnóstico diferencial. O estupor dissociativo deve ser diferenciado do estupor catatônico e do estupor depressivo ou maníaco. O estupor da esquizofrenia catatônica é frequentemente precedido por sintomas ou comportamento sugestivos de esquizofrenia. O estupor depressivo e o maníaco em geral desenvolvem-se de modo comparativamente mais lento e, assim, uma história fornecida por um outro informante deve ser decisiva. Ambos os estupores, depressivo e maníaco, são progressivamente mais raros em muitos países, à medida que o tratamento precoce das doenças afetivas se torna mais difundido.

F44.3 Transtornos de transe e possessão

Transtornos nos quais há uma perda temporária tanto do senso de identidade pessoal quanto da consciência plena do ambiente; em alguns casos, o indivíduo age como se tomado por uma outra personalidade, espírito, divindade ou "força". A atenção e a consciência podem limitar-se ou concentrar-se em apenas um ou dois aspectos do ambiente imediato e há muitas vezes um conjunto limitado mas repetido de movimentos, posições e expressões vocais. Apenas transtornos de transe que são involuntários ou indesejados e que se intrometem nas atividades costumeiras, ocorrendo fora (ou sendo um prolongamento) de situações religiosas ou outras aceitas culturalmente, devem ser incluídos aqui.

Transtornos de transe ocorrendo no curso de psicoses esquizofrênicas ou agudas com alucinações, delírios ou personalidade múltipla não devem ser incluídos aqui, nem essa categoria ser usada se o transtorno de transe é considerado intimamente associado a qualquer transtorno físico (tal como epilepsia do lobo temporal ou traumatismo craniano) ou a intoxicação por substância psicoativa.

F44.4 — F44.7 Transtornos dissociativos de movimento e sensação

Nesses transtornos há uma perda ou interferência com movimentos ou perda de sensações (usualmente cutâneas). O paciente, então, se apresenta como tendo um transtorno físico, embora nada que explicasse os sintomas possa ser encontrado. Os sintomas podem frequentemente ser vistos como representando o conceito que o paciente tem de transtorno físico, o qual pode ser discrepante dos princípios fisiológicos ou anatômicos. Em adição, a avaliação do estado mental e da situação social do paciente usualmente sugere que a incapacidade resultante da perda de funções o está ajudando a escapar de um conflito desagradável ou a expressar dependência ou ressentimento indiretamente. Embora problemas ou conflitos possam ser evidentes para os outros, o paciente frequentemente nega sua presença e atribui qualquer angústia ao sintoma ou à incapacidade resultante.

O grau de incapacidade resultante de todos esses tipos de sintoma pode variar de ocasião a ocasião, dependendo do número e tipo de outras pessoas presentes, bem como do estado emocional do paciente. Em outras palavras, uma quantidade variável de comportamento de chamar atenção pode estar presente em adição a um núcleo central e invariável de perda de movimento ou de sensação, o qual não está sob controle voluntário.

Em alguns pacientes, os sintomas usualmente se desenvolvem em estreita relação com estresse psicológico, mas em outros essa conexão não se revela. Aceitação calma (*belle indifférence*) de séria incapacidade pode ser notável, mas não é universal; ela é também encontrada em indivíduos bem ajustados em face de doença física óbvia e séria.

Anormalidades pré-mórbidas de relações pessoais e personalidade são usualmente encontradas e parentes e amigos mais próximos podem ter sofrido de doença física com sintomas semelhantes àqueles do paciente. Variedades leves e transitórias desses transtornos são muitas vezes vistas na adolescência, particularmente em moças, porém as variedades crônicas são em geral encontradas em adultos jovens. Alguns indivíduos estabelecem um padrão repetitivo de reação a estresse pela produção desses transtornos e podem ainda manifestá-los na meia-idade e na velhice.

Transtornos envolvendo apenas perda de sensações são incluídos aqui; transtornos envolvendo sensações adicionais, tais como dor e outras sensações complexas mediadas pelo sistema nervoso autônomo, estão incluídos em transtornos somatoformes (F45. —).

Diretrizes diagnósticas

O diagnóstico deve ser feito com grande cautela na presença de transtornos físicos do sistema nervoso ou num indivíduo previamente bem ajustado, com relações familiares e sociais normais.

Para um diagnóstico definitivo:

(a) não deve haver nenhuma evidência de transtorno físico;
(b) deve-se conhecer o suficiente sobre a estrutura psicológica e social e relações pessoais do paciente para permitir uma formulação convincente das raízes para o aparecimento do transtorno.

O diagnóstico deve permanecer provável ou provisório se há qualquer dúvida sobre a contribuição de transtornos físicos reais ou possíveis ou se é impossível alcançar-se uma compreensão de por que o transtorno se desenvolveu. Em casos nos quais são confusos ou obscuros, a possibilidade do aparecimento tardio de transtornos físicos ou psiquiátricos sérios deve sempre ser mantida em mente.

Diagnóstico diferencial. Os estágios precoces de transtornos neurológicos progressivos, particularmente esclerose múltipla e lúpus eritematoso sistêmico, podem ser confundidos com transtornos dissociativos de movimento e sensação. Pacientes reagindo à esclerose múltipla precoce com angústia e comportamento de chamar atenção colocam-se como problemas especialmente difíceis; períodos de avaliação e observação comparativamente longos podem ser necessários antes que as probabilidades diagnósticas se tornem claras.

Queixas somáticas múltiplas e mal-definidas devem ser classificadas em outros lugares, sob transtornos somatoformes (F45. —) ou neurastenia (F48.0).

Sintomas dissociativos isolados podem ocorrer durante transtornos mentais maiores, tais como esquizofrenia ou depressão grave, mas esses transtornos são usualmente óbvios e devem ter precedência sobre os sintomas dissociativos para propósitos de diagnóstico e de codificação.

A simulação consciente de perda de movimento e sensação é frequentemente muito difícil de distinguir da dissociação; a decisão será baseada na observação detalhada e na obtenção e compreensão da personalidade do paciente, das circunstâncias que cercaram o início do transtorno e das consequências da recuperação *versus* incapacidade continuada.

F44.4 Transtornos motores dissociativos

As variedades mais comuns de transtorno motor dissociativo são perda de capacidade de mover o todo ou uma parte de um membro ou membros. A paralisia pode ser parcial, com movimentos fracos ou lentos, ou completa. Várias formas e graus variáveis de incoordenação (ataxia) podem ser evidentes, particularmente nas pernas, resultando em marcha bizarra ou incapacidade de ficar de pé sem apoio (astasia — abasia). Pode haver também estremecimento ou tremor exagerado de uma ou mais extremidades ou de todo o corpo. Pode haver semelhança estreita com quase todas as variedades de ataxia, apraxia, acinesia, afonia, disartria, discinesia ou paralisia.

Inclui: afonia psicogênica
disfonia psicogênica

F44.5 Convulsões dissociativas

Convulsões dissociativas (pseudoconvulsões) podem imitar ataques epiléticos muito intimamente em termos de movimentos, mas as mordeduras de língua, equimoses sérias decorrentes de quedas e incontinência urinária são raras na convulsão dissociativa e a perda de consciência está ausente ou é substituída por um estado de estupor ou transe.

F44.6 Anestesia e perda sensorial dissociativas

Áreas anestésicas da pele muitas vezes têm limites os quais tornam claro que elas estão associadas mais às ideias do paciente sobre funções corporais do que ao conhecimento médico. Pode haver também perda diferenciada entre as modalidades sensoriais, a qual não pode ser decorrente de uma lesão neurológica. A perda sensorial pode ser acompanhada por queixas de parestesia.

A perda de visão raramente é total em transtornos dissociativos e as perturbações visuais são mais frequentemente uma perda de acuidade, borramento geral da visão ou "visão em túnel". A despeito de queixas de perda visual, a mobilidade geral e o desempenho motor do paciente estão, com frequência, surpreendentemente bem preservados.

A surdez e a anosmia dissociativa são, de longe, menos comuns que as perdas de sensação ou de visão.

Inclui: disfonia psicogênica

F44.7 Transtornos dissociativos (ou conversivos) mistos

Misturas dos transtornos especificados acima (F44.0 — F44.6) devem ser codificadas aqui.

F44.8 Outros transtornos dissociativos (ou conversivos)

F44.80 Síndrome de Ganser
O transtorno complexo descrito por Ganser, o qual é caracterizado por "respostas aproximativas", em geral acompanhadas por vários outros sintomas dissociativos e frequentemente em circunstâncias que sugerem uma etiologia psicogênica, deve ser codificado aqui.

F44.81 Transtorno de personalidade múltipla

Esse transtorno é raro e há controvérsia sobre a extensão na qual ele é iatrogênico ou especificamente cultural. O aspecto essencial é a existência aparente de duas ou mais personalidades distintas dentro de um indivíduo, com apenas uma delas evidenciando-se a cada momento. Cada personalidade é completa, com suas próprias memórias, comportamento e preferências; estas podem estar em contraste marcante com a personalidade pré-mórbida única.

Na forma comum com duas personalidades, uma personalidade é usualmente dominante, mas nenhuma tem acesso às memórias da outra e ambas estão quase sempre alheias à existência uma da outra. A mudança de uma personalidade para outra é, no início, em regra súbita e intimamente associada a eventos traumáticos ou estressantes. As mudanças posteriores são com frequência limitadas a eventos dramáticos ou estressantes ou ocorrem durante sessões com um terapeuta, envolvendo relaxamento, hipnose ou ab-reação.

F44.82 Transtornos dissociativos (ou conversivos) transitórios ocorrendo na infância e adolescência

F44.88 Outros transtornos dissociativos (ou conversivos) especificados

Inclui: confusão psicogênica
estado crepuscular

F44.9   Transtorno dissociativo (ou conversivo), não especificado

F45 Transtornos somatoformes

O aspecto principal dos transtornos somatoformes é a apresentação repetida de sintomas físicos juntamente com solicitações persistentes de investigações médicas, apesar de repetidos achados negativos e de reasseguramentos pelos médicos de que os sintomas não têm base física. Se quaisquer transtornos físicos estão presentes, eles não explicam a natureza e a extensão dos sintomas ou a angústia e a preocupação do paciente. Mesmo quando o início e a continuação dos sintomas guardam uma relação íntima com eventos de vida desagradáveis ou com dificuldades ou conflitos, o paciente usualmente resiste às tentativas de discutir a possibilidade de causação psicológica; esse pode ser o caso mesmo na presença de sintomas depressivos e ansiosos óbvios. O grau de compreensão, tanto física quanto psicológica, que pode ser alcançado sobre a causa dos sintomas é frequentemente desapontador e frustrante para ambos — paciente e médico.

F40 — F48 TRANSTORNOS NEURÓTICOS, ESTRESSE E SOMATOFORMES

Nesses transtornos há, muitas vezes, um grau de comportamento de chamar atenção (histriônico), particularmente em pacientes que estão ressentidos por sua incapacidade de persuadir os médicos da natureza essencialmente física de sua doença e da necessidade de mais investigações ou exames.

Diagnóstico diferencial. A diferenciação com delírios hipocondríacos usualmente depende de um conhecimento profundo do paciente. Embora as crenças sejam duradouras e pareçam sustentadas contrariamente à razão, o grau de convicção em geral suscetível, em algum grau e a curto prazo, à argumentação, ao reasseguramento e ao resultado de qualquer outro exame ou investigação. Em adição, a presença de sensações físicas desagradáveis e assustadoras pode ser considerada como uma explicação culturalmente aceitável para o desenvolvimento e a persistência de uma convicção de doença física.

Exclui: transtornos dissociativos (F44. —)
    puxar cabelos (F98.4)
    gagueira (forma grave) (F80.0)
    balbucio (F80.8)
    roer unhas (F98.8)
    fatores psicológicos ou de comportamento associados a transtornos ou doenças classificadas em outros locais (F54)
    disfunção sexual, não causada por transtorno ou doença orgânica (F52. —) chupar dedo (F98.8)
    transtornos de tique na infância e adolescência (F95. —)
    síndrome de Gilles de la Tourette (F95.2)
    tricotilomania (F63.3)

F45.0 Transtorno de somatização

Os aspectos principais são sintomas físicos múltiplos, recorrentes e frequentemente mutáveis os quais em geral têm estado presentes por vários anos antes que o paciente seja encaminhado para um psiquiatra. A maioria dos pacientes tem uma longa e complicada história de contato com serviços médicos tanto primários quanto especializados, durante a qual muitas investigações negativas ou operações infrutíferas podem ter sido realizadas. Podem ser referidos sintomas relacionados a qualquer parte ou sistema do corpo, mas sensações gastrintestinais (dor, eructação, regurgitação, vômito, náusea, etc.) e sensações cutâneas anormais (coceiras, queimação, formigamento, dormência, sensibilidade, etc.) e erupções ou manchas estão entre as mais comuns. Queixas sexuais e menstruais são também comuns.

Depressão e ansiedade marcantes estão frequentemente presentes e podem justificar tratamento específico.

O curso do transtorno é crônico e flutuante e com frequência está associado a rompimento duradouro do comportamento social, interpessoal e familiar.

O transtorno é muito mais comum em mulheres do que em homens e usualmente começa no início da idade adulta.

Dependência ou abuso de medicação (geralmente sedativos e analgésicos) resulta muitas vezes do uso frequente de medicação.

Diretrizes diagnósticos

Um diagnóstico definitivo requer a presença de tudo o que segue:

(a) pelo menos 2 anos de sintomas físicos múltiplos e variáveis para os quais nenhuma explicação adequada foi encontrada;
(b) recusa persistente de aceitar a informação ou o reasseguramento de diversos médicos de que não há explicação física para os sintomas;
(c) certo grau de comprometimento do funcionamento social e familiar atribuível à natureza dos sintomas e ao comportamento resultante.

Inclui: transtorno psicossomático múltiplo
síndrome de queixas múltiplas

Diagnóstico diferencial. No diagnóstico, a diferenciação com os seguintes transtornos é essencial:

Transtornos físicos. Pacientes com transtorno de somatização duradouro têm a mesma chance de desenvolver transtornos físicos independentes que qualquer outra pessoa de sua idade e investigações ou consultas posteriores devem ser consideradas se há uma modificação na ênfase ou estabilidade das queixas físicas, a qual sugira possível doença física.

Transtornos afetivos (depressivos) e de ansiedade. Graus variados de depressão e ansiedade comumente acompanham os transtornos de somatização, mas não é preciso especificá-los separadamente a não ser que sejam suficientemente marcantes e persistentes para justificar um diagnóstico por si mesmos. O início de sintomas somáticos múltiplos após a idade de 40 anos pode ser uma manifestação precoce de um transtorno primariamente depressivo.

Transtorno hipocondríaco. Nos transtornos de somatização, a ênfase está nos sintomas em si e em seus efeitos individuais, enquanto no transtorno hipocondríaco a atenção é dirigida mais à presença de um processo mórbido subjacente sério e progressivo e às suas consequências incapacitantes. No transtorno hipocondríaco, o paciente tende a pedir investigações para determinar ou confirmar a natureza da doença subjacente, enquanto que o paciente com o transtorno de somatização pede tratamento para eliminar os sintomas. No transtorno de somatização há usualmente uso excessivo de drogas, junto com não cumprimento de orientações por longos períodos, ao passo que pacientes com transtorno hipocondríaco temem drogas e seus efeitos colaterais e buscam reasseguramento com constantes visitas a diferentes médicos.

Transtornos delirantes (tais como esquizofrenia com delírios somáticos e transtornos depressivos com delírios hipocondríacos). As qualidades bizarras das crenças, junto com menos sintomas físicos de natureza mais constante, são mais típicas dos transtornos delirantes.

Padrões sintomáticos de curta duração (p. ex., menos de 2 anos) e menos notáveis são classificados como transtorno somatoforme indiferenciado (F45.1).

F45.1 Transtorno somatoforme indiferenciado

Quando as queixas físicas são múltiplas, variadas e persistentes, mas o quadro clínico completo e típico do transtorno de somatização não é preenchido, essa categoria deve ser considerada. Por exemplo, pode faltar a maneira forçada e dramática das queixas, podendo ser estas comparativamente poucas em número, ou o comprometimento associado do funcionamento social e familiar pode estar totalmente ausente. Pode haver ou não fundamentos para presumir uma causação psicológica, mas não deve haver nenhuma base física para os sintomas nos quais o diagnóstico psiquiátrico é baseado.

Se ainda existe uma possibilidade distinta de transtorno físico subjacente ou se a avaliação psiquiátrica não está completada na ocasião da codificação diagnóstica, outras categorias dos capítulos relevantes da CID-10 devem ser usadas.

Inclui: transtorno psicossomático indiferenciado

Diagnóstico diferencial. Como para a síndrome completa do transtorno de somatização (F45.0).

F45.2 Transtorno hipocondríaco

O aspecto essencial é uma preocupação persistente com a possibilidade de ter um ou mais transtornos físicos sérios e progressivos. Os pacientes manifestam queixas somáticas persistentes ou preocupação persistente com a sua aparência física. Sensações e aparências normais ou banais são muitas vezes interpretadas por um paciente como anormais e angustiantes e a atenção é usualmente focalizada em apenas um ou dois órgãos ou sistemas do corpo. O transtorno físico ou o desfiguramento temido pode ser especificado pelo paciente, mas mesmo assim o grau de convicção sobre sua presença e a ênfase sobre um transtorno em vez de outro em geral varia entre as consultas; o paciente usualmente cogitará a possibilidade de que outros transtornos físicos possam existir em adição àquele ao qual é dado proeminência.

Depressão e ansiedade marcantes estão muitas vezes presentes e podem justificar um diagnóstico adicional. Os transtornos raramente se apresentam pela primeira vez após a idade de 50 anos e o curso de ambos, sintomas e incapacidade, é usualmente crônico e flutuante. Não deve haver delírios fixos sobre funções ou forma corporal. Medos da presença de uma ou mais doenças (nosofobia) devem ser classificados aqui.

Essa síndrome ocorre tanto em homens quanto em mulheres e não há características familiares especiais (em contraste com o transtorno de somatização).

Muitos indivíduos, em especial aqueles com formas mais leves do transtorno, permanecem na assistência primária ou em especialidades médicas não psiquiátricas. O encaminhamento ao psiquiatra é frequentemente mal-aceito, exceto se realizado precocemente no desenvolvimento do transtorno e com a colaboração tácita entre médico e psiquiatra. O grau de incapacidade associada é muito variável; alguns indivíduos dominam ou manipulam a família e as relações sociais como um resultado de seus sintomas, em contraste com uma minoria que funciona quase normalmente.

Diretrizes diagnósticas

Para um diagnóstico definitivo ambos os critérios seguintes devem estar presentes:

(a) crença persistente na presença de pelo menos uma doença física séria causando o sintoma ou sintomas apresentados, ainda que investigações e exames repetidos não tenham identificado qualquer explicação física adequada, ou uma preocupação persistente com uma suposta deformidade ou desfiguramento;
(b) recusa persistente de aceitar a informação ou reasseguramento de vários médicos diferentes de que não há nenhuma doença ou anormalidade física causando os sintomas.

F40 — F48 TRANSTORNOS NEURÓTICOS, ESTRESSE E SOMATOFORMES

Inclui: transtorno dismórfico corporal
   dismorfofobia (não delirante)
   neurose hipocondríaca
   hipocondria
   nosofobia

Diagnóstico diferencial. A diferenciação com os seguintes transtornos é essencial:

Transtorno de somatização. A ênfase é na presença do transtorno em si e suas consequências futuras, ao invés de nos sintomas individuais, como no transtorno de somatização. No transtorno hipocondríaco, é provável haver também preocupação com apenas um ou dois possíveis transtornos físicos, os quais serão especificados consistentemente, ao invés das possibilidades mais numerosas e frequentemente mutáveis no transtorno de somatização. No transtorno hipocondríaco não há diferença marcante quanto à incidência por sexo nem conotações familiares especiais.

Transtornos depressivos. Se os sintomas depressivos são particularmente proeminentes e precedem o desenvolvimento das ideias hipocondríacas, o transtorno depressivo pode ser primário.

Transtornos delirantes. No transtorno hipocondríaco as crenças não têm a mesma fixidez daquelas nos transtornos depressivos e esquizofrênicos acompanhados por delírios somáticos. Um transtorno no qual o paciente está convencido de que tem uma aparência desagradável ou que é fisicamente disforme deve ser classificado sob transtorno delirante (F22. —).

Transtornos de ansiedade e de pânico. Os sintomas somáticos de ansiedade são às vezes interpretados como sinais de doença física séria, mas nesses transtornos os pacientes são usualmente tranquilizados por explicações fisiológicas e as convicções sobre a presença de doença física não evoluem.

F45.3 Disfunção autonômica somatoforme

Os sintomas são apresentados pelo paciente como se fossem decorrentes de um transtorno físico de um sistema ou órgão que está ampla ou completamente sob inervação e controle autonômicos, isto é, o sistema cardiovascular, gastrintestinal ou respiratório. (Alguns aspectos do sistema geniturinário são também incluídos aqui.) Os exemplos mais comuns e notáveis afetam o sistema cardiovascular ("neurose cardíaca"), o sistema respiratório (hiperventilação e soluço psicogênicos) e o sistema gastrintestinal ("neurose gástrica" e "diarreia nervosa"). Os sintomas são usualmente de dois tipos, nenhum dos quais indica um transtorno físico do órgão ou sistema envolvido. O primeiro tipo, do qual este diagnóstico depende amplamente, é caracterizado por queixas baseadas em sinais objetivos de excitação autonômica, tais como palpitações, sudorese, rubor e tremor. O segundo tipo é caracterizado por sintomas mais idiossincrásicos, subjetivos e inespecíficos tais como sensações de dores fugazes, ardor, peso, aperto e sensações de estar inchado ou distendido; estes são relacionados pelo paciente a um órgão ou sistema específico (como os sintomas autonômicos também podem ser). É a combinação de envolvimento autonômico claro, queixas subjetivas inespecíficas adicionais e a referência persistente a um órgão ou sistema em particular como a causa do transtorno que dá o quadro clínico característico.

Em muitos pacientes com esse transtorno haverá também evidências de estresse psicológico ou dificuldades e problemas atuais que parecem estar relacionados ao transtorno; entretanto, este não é o caso numa proporção substancial de pacientes que, apesar disso, preenchem claramente os critérios para essa condição.

Em alguns desses transtornos, algumas perturbações menores de função fisiológica também podem estar presentes, tais como soluço, flatulência e hiperventilação, mas estas em si não perturbam a função fisiológica essencial do órgão ou sistema relevante.

Diretrizes diagnósticas

O diagnóstico definitivo requer todos os critérios seguintes:

(a) sintomas de excitação autonômica, tais como palpitações, sudorese, tremor, rubor, os quais são persistentes e incômodos;
(b) sintomas subjetivos adicionais relacionados a um órgão ou sistema específico;
(c) preocupação e angústia quanto à possibilidade de um transtorno sério (mas frequentemente inespecífico) do órgão ou sistema citado, as quais não respondem a explicações e tranquilização repetidas pelos médicos;
(d) nenhuma evidência de uma perturbação significativa de estrutura ou função do sistema ou órgão citado.

Diagnóstico diferencial. A diferenciação com o transtorno de ansiedade generalizada é baseada na predominância dos componentes psicológicos de excitação autonômica, tais como medo e a expectativa ansiosa no transtorno de ansiedade generalizada e a falta de um foco físico consistente para os outros sintomas. Nos transtornos de somatização, sintomas autonômicos podem ocorrer, mas eles não são predominantes nem persistentes em comparação com as muitas outras sensações e sentimentos e os sintomas não são tão persistentemente atribuídos a um órgão ou sistema citado.

Exclui: fatores psicológicos e de comportamento associados a transtornos ou doenças classificadas em outros locais (F54)

Um quinto caractere pode ser usado para classificar os transtornos individuais nesse grupo, indicando o órgão ou sistema considerado pelo paciente como a origem dos sintomas:

F45.30 Coração e sistema cardiovascular

Inclui: neurose cardíaca
síndrome de da Costa
astenia neurocirculatória

F45.31 Trato gastrintestinal superior

Inclui: neurose gástrica
aerofagia, soluço, dispepsia e pilorospasmo psicogênicos

F45.32 Trato gastrintestinal inferior

Inclui: flatulência, síndrome do colo irritável e síndrome da diarreia gasosa psicogênicas

F45.33 Sistema respiratório

Inclui: formas de tosse e hiperventilação psicogênicas

F45.34 Sistema geniturinário

Inclui: frequência aumentada de micção e disúria psicogênicas

F45.38 Outro órgão ou sistema

F45.4 Transtorno doloroso somatoforme persistente

A queixa predominante é de dor persistente, grave e angustiante, a qual não pode ser plenamente explicada por um processo fisiológico ou por um transtorno físico. A dor ocorre em associação a conflito emocional ou a problemas psicossociais que são suficientes para permitir a conclusão de que eles são as principais influências causais. O resultado é usualmente um aumento marcante em suporte e atenção, tanto pessoais quanto médicos.

Uma dor de presumida origem psicogênica ocorrendo durante o curso de um transtorno depressivo ou esquizofrenia não deve ser incluída aqui. Dor decorrente de mecanismos psicofisiológicos conhecidos ou inferidos, tais como dor por tensão muscular ou enxaqueca, mas que ainda acredita-se terem uma causa psicogênica, deve ser codificada pelo uso de F54 (fatores psicológicos ou de comportamento associados a transtornos ou doenças classificadas em outros locais), mais um código adicional de outros locais na CID-10 (p. ex., enxaqueca, G43. —).

Inclui: psicalgia
 cefaleia ou lombalgia psicogênica
 transtorno doloroso somatoforme

Diagnóstico diferencial. O problema mais comum está em diferenciar esse transtorno da elaboração histriônica de dores de causa orgânica. Pacientes com dor orgânica, para os quais ainda não foi possível obter um diagnóstico físico definitivo, podem facilmente tornar-se assustados ou ressentidos, com resultante comportamento de chamar atenção. Uma variedade de dores é comum nos transtornos de somatização, mas elas não são tão persistentes ou tão dominantes em relação a outras queixas.

Exclui: lombalgia SOE (M54.9)
 dor SOE (aguda/crônica) (R52. —)
 cefaleia tipo tensional (G44.2)

F45.8 Outros transtornos somatoformes

Nesses transtornos, as queixas apresentadas não são mediadas pelo sistema nervoso autônomo e são limitadas a sistemas ou partes específicas do corpo. Isso está em contraste com as queixas múltiplas e frequentemente mutáveis da origem dos sintomas e da angústia encontradas no transtorno de somatização (F45.0) e transtorno somatoforme indiferenciado (F45.1). Lesão tecidual não está envolvida.

Quaisquer outros transtornos de sensação não decorrentes de transtornos físicos que estejam intimamente associados temporalmente a eventos ou problemas estressantes ou que resultem em aumento significativo da atenção ao paciente, quer pessoal, quer médica, devem também ser classificados aqui. Sensações de inchaço, de movimentos sobre a pele e parestesias (formigamento e/ou dormência) são exemplos comuns. Transtornos tais como os seguintes devem também ser incluídos aqui:

(a) *globus hystericus* (uma sensação de um caroço na garganta causando disfagia) e outras formas de disfagia;
(b) torcicolo psicogênico e outros transtornos de movimentos espasmódicos (mas excluindo a síndrome de Gilles de la Tourette);

(c) prurido psicogênico [mas excluindo lesões cutâneas específicas como alopécia, dermatite, eczema ou urticária de origem psicogênica (F54)];
(d) dismenorreia psicogênica [mas excluindo dispareunia (F52.6) e frigidez (F52.0)];
(e) ranger os dentes.

F45.9 Transtorno somatoforme, não especificado

Inclui: transtorno psicofisiológico ou psicossomático não especificado

F48 Outros transtornos neuróticos

F48.0 Neurastenia

Variações culturais consideráveis ocorrem na apresentação desse transtorno; dois tipos principais ocorrem com sobreposição substancial. Em um tipo, o aspecto principal é uma queixa de fadiga aumentada após esforço mental, frequentemente associada a alguma diminuição no desempenho ocupacional ou eficiência de adaptação em tarefas diárias. A fatigabilidade mental é tipicamente descrita como uma intrusão desagradável de associações ou lembranças distrativas, dificuldade de concentração e pensamento geralmente ineficiente. No outro tipo, a ênfase está em sentimentos de fraqueza e exaustão corporal ou física após esforços apenas mínimos, acompanhados por um sentimento de desconforto e dores musculares e incapacidade de relaxar. Em ambos os tipos, uma variedade de outros sentimentos físicos desagradáveis, tais como tontura, cefaleias tensionais e uma sensação de instabilidade geral, é comum. Preocupação acerca do bem-estar mental e corporal diminuído, irritabilidade, anedonia e graus menores variados de depressão e de ansiedade são todos comuns. O sono está frequentemente perturbado em suas fases inicial e média, mas hipersonia pode também ser proeminente.

Diretrizes diagnósticas

O diagnóstico definitivo requer os seguintes critérios:

(a) queixas persistentes e angustiantes de fadiga aumentada após esforço mental ou queixas persistentes e angustiantes de fraqueza e exaustão corporal após esforço mínimo;
(b) pelo menos dois dos seguintes:
  — sentimentos de dores musculares
  — tonturas
  — cefaleias tensionais

— perturbação do sono
— incapacidade de relaxar
— irritabilidade
— dispepsia;
(c) quaisquer sintomas autonômicos ou depressivos presentes não são suficientemente persistentes e graves para preencher os critérios para quaisquer transtornos mais específicos nesta classificação.

Inclui: síndrome de fadiga

Diagnóstico diferencial. Em muitos países a neurastenia não é geralmente usada como uma categoria diagnóstica. Muitos dos casos assim diagnosticados no passado satisfariam os critérios atuais para transtorno depressivo ou transtorno de ansiedade. Há, entretanto, casos que se enquadram melhor na descrição de neurastenia do que na de qualquer outra síndrome neurótica e tais casos parecem ser mais frequentes em algumas culturas que em outras. Se a categoria diagnóstica de neurastenia é usada, deve-se fazer primeiro uma tentativa de excluir uma doença depressiva ou um transtorno de ansiedade. As marcas registradas da síndrome são a ênfase do paciente na fatigabilidade e fraqueza e preocupação com a eficiência mental e física rebaixada (em contraste com os transtornos somatoformes, onde as queixas corporais e a preocupação com doença física dominam o quadro). Se a síndrome neurastênica se desenvolve em consequência a uma doença física (particularmente gripe, hepatite viral ou mononucleose infecciosa), o diagnóstico da última deve também ser registrado.

Exclui: astenia SOE (R53)
  sensação de estar "acabado" (*burn-out*) (Z73.0)
  mal-estar e fadiga (R53)
  síndrome de fadiga pós-viral (G93.9)
  psicastenia (F48.8)

F48.1 Síndrome de despersonalização-desrealização

Um transtorno no qual o paciente queixa-se de que sua atividade mental, seu corpo e/ou seu ambiente estão alterados em sua qualidade, para tornarem-se irreais, remotos ou automatizados. Os indivíduos podem sentir que não estão mais produzindo seus próprios pensamentos, imaginação ou lembranças; que seus movimentos e comportamento não são, de algum modo, deles próprios; que seu corpo parece sem vida, distanciado ou então anômalo e que ao seu ambiente parece faltar cor e vida e aparenta ser artificial ou como um palco no qual as pessoas estão representando papéis inventados. Em alguns casos, eles podem sentir como se vissem a si próprios à distância ou como se estivessem mortos. A queixa de perda de emoções é a mais frequente entre esses variados fenômenos.

O número de indivíduos que experimentam esse transtorno em uma forma pura ou isolada é pequeno. Mais comumente, os fenômenos de despersonalização-desrealização ocorrem no contexto de doenças depressivas, transtorno fóbico e transtorno obsessivo-compulsivo. Elementos da síndrome podem também ocorrer em indivíduos mentalmente saudáveis em estados de fadiga, privação sensorial, intoxicação alucinógena ou como um fenômeno hipnagógico/hipnopômpico. Os fenômenos de despersonalização-desrealização são também similares às assim chamadas "experiências de proximidade da morte", associadas a momentos de extremo perigo de vida.

Diretrizes diagnósticas

Para um diagnóstico definitivo deve haver um ou ambos os critérios (a) e (b), mais (c) e (d):

(a) sintomas de despersonalização, isto é, o indivíduo sente que seus próprios sentimentos e/ou experiências estão separados, distantes, não são seus, perderam-se, etc.;
(b) sintomas de desrealização, isto é, objetos, pessoas e/ou o ambiente parecem irreais, distantes, artificiais, descoloridos, sem vida, etc.;
(c) uma aceitação de que isso é uma alteração subjetiva e espontânea, não imposta por forças externas ou outras pessoas (isto é, *insight*);
(d) um sensório claro e ausência de estado confusional tóxico ou epilepsia.

Diagnóstico diferencial. O transtorno deve ser diferenciado de outros transtornos nos quais "mudança de personalidade" é experimentada ou apresentada, tais como esquizofrenia (delírios de transformação ou passividade e experiências de controle), transtornos dissociativos (onde a consciência de alteração está faltando) e algumas situações de demência de início precoce. A aura pré-ictal da epilepsia do lobo temporal e alguns estados pós-ictais podem incluir as síndromes de despersonalização e desrealização como fenômenos secundários.

Se a síndrome de despersonalização-desrealização ocorre como parte de um transtorno depressivo, fóbico, obsessivo-compulsivo ou esquizofrênico diagnosticável, a estes deve ser dada precedência como diagnóstico principal.

F48.8 Outros transtornos neuróticos especificados

Essa categoria inclui transtornos mistos de comportamento, crenças e emoções que são de etiologia e *status* nosológico incertos e que ocorrem com particular frequência em certas culturas; exemplos incluem a síndrome de Dhat (preocupação indevida com relação aos efeitos debilitantes da passagem de sêmen), koro (ansiedade e medo de que o pênis se retrairá para dentro do abdômen e causará morte) e latah (comportamento de respostas imitativas e automáticas). A forte associação dessas síndromes a crenças culturais e padrões de comportamento localmente aceitos indicam que elas são provavelmente melhor consideradas como não delirantes.

Inclui: transtorno de Briquet
  síndrome de Dhat
  koro latah
  neurose ocupacional, incluindo cãibra de escrivão
  psicastenia
  neurose psicastênica
  síncope psicogênica

F48.9 Transtornos neuróticos não específicos

Inclui: neurose SOE

F50 – F59
Síndromes comportamentais associadas a transtornos fisiológicos e fatores físicos

Visão geral deste bloco

F50 Transtornos alimentares
 F50.0 Anorexia nervosa
 F50.1 Anorexia nervosa atípica
 F50.2 Bulimia nervosa
 F50.3 Bulimia nervosa atípica
 F50.4 Hiperfagia associada a outras perturbações psicológicas
 F50.5 Vômitos associados a outras perturbações psicológicas
 F50.8 Outros transtornos alimentares
 F50.9 Transtorno alimentar, não especificado

F51 Transtornos não orgânicos de sono
 F51.0 Insônia não orgânica
 F51.1 Hipersonia não orgânica
 F51.2 Transtorno não orgânico do ciclo sono-vigília
 F51.3 Sonambulismo
 F51.4 Terrores noturnos
 F51.5 Pesadelos
 F51.8 Outros transtornos não orgânicos de sono
 F51.9 Transtorno não orgânico de sono, não especificado

F52 Disfunção sexual, não causada por transtorno ou doença orgânica
 F52.0 Falta ou perda de desejo sexual
 F52.1 Aversão sexual e falta de prazer sexual
  .10 Aversão sexual
  .11 Falta de prazer sexual
 F52.2 Falha de resposta genital
 F52.3 Disfunção orgásmica
 F52.4 Ejaculação precoce
 F52.5 Vaginismo não orgânico
 F52.6 Dispareunia não orgânica
 F52.7 Impulso sexual excessivo
 F52.8 Outras disfunções sexuais, não causadas por transtorno ou doença orgânica
 F52.9 Disfunção sexual, não causada por transtorno ou doença orgânica, não especificada

F53 Transtornos mentais e de comportamento associados ao puerpério, não classificados em outros locais
  F53.0 Transtornos mentais e de comportamento, leves, associados ao puerpério, não classificados em outros locais
  F53.1 Transtornos mentais e de comportamento, graves, associados ao puerpério, não classificados em outros locais
  F53.8 Outros transtornos mentais e de comportamento associados ao puerpério, não classificados em outros locais
  F53.9 Transtorno mental puerperal, não especificado

F54 Fatores psicológicos e de comportamento associados a transtornos ou doenças classificadas em outros locais

F55 Abuso de substâncias que não produzem dependência
  F55.0 Antidepressivos
  F55.1 Laxativos
  F55.2 Analgésicos
  F55.3 Antiácidos
  F55.4 Vitaminas
  F55.5 Esteroides ou hormônios
  F55.6 Ervas ou remédios folclóricos populares específicos
  F55.8 Outras substâncias que não produzem dependência
  F55.9 Não especificadas

F59 Síndromes comportamentais associadas a transtornos fisiológicos e fatores físicos, não especificadas

F50 — F59 SÍNDROMES COMPORTAMENTAIS

F50 Transtornos alimentares

Sob o título de transtornos alimentares, duas síndromes importantes e bem definidas são descritas: anorexia nervosa e bulimia nervosa. Transtornos bulímicos menos específicos também merecem lugar, tal como a hiperfagia quando ela é associada a perturbações psicológicas. Uma nota breve é fornecida sobre vômitos associados a perturbações psicológicas.

Exclui: anorexia ou perda de apetite SOE (R63.0)
dificuldades e descontrole alimentares (R63.3)
transtorno de alimentação na infância (F98.2)
pica em crianças (F98.3)

F50.0 Anorexia nervosa

Anorexia nervosa é um transtorno caracterizado por deliberada perda de peso induzida e/ou mantida pelo paciente. O transtorno ocorre mais comumente em garotas adolescentes e mulheres jovens, mas garotos adolescentes e homens jovens podem ser afetados mais raramente, assim como podem ser afetadas crianças que estão próximas da puberdade e mulheres próximas da menopausa. Anorexia nervosa constitui uma síndrome independente no seguinte sentido:

(a) os aspectos clínicos da síndrome são facilmente reconhecidos, de sorte que o diagnóstico é confiável com um alto nível de concordância entre os clínicos;
(b) estudos evolutivos têm mostrado que, entre pacientes que não se recuperam, um número considerável continua a mostrar os mesmos aspectos principais da anorexia nervosa, em uma forma crônica.

Embora as causas fundamentais da anorexia nervosa permaneçam imprecisas, há evidência crescente de que a interação sociocultural e fatores biológicos contribuem para sua causação, assim como mecanismos psicológicos menos específicos e uma vulnerabilidade de personalidade. O transtorno é associado a desnutrição de gravidade variável, resultando em alterações endócrinas e metabólicas e perturbações de função corporal secundárias. Permanece alguma dúvida quanto ao transtorno endócrino característico: se é inteiramente decorrente da desnutrição e do efeito direto de vários comportamentos que o tem ocasionado (p. ex., escolha dietética restrita, exercício excessivo e alterações na composição corporal, vômitos e purgação induzidos e as perturbações eletrolíticas consequentes) ou se fatores incertos estão também envolvidos.

Diretrizes diagnósticas

Para um diagnóstico definitivo, todos os seguintes critérios são requeridos:

(a) O peso corporal é mantido em pelo menos 15% abaixo do esperado (tanto perdido quanto nunca alcançado) ou o índice da massa corporal de Quetelet[1] em 17,5 ou menos. Pacientes pré-púberes podem apresentar falhas em alcançar o ganho de peso esperado durante o período de crescimento;
(b) A perda de peso é autoinduzida por abstenção de "alimentos que engordam" e um ou mais do que se segue: vômitos autoinduzidos; purgação autoinduzida; exercício excessivo; uso de anorexígenos e/ou diuréticos;
(c) Há uma distorção da imagem corporal na forma de uma psicopatologia específica por meio da qual um pavor de engordar persiste como uma ideia intrusiva e sobrevalorada e o paciente impõe um baixo limiar de peso a si próprio;
(d) Um transtorno endócrino generalizado envolvendo o eixo hipotalâmico-hipofisário-gonadal é manifestado em mulheres como amenorreia e em homens como uma perda de interesse e potência sexuais (uma exceção aparente é a persistência de sangramentos vaginais em mulheres anoréticas que estão recebendo terapia de reposição hormonal, mais comumente tomada como uma pílula contraceptiva). Pode também haver níveis elevados de hormônio do crescimento, níveis aumentados de cortisol, alterações no metabolismo periférico do hormônio tireoideano e anormalidades de secreção da insulina;
(e) Se o início é pré-puberal, a sequência de eventos da puberdade é demorada ou mesmo detida (o crescimento cessa; nas garotas, os seios não se desenvolvem e há uma amenorreia primária; nos garotos, os genitais permanecem juvenis). Com a recuperação, a puberdade é com frequência completada normalmente, porém a menarca é tardia.

Diagnóstico diferencial. Pode haver sintomas depressivos ou obsessivos associados, assim como aspectos de um transtorno de personalidade, o qual pode tornar a diferenciação difícil e/ou requerer o uso de mais de um código diagnóstico. Causas somáticas de perda de peso em pacientes jovens que precisam ser diferenciadas incluem doenças debilitantes crônicas, tumores cerebrais e transtornos intestinais tais como doença de Crohn ou uma síndrome de má absorção.

Exclui: perda de apetite (R63.0)
    perda de apetite psicogênica (F50.8)

---

1 Índice de massa corporal de Quetelet = (peso (kg)) / ([altura(m)]^2)

F50 — F59 SÍNDROMES COMPORTAMENTAIS

F50.1 Anorexia nervosa atípica

Esse termo deve ser usado para aqueles indivíduos nos quais um ou mais dos aspectos-chave da anorexia nervosa (F50.0), tais como amenorreia ou perda de peso significativa, estão ausentes, mas que por outro lado apresentam um quadro clínico razoavelmente típico. Tais pessoas são usualmente encontradas em serviços de psiquiatria de ligação em hospitais gerais ou em atenção primária. Pacientes que têm todos os sintomas-chave, mas somente num grau leve, podem também ser melhor descritos através desse termo. Ele não deve ser usado para transtornos alimentares que se assemelham à anorexia nervosa, mas que são decorrentes de uma doença física conhecida.

F50.2 Bulimia nervosa

Bulimia nervosa é uma síndrome caracterizada por repetidos ataques de hiperfagia e uma preocupação excessiva com controle de peso corporal, levando o paciente a adotar medidas extremas, a fim de mitigar os efeitos "de engordar" da ingestão de alimentos. O termo deve ser restrito à forma do transtorno que está relacionada à anorexia nervosa, em virtude de compartilhar da mesma psicopatologia. A distribuição etária e por sexo é similar àquela da anorexia nervosa, porém a idade de apresentação tende a ser ligeiramente mais tardia. O transtorno pode ser visto como uma sequela de anorexia nervosa persistente (embora a sequência inversa possa também ocorrer). Uma paciente previamente anorética pode, primeiro, parecer melhorar como um resultado de ganho de peso e possivelmente um retorno de menstruação, mas um padrão pernicioso de hiperfagia e vômitos torna-se então estabelecido. Vômitos repetidos provavelmente causarão perturbações dos eletrólitos corporais, complicações físicas (tetania, crises epiléticas, arritmias cardíacas, fraqueza muscular) e subsequentemente grave perda de peso.

Diretrizes diagnósticas

Para um diagnóstico definitivo, todos os seguintes critérios são requeridos:

(a) Há uma preocupação persistente com o comer e um desejo irresistível de comida; o paciente sucumbe a episódios de hiperfagia, nos quais grandes quantidades de alimento são consumidas em curtos períodos de tempo.
(b) O paciente tenta neutralizar os efeitos "de engordar" dos alimentos através de um ou mais do que se segue: vômitos autoinduzidos; abuso de purgantes; períodos alternados de inanição; uso de drogas tais como anorexígenos, preparados tireoideanos ou diuréticos. Quando a bulimia

ocorre em pacientes diabéticos, eles podem escolher negligenciar seu tratamento insulínico.

(c) A psicopatologia consiste de um pavor mórbido de engordar e o paciente coloca para si mesmo um limiar de peso nitidamente definido, bem abaixo de seu peso pré-mórbido que constitui o peso ótimo ou saudável na opinião do médico. Há frequentemente, mas não sempre, uma história de um episódio prévio de anorexia nervosa, o intervalo entre os dois transtornos variando de poucos meses a vários anos. Esse episódio prévio pode ter sido completamente expressado ou pode ter assumido uma forma "disfarçada" menor, com uma perda de peso moderada e/ou uma fase transitória de amenorreia.

Inclui: bulimia SOE
hiperanorexia nervosa

Diagnóstico diferencial. Bulimia nervosa deve ser diferenciada de:

(a) transtornos gastrintestinais superiores levando a vômitos repetidos (a psicopatologia característica está ausente);
(b) uma anormalidade de personalidade mais geral (o transtorno alimentar pode coexistir com dependência de álcool e delitos pequenos tais como furto em lojas);
(c) transtorno depressivo (pacientes bulímicos frequentemente experimentam sintomas depressivos).

F50.3 Bulimia nervosa atípica

Esse termo deve ser usado para aqueles indivíduos nos quais um ou mais dos aspectos-chave listados para bulimia nervosa (F50.2) estão ausentes, mas que por outro lado apresentam um quadro clínico claramente típico. Mais comumente, isso se aplica a pessoas com peso normal ou mesmo excessivo, mas com típicos períodos de hiperfagia seguidos por vômitos ou purgação. Síndromes parciais junto com sintomas depressivos também não são incomuns, mas se os sintomas depressivos justificam um diagnóstico separado de um transtorno depressivo, dois diagnósticos em separado devem ser feitos.

Inclui: bulimia de peso normal

F50.4 Hiperfagia associada a outras perturbações psicológicas

Hiperfagia que tenha levado à obesidade como uma reação a eventos angustiantes deve ser codificada aqui. Perdas, acidentes, operações cirúrgicas e eventos emocionalmente angustiantes podem ser seguidos por uma "obesidade reativa", especialmente em pacientes predispostos a ganho de peso.

Obesidade como uma causa de perturbação psicológica não deve ser codificada aqui. A obesidade pode induzir o indivíduo a sentir-se hipersensível acerca de sua aparência e provocar uma perda de confiança nos relacionamentos pessoais; a avaliação subjetiva das dimensões do corpo pode ser exagerada. Obesidade como uma causa de perturbação psicológica deve ser codificada em uma categoria como F38. – [outros transtornos do humor (afetivos)], F41.2 (transtorno misto de ansiedade e depressão) ou F48.9 (transtorno neurótico, não especificado), mais um código de E66. – da CID-10 para indicar o tipo de obesidade.

Obesidade como um efeito indesejável de tratamento a longo prazo com neurolépticos, antidepressivos ou outro tipo de medicação não deve ser codificada aqui, mas sob E66.1 (obesidade induzida por drogas), mais um código adicional do Capítulo XX (Causas externas) da CID-10 para identificar a droga.

Obesidade pode ser a motivação para uma dieta a qual, por sua vez, resulta em sintomas afetivos menores (ansiedade, inquietação, fraqueza e irritabilidade) ou, mais raramente, sintomas depressivos graves ("depressão por dieta alimentar"). O código apropriado de F30 – F39 ou F40 – F49 deve ser usado para cobrir os sintomas acima, mais F50.8 (outro transtorno alimentar) para indicar a dieta, mais um código de E66. – para indicar o tipo de obesidade.

Inclui: hiperfagia psicogênica

Exclui: obesidade (E66. –)
 polifagia SOE (R63.2)

F50.5 Vômitos associados a outras perturbações psicológicas

Afora o vômito autoinduzido da bulimia nervosa, vômitos repetidos podem ocorrer em transtornos dissociativos (F44. –), em transtorno hipocondríaco (F45.2), quando vômito pode ser um dos vários sintomas corporais, e na gravidez, quando fatores emocionais podem contribuir para náuseas e vômitos recorrentes.

Inclui: hiperemese gravídica psicogênica
 vômito psicogênico

Exclui: náusea e vômito SOE (R11)

F50.8 Outros transtornos alimentares

Inclui: pica de origem não orgânica em adultos
 perda de apetite psicogênica

F50.9 Transtorno alimentar, não especificado

F51 Transtornos não orgânicos de sono

Esse grupo de transtornos inclui:

(a) dissonias: condições primariamente psicogênicas nas quais a perturbação predominante é na quantidade, qualidade ou regulação do sono, decorrentes de causas emocionais, isto é, insônia, hipersonia e transtorno do ciclo sono-vigília;
(b) parassonias: eventos episódicos anormais que ocorrem durante o sono; na infância estes estão relacionados principalmente ao desenvolvimento da criança, enquanto no adulto eles são predominantemente psicogênicos, isto é, sonambulismo, terrores noturnos e pesadelos.

Esta seção inclui somente aqueles transtornos de sono nos quais as causas emocionais são consideradas como sendo um fator primário. Transtornos de sono de origem orgânica, tais como a síndrome de Kleine-Levin (G47.8), estão codificadas no Capítulo VI (G47. —) da CID-10. Transtornos não-psicogênicos, incluindo narcolepsia e cataplexia (G47.4), e transtornos do ciclo do sono-vigília (G47.2) também estão listados no Capítulo VI, como estão a apneia de sono (G47.3) e os transtornos episódicos de movimentos que incluem a mioclonia noturna (G25.3). Finalmente, enurese (F98.0) está listada com outros transtornos emocionais e de comportamento, com início específico na infância e adolescência, enquanto enurese noturna primária (R33.8), a qual é considerada como sendo decorrente de um retardo da maturação do controle vesical durante o sono, está listada no Capítulo XVIII da CID-10, entre os sintomas envolvendo o sistema urinário.

Em muitos casos, uma perturbação de sono é um dos sintomas de outro transtorno mental ou físico. Mesmo quando um transtorno específico de sono parece ser clinicamente independente, muitos fatores psiquiátricos e/ou físicos associados podem contribuir para a sua ocorrência. Se um transtorno de sono em um dado indivíduo é uma condição independente ou simplesmente um dos aspectos de um outro transtorno (classificado em outro lugar no Capítulo V ou em outros capítulos da CID-10) deve ser determinado com base em sua apresentação clínica e curso, assim como em condições terapêuticas e prioridades na ocasião da consulta. Em todo caso, sempre que a perturbação de sono está entre as queixas predominantes, um transtorno de sono deve ser diagnosticado. Geralmente, entretanto, é preferível listar o diagnóstico do transtorno específico de sono junto com tantos outros diagnósticos pertinentes quantos forem necessários para descrever adequadamente a psicopatologia e/ou a fisiopatologia envolvidas em um dado caso.

Exclui: transtornos de sono (orgânicos) (G47. —)

F51.0 Insônia não orgânica

Insônia é uma condição de quantidade e/ou qualidade insatisfatória de sono a qual persiste durante um período considerável de tempo. O grau real de desvio do que é geralmente considerado como uma quantidade normal de sono não deve ser a consideração primária no diagnóstico de insônia, porque alguns indivíduos (os assim chamados *short sleepers* — pessoas que dormem pouco) conseguem uma quantidade mínima de sono e no entanto não se consideram como insones. Inversamente, há pessoas que sofrem imensamente por causa da pobre qualidade de sono, enquanto que a quantidade de sono é julgada subjetiva e/ou objetivamente como dentro dos limites normais.

Entre insones, dificuldade de adormecer é a queixa mais prevalente, seguida por dificuldade de permanecer dormindo e um precoce despertar final. Usualmente, entretanto, os pacientes relatam uma combinação dessas queixas. Tipicamente, a insônia desenvolve-se num período de estresse de vida aumentado e tende a ser mais prevalente entre mulheres, indivíduos mais idosos, e pessoas psicologicamente perturbadas e em desvantagem sócio-econômica. Quando a insônia é experimentada repetidamente, ela pode levar a um aumento do medo de falta de sono e uma preocupação com suas consequências. Isso cria um círculo vicioso que tende a perpetuar o problema do indivíduo.

Indivíduos com insônia descrevem a si próprios como sentindo-se tensos, ansiosos, preocupados ou deprimidos na hora de dormir e como se seus pensamentos estivessem correndo. Eles, frequentemente ruminam se vão dormir o suficiente, sobre problemas pessoais, estado de saúde e mesmo morte. Com frequência eles tentam enfrentar sua tensão tomando medicamentos ou álcool. Pela manhã, eles frequentemente relatam sentirem-se física e mentalmente cansados; durante o dia, eles caracteristicamente sentem-se deprimidos, aflitos, tensos, irritáveis e preocupados consigo próprios.

Frequentemente se diz que crianças têm dificuldade para dormir, quando na realidade o problema é uma dificuldade no manejo das rotinas da hora de dormir (ao invés de sono *per se*); dificuldades da hora de dormir não devem ser codificadas aqui, mas no Capítulo XXI da CID-10 (Z62.0, supervisão e controle paternos inadequados).

Diretrizes diagnósticas

Os seguintes aspectos clínicos são essenciais para um diagnóstico definitivo:

(a) a queixa é tanto de dificuldade de adormecer quanto de se manter dormindo ou de pobre qualidade de sono;
(b) a perturbação de sono ocorreu pelo menos três vezes por semana durante pelo menos 1 mês;
(c) há preocupação com a falta de sono e consideração excessiva sobre suas consequências à noite e durante o dia;
(d) a quantidade e/ou qualidade insatisfatória de sono causa angústia marcante ou interfere com o funcionamento social e ocupacional.

Sempre que a quantidade e/ou qualidade insatisfatória de sono é a única queixa do paciente, o transtorno deve ser codificado aqui. A presença de outros sintomas psiquiátricos, tais como depressão, ansiedade ou obsessões, não invalida o diagnóstico de insônia, desde que insônia seja a queixa primária ou sua cronicidade e gravidade levem o paciente a percebê-la como o transtorno primário. Outros transtornos coexistentes devem ser codificados se eles são suficientemente marcantes e persistentes para justificar tratamento por si sós. Deve-se notar que a maioria dos insones crônicos está usualmente preocupada com a sua perturbação de sono e negam a existência de quaisquer problemas emocionais. Assim, uma avaliação clínica cuidadosa é necessária, antes de excluir uma base psicológica para a queixa.

Insônia é um sintoma comum de outros transtornos mentais, tais como transtornos afetivos, neuróticos, orgânicos e alimentares, uso de substâncias e esquizofrenia, e de outros transtornos de sono, tais como pesadelos. Ela também pode estar associada a transtornos físicos nos quais há dor e desconforto ou à ingestão de certas medicações. Se a insônia ocorre somente como um dos múltiplos sintomas de um transtorno mental ou de uma condição física, isto é, não domina o quadro clínico, o diagnóstico deve ser limitado àquele do transtorno mental ou físico subjacente. Ademais, o diagnóstico de um outro transtorno de sono, tal como pesadelo, transtorno do ciclo sono-vigília, apneia de sono e mioclonia noturna, deve ser feito apenas quando esses transtornos levam a uma redução da quantidade ou qualidade de sono. Contudo, em todos os exemplos acima, se a insônia é uma das queixas principais e é percebida como uma condição em si mesma, o código presente deve ser adicionado depois daquele do diagnóstico principal.

O código presente não se aplica à, assim chamada, "insônia transitória". Perturbações transitórias de sono são uma parte normal da vida diária. Assim, umas poucas noites de falta de sono relacionadas a um estressor psicossocial não seriam codificadas aqui, mas poderiam ser consideradas como parte de uma reação aguda a estresse (F43.0) ou de um transtorno de ajustamento (F43.2), se acompanhadas por outros aspectos clinicamente significativos.

F51.1 Hipersonia não orgânica

Hipersonia é definida como uma condição de sonolência diurna excessiva e ataques de sono (não explicados por uma quantidade inadequada de sono) ou transição prolongada para o estado plenamente vigil após o despertar. Quando nenhuma evidência definitiva de etiologia orgânica pode ser encontrada, essa condição está usualmente associada a transtornos mentais. Frequentemente ela é encontrada como um sintoma de um transtorno afetivo bipolar usualmente depressivo (F31.3, F31.4 ou F31.5), um transtorno depressivo recorrente (F33. —) ou um episódio depressivo (F32. —). Às vezes, entretanto, os critérios para o diagnóstico de um outro transtorno mental não podem ser satisfeitos, embora haja frequentemente alguma evidência de uma base psicopatológica para a queixa.

Alguns pacientes farão eles próprios a conexão entre sua tendência a adormecer em horas inapropriadas e certas experiências diurnas desagradáveis. Outros negam tal conexão, mesmo quando um clínico habilidoso identifica a presença dessas experiências. Em outros casos, nem fatores emocionais nem outros fatores psicológicos podem ser prontamente identificados, porém a ausência pressuposta de fatores orgânicos sugere que a hipersonia é mais provavelmente de origem psicogênica.

Diretrizes diagnósticas

Os seguintes aspectos clínicos são essenciais para um diagnóstico definitivo:

(a) sonolência diurna excessiva ou ataques de sono, não explicados por uma quantidade inadequada de sono, ou transição prolongada para o estado plenamente vigil após o despertar (embriaguez de sono);
(b) perturbação do sono ocorrendo diariamente por mais de 1 mês ou por períodos recorrentes de menor duração, causando angústia marcante ou interferência com o funcionamento social ou ocupacional;
(c) ausência de sintomas auxiliares de narcolepsia (cataplexia, paralisia de sono, alucinações hipnagógicas) ou de evidência clínica de apneia de sono (parada respiratória noturna, sons resfolegantes intermitentes típicos, etc.);
(d) ausência de qualquer condição neurológica ou médica, da qual a sonolência diurna possa ser sintomática.

Se a hipersonia ocorre somente como um dos sintomas de um transtorno mental, tal como um transtorno afetivo, o diagnóstico deve ser aquele do transtorno subjacente. O diagnóstico de hipersonia psicogênica deve ser adicionado, entretanto, se a hipersonia é a queixa predominante em pacientes com outros transtornos mentais. Quando um outro diagnóstico não pode ser feito, o código presente deve ser usado sozinho.

Diagnóstico diferencial. A diferenciação entre hipersonia e narcolepsia é essencial. Na narcolepsia (G47.4), um ou mais sintomas auxiliares, tais como cataplexia, paralisia do sono e alucinações hipnagógicas, estão geralmente presentes; os ataques de sono são irresistíveis e mais revigorantes e o sono noturno é fragmentado e encurtado. Em contraste, os ataques de sono diurnos na hipersonia são usualmente em menor número por dia, embora cada um de maior duração; o paciente é frequentemente capaz de prevenir sua ocorrência; o sono noturno é usualmente prolongado e há uma dificuldade marcante em alcançar o estado de plena vigília ao despertar (embriaguez de sono).

É importante diferenciar hipersonia não orgânica da hipersonia relacionada à apneia de sono e outras hipersonias orgânicas. Em adição ao sintoma de sonolência diurna excessiva, a maioria dos pacientes com apneia de sono tem uma história de parada respiratória noturna, sons resfolegantes intermitentes típicos, obesidade, hipertensão, impotência, comprometimento cognitivo, hipermotilidade e sudorese profusa noturnas, dores de cabeça matinais e incoordenação. Quando há uma forte suspeita de apneia de sono, a confirmação do diagnóstico e a quantificação dos eventos apneicos por meio de registros laboratoriais de sono devem ser considerados.

Hipersonia decorrente de uma causa orgânica definível (encefalite, meningite, concussão e outras lesões cerebrais, tumores cerebrais, lesões cerebrovasculares, doenças degenerativas de natureza neurológica, transtornos metabólicos, condições tóxicas, anormalidades endócrinas, síndrome pós-radiação) pode ser diferenciada da hipersonia não orgânica pela presença do fator orgânico lesivo, como evidenciado pela apresentação clínica do paciente e os resultados de testes laboratoriais apropriados.

F51.2 Transtornos não orgânicos do ciclo sono-vigília

Um transtorno do ciclo sono-vigília é definido como uma perda de sincronia entre o ciclo sono-vigília do indivíduo e o ciclo sono-vigília desejável em relação ao ambiente, resultando em uma queixa de insônia ou de hipersonia. Esse transtorno pode ser psicogênico ou de origem orgânica presumida, dependendo da contribuição relativa de fatores psicológicos ou orgânicos. Indivíduos com tempos desorganizados e variáveis de sono e vigília, mais frequentemente apresentam-se com perturbação psicológica significativa, usualmente em associação a várias condições psiquiátricas, tais como transtornos de personalidade e afetivos. Em indivíduos que frequentemente mudam de turnos de trabalho ou viajam através de fusos horários, a desregulação circadiana é basicamente biológica, embora um forte componente emocional possa também estar operando, uma vez que muitos desses indivíduos estão angustiados. Finalmente, em alguns indivíduos há um adiantamento da fase do ciclo sono-vigília desejável, a qual pode ser decorrente tanto de um mau funcionamento intrínseco do oscilador circadiano (relógio biológico) quanto de um processo anormal dos indicadores de tempo, que regulam o relógio biológico (o último pode de fato estar relacionado a uma perturbação emocional e/ou cognitiva).

O presente código é reservado para aqueles transtornos do ciclo sono-vigília nos quais fatores psicológicos desempenham o papel mais importante, enquanto casos de origem orgânica presumida devem ser classificados sob G47.2, isto é, como transtornos não psicogênicos do ciclo sono-vigília. Se fatores psicológicos são ou não de importância primária e, por conseguinte, se o presente código ou G47.2 deve ser usado, é uma questão de julgamento clínico em cada caso.

Diretrizes diagnósticas

Os seguintes aspectos clínicos são essenciais para um diagnóstico definitivo:

(a) o padrão sono-vigília do indivíduo está fora de sincronia com o ciclo sono-vigília, que é normal para uma sociedade em particular e compartilhado pela maioria das pessoas no mesmo ambiente cultural;
(b) insônia durante o principal período de sono e hipersonia durante o período de vigília são experimentadas quase todos os dias por pelo menos 1 mês ou recorrentemente por períodos mais curtos de tempo;
(c) a quantidade, qualidade e regulação insatisfatórias do sono causam angústia marcante ou interferem com o funcionamento social ou ocupacional.

Sempre que não houver nenhuma causa psiquiátrica ou física identificável do transtorno, o código presente deve ser usado sozinho. Não obstante, a presença de sintomas psiquiátricos, tais como ansiedade, depressão ou hipomania não invalida o diagnóstico de um transtorno não orgânico do ciclo sono-vigília, desde que esse transtorno seja predominante no quadro clínico do paciente. Quando outros sintomas psiquiátricos são suficientemente marcantes e persistentes, o(s) transtorno(s) mental(is) específico(s) deve(m) ser diagnosticado(s) separadamente.

Inclui: inversão psicogênica do ritmo circadiano, nicto-hemeral ou do sono

F51.3 Sonambulismo

Sonambulismo é um estado de consciência alterada no qual fenômenos de sono e vigília estão combinados. Durante um episódio de sonambulismo, o indivíduo levanta-se da cama, usualmente durante o primeiro terço do sono noturno, e caminha, exibindo baixos níveis de consciência, reatividade e habilidade motora. Um sonâmbulo irá às vezes deixar o quarto e ocasionalmente pode de fato sair de casa e ficar assim exposto a riscos consideráveis de lesão durante o episódio. Mais frequentemente, contudo, ele retornará calmamente para a cama, por si próprio ou quando gentilmente conduzido por uma outra pessoa. Ao despertar do episódio de sonambulismo ou na manhã seguinte, não há usualmente recordação do acontecimento.

Sonambulismo e terrores noturnos (F51.4) estão muito intimamente relacionados. Ambos são considerados como transtornos do despertar, particularmente dos estágios mais profundos do sono (estágios 3 e 4). Muitos indivíduos têm uma história familiar positiva para qualquer uma das condições, tanto quanto uma história pessoal de ter experimentado ambas. Além disso, ambas as condições são muito mais comuns na infância, o que indica o papel dos fatores de desenvolvimento em sua etiologia. Ademais, em alguns casos, o início dessas condições coincide com uma doença febril. Quando elas continuam além da infância ou são observadas pela primeira vez na idade adulta, ambas as condições tendem a estar associadas à perturbação psicológica significativa; as condições podem também ocorrer pela primeira vez na velhice ou nos estágios iniciais de demência. Com base nas similaridades clínicas e patogênicas entre sonambulismo e terrores noturnos e no fato de que o diagnóstico diferencial entre esses transtornos é usualmente uma questão de qual dos dois é predominante, ambos têm sido considerados recentemente como parte do mesmo *continuum* nosológico. Por consistência com a tradição, entretanto, assim como para enfatizar as diferenças na intensidade das manifestações clínicas, códigos separados são fornecidos nesta classificação.

Diretrizes diagnósticas

Os seguintes aspectos clínicos são essenciais para um diagnóstico definitivo:

(a) o sintoma predominante é um ou mais episódios de levantar da cama, usualmente durante o primeiro terço do sono noturno, e andar;
(b) durante o episódio, o indivíduo tem uma face fixa e inexpressiva e está relativamente não responsivo aos esforços de outros e pode ser despertado somente com dificuldade considerável;

F50 — F59 SÍNDROMES COMPORTAMENTAIS

(c) ao despertar (seja de um episódio ou na manhã seguinte), o indivíduo não tem recordação do episódio;
(d) dentro de vários minutos do sair do episódio, não há comprometimento da atividade mental ou comportamento, embora possa haver inicialmente um curto período de alguma confusão e desorientação;
(e) não há nenhuma evidência de um transtorno mental orgânico, tal como demência, ou de um transtorno físico, tal como epilepsia.

Diagnóstico diferencial. O sonambulismo deve ser diferenciado de crises epiléticas psicomotoras. A epilepsia psicomotora muito raramente ocorre apenas à noite. Durante o ataque epilético, o indivíduo está completamente não responsivo aos estímulos ambientais e movimentos perseverativos, tais como engolir ou esfregar as mãos, são comuns. A presença de descargas epiléticas no EEG confirma o diagnóstico, embora um transtorno convulsivo não impossibilite a coexistência do sonambulismo.

Fuga dissociativa (ver F44.1) deve também ser diferenciada de sonambulismo. Em transtornos dissociativos, os episódios são muito mais longos em duração e os pacientes estão mais alertas e capazes de comportamentos complexos e intencionais. Além do mais, esses transtornos são raros em crianças e começam tipicamente durante as horas de vigília.

F51.4 Terrores noturnos

Terrores noturnos são episódios noturnos de extremo terror e pânico associados com intensa vocalização, motilidade e altos níveis de descarga autonômica. O indivíduo senta ou levanta com um grito aterrorizado, usualmente durante o primeiro terço do sono noturno, com frequência correndo para a porta como se tentando escapar, embora ele muito raramente deixe o quarto. Esforços de outros para influenciar o evento do terror noturno podem, de fato, levar a um medo mais intenso, uma vez que o indivíduo não somente está relativamente não responsivo a tais esforços, mas pode também tornar-se desorientado por poucos minutos. Ao despertar não há usualmente recordação do episódio. Por causa destas características clínicas, os indivíduos correm grande risco de lesão durante os episódios de terrores noturnos.

Terrores noturnos e sonambulismo (F51.3) estão intimamente relacionados: fatores genéticos, de desenvolvimento, orgânicos e psicológicos desempenham todos um papel em seu desenvolvimento e as duas condições compartilham as mesmas características clínicas e fisiopatológicas. Com base em suas muitas similaridades, essas duas condições têm sido consideradas recentemente como sendo parte do mesmo *continuum* nosológico.

Diretrizes diagnósticas

Os seguintes aspectos clínicos são essenciais para um diagnóstico definitivo:

(a) o sintoma predominante é que um ou mais episódios de despertar do sono começam com um grito aterrorizado e são caracterizados por intensa ansiedade, motilidade corporal e hiperatividade autonômica, tal como taquicardia, respiração rápida, pupilas dilatadas e sudorese;
(b) esses episódios repetidos tipicamente duram 1-10 minutos e usualmente ocorrem durante o primeiro terço do sono noturno;
(c) há relativa não responsividade aos esforços de outros para influenciar o evento de terror noturno e tais esforços são quase invariavelmente seguidos por pelo menos vários minutos de desorientação e movimentos perseverativos;
(d) a recordação do evento, se há alguma, é mínima (usualmente limitada a uma ou duas imagens mentais fragmentadas);
(e) não há nenhuma evidência de um transtorno físico tal como tumor cerebral ou epilepsia.

Diagnóstico diferencial. Terrores noturnos devem ser diferenciados de pesadelos. Os últimos são os comuns "sonhos ruins", com limitada, se alguma, vocalização e motilidade corporal. Em contraste com os terrores noturnos, pesadelos ocorrem em qualquer hora da noite e o indivíduo é fácil de despertar e tem uma recordação muito detalhada e vívida do evento.

Na diferenciação entre terrores noturnos e ataques epiléticos, o médico deve ter em mente que ataques muito raramente ocorrem somente durante a noite; um EEG clinicamente anormal, entretanto, favorece o diagnóstico de epilepsia,

F51.5 Pesadelos

Pesadelos são experiências oníricas carregadas de ansiedade ou pavor, das quais o indivíduo tem recordação muito detalhada. As experiências oníricas são extremamente vívidas e usualmente incluem temas envolvendo ameaças à sobrevivência, segurança ou autoestima. Muito frequentemente há uma recorrência dos mesmos, temas assustadores do pesadelo, ou similares. Durante um episódio típico há um grau de descarga autonômica, mas não vocalização ou motilidade corporal apreciáveis. Ao despertar, o indivíduo rapidamente torna-se alerta e orientado. Ele pode comunicar-se plenamente com os outros, usualmente dando um relato detalhado da experiência onírica, seja imediatamente ou na manhã próxima.

Em crianças, não há perturbação psicológica consistentemente associada, visto que pesadelos na infância estão usualmente relacionados a uma fase específica do desenvolvimento emocional. Em contraste, em adultos com pesadelos, frequentemente, encontra-se perturbação psicológica significativa, usualmente na forma de um transtorno de personalidade. O uso de certas drogas psicotrópicas, tais como reserpina, tioridazina, antidepressivos tricíclicos e benzodiazepínicos, tem sido visto como contribuindo para a ocorrência de pesadelos. Além disso, abstinência abrupta de drogas, tais como hipnóticos não benzodiazepínicos, os quais suprimem o sono REM (o estágio de sono relacionado ao sonho) pode levar a um aumento de sonhos e pesadelos através do rebote do REM.

Diretrizes diagnósticas

Os seguintes aspectos clínicos são essenciais para um diagnóstico definitivo:

(a) despertar de sonos noturnos ou sestas com recordações detalhadas e vívidas de sonhos intensamente assustadores, usualmente envolvendo ameaças à sobrevivência, segurança ou autoestima; o despertar pode ocorrer em qualquer hora durante o período de sono, mas tipicamente durante a segunda metade;
(b) ao despertar dos sonhos assustadores, o indivíduo rapidamente torna-se orientado e alerta;
(c) a experiência onírica em si e a perturbação do sono resultante causam angústia marcante ao indivíduo.

Inclui: transtorno de ansiedade onírica

Diagnóstico diferencial. É importante diferenciar pesadelos de terrores noturnos. Nos últimos, os episódios ocorrem durante o primeiro terço do período de sono e são marcados por ansiedade intensa, gritos aterrorizados, motilidade corporal excessiva e descarga autonômica extrema. Além disso, em terrores noturnos não há recordação detalhada do sonho, seja seguindo-se imediatamente ao episódio ou ao despertar pela manhã.

F51.8   Outros transtornos não orgânicos de sono

F51.9   Transtorno não orgânico de sono, não especificado

Inclui: transtorno emocional do sono SOE

F52 Disfunção sexual, não causada por transtorno ou doença orgânica

A disfunção sexual cobre os vários modos nos quais um indivíduo é incapaz de participar de um relacionamento sexual como ele desejaria. Pode haver falta de interesse, falta de prazer ou falha das respostas fisiológicas necessárias para a interação sexual efetiva (p. ex., ereção) ou incapacidade de controlar ou experimentar orgasmo.

A resposta sexual é um processo psicossomático e ambos os processos, psicológico e somático, estão usualmente envolvidos na causação de disfunção sexual. Pode ser possível identificar uma etiologia psicogênica ou orgânica inequívoca, porém mais comumente, em particular com problemas tais como falha de ereção ou dispareunia, é difícil avaliar a importância relativa de fatores psicológicos e/ou orgânicos. Em tais casos, é apropriado categorizar a condição como sendo de etiologia mista ou incerta.

Alguns tipos de disfunção (p. ex., perda de desejo sexual) ocorrem em ambos, homens e mulheres. As mulheres, contudo, tendem a se apresentar mais comumente com queixas sobre a qualidade subjetiva da experiência sexual (p. ex., falta de prazer ou interesse) em vez de falha de uma resposta específica. A queixa de disfunção orgásmica não é inusual, porém quando um aspecto da resposta sexual de uma mulher é afetado, outros estão também provavelmente comprometidos. Por exemplo, se uma mulher é incapaz de experimentar o orgasmo, ela frequentemente se encontrará incapaz de desfrutar outros aspectos da relação erótica e assim perderá muito de seu apetite sexual. Os homens, por outro lado, embora queixando-se de falha de uma resposta sexual específica, tal como ereção ou ejaculação, frequentemente relatam um apetite sexual mantido. É, portanto, necessário olhar além da queixa apresentada para encontrar a categoria diagnóstica mais apropriada.

Exclui: síndrome de Dhat (F48.8)
   koro (F48.8)

F52.0 Falta ou perda de desejo sexual

Perda de desejo sexual é o problema principal e não é secundária a outras dificuldades sexuais, tais como falha de ereção ou dispareunia. Falta de desejo sexual não impossibilita prazer ou excitação sexual, mas torna a iniciação da atividade sexual menos provável.

Inclui: frigidez
   transtorno de desejo sexual hipoativo

F50 — F59 SÍNDROMES COMPORTAMENTAIS

F52.1 Aversão sexual e falta de prazer sexual

F52.10 Aversão sexual
A perspectiva de interação sexual com um parceiro é associada a fortes sentimentos negativos e produz medo ou ansiedade suficientes para que a atividade sexual seja evitada.

F52.11 Falta de prazer sexual
As respostas sexuais ocorrem normalmente e o orgasmo é experimentado, mas há uma falta de prazer apropriado. Esta queixa é muito mais comum em mulheres que em homens.

Inclui: anedonia (sexual)

F52.2 Falha de resposta genital

Em homens, o problema principal é disfunção de ereção, isto é, dificuldade em desenvolver ou manter uma ereção adequada para um intercurso satisfatório. Se a ereção ocorre normalmente em certas situações, por exemplo, durante masturbação ou sono ou com uma parceira diferente, a causação é provavelmente psicogênica. Caso contrário, o diagnóstico correto de disfunção de ereção não orgânica pode depender de investigações especiais (p. ex., medida de tumescência peniana noturna) ou da resposta ao tratamento psicológico.

Em mulheres, o problema principal é ressecamento vaginal ou falha de lubrificação. A causa pode ser psicogênica, patológica (p. ex., infecção) ou deficiência de estrogênio (p. ex., pós-menopausa). É inusual para mulheres queixarem-se primariamente de ressecamento vaginal, exceto como um sintoma de deficiência de estrogênio pós-menopausa.

Inclui: transtorno de excitação sexual feminina
   transtorno de ereção masculina
   impotência sexual

F52.3 Disfunção orgásmica

O orgasmo não ocorre ou está marcantemente retardado. Isto pode ser situacional (isto é, ocorre apenas em certas situações), caso este em que a etiologia é provavelmente psicogênica, ou é invariável, quando fatores físicos ou constitucionais não podem ser facilmente excluídos, exceto por uma resposta positiva a tratamento psicológico. A disfunção orgásmica é mais comum em mulheres do que em homens.

Inclui: orgasmo inibido (masculino) (feminino)
   anorgasmia psicogênica

F52.4 Ejaculação precoce

A incapacidade de controlar a ejaculação o suficiente para ambos os parceiros gozarem a interação sexual. Em casos graves, a ejaculação pode ocorrer antes da penetração vaginal ou na ausência de uma ereção. Ejaculação precoce é improvavelmente de origem orgânica, mas pode ocorrer como uma reação psicológica a comprometimento orgânico, por exemplo, falha de ereção ou dor. A ejaculação pode também parecer ser precoce se a ereção requer estimulação prolongada, levando o intervalo de tempo entre uma ereção satisfatória e a ejaculação a ser abreviado; o problema primário em tal caso é ereção retardada.

F52.5 Vaginismo não orgânico

Espasmo dos músculos que circundam a vagina, causando oclusão da abertura vaginal. A penetração do pênis é impossível ou dolorosa. Vaginismo pode ser uma reação secundária a alguma causa local de dor, caso no qual essa categoria não deve ser usada.

Inclui: vaginismo psicogênico

F52.6 Dispareunia não orgânica

Dispareunia (dor durante o intercurso sexual) ocorre tanto em mulheres como em homens. Pode, frequentemente, ser atribuída a uma condição patológica local e deve então ser apropriadamente categorizada. Em alguns casos, entretanto, nenhuma causa óbvia é aparente e fatores emocionais podem ser importantes. Essa categoria é para ser usada somente se não há outra disfunção sexual mais primária (p. ex., vaginismo ou ressecamento vaginal).

Inclui: dispareunia psicogênica

F52.7 Impulso sexual excessivo

Ambos, homens e mulheres, podem ocasionalmente queixarem-se de impulso sexual excessivo como um problema por si só, usualmente durante o final da adolescência ou início da idade adulta. Quando o impulso sexual é secundário a um transtorno afetivo (F30 — F39) ou quando ocorre durante os estágios iniciais de demência (F00 — F03), o transtorno subjacente deve ser codificado.

Inclui: ninfomania satiríase

F52.8 Outras disfunções sexuais, não causadas por transtorno ou doença orgânica

F52.9 Disfunção sexual, não causada por transtorno ou doença orgânica, não especificada

F53 Transtornos mentais e de comportamento associados ao puerpério, não classificados em outros locais

Essa classificação deve ser usada apenas para transtornos mentais associados ao puerpério (iniciando dentro de 6 semanas após o parto) que não satisfaçam os critérios para transtornos classificados em outros locais deste livro, tanto porque a informação disponível é insuficiente quanto porque considera-se que aspectos clínicos adicionais especiais estão presentes, os quais fazem a classificação em outros locais inapropriada. Será usualmente possível classificar transtornos mentais associados ao puerpério pelo uso de dois outros códigos: o primeiro é de algum lugar no Capítulo V (F) e indica o tipo específico de transtorno mental [usualmente afetivo (F30 – F39)] e o segundo é O99.3 (doenças mentais e doenças do sistema nervoso complicando o puerpério) da CID-10.

F53.0 **Transtornos mentais e de comportamento, leves, associados ao puerpério, não classificados em outros locais**
Inclui: depressão pós-natal SOE
depressão pós-parto SOE

F53.1 **Transtornos mentais e de comportamento, graves, associados ao puerpério, não classificados em outros locais**
Inclui: psicose puerperal SOE

F53.8 **Outros transtornos mentais e de comportamento associados ao puerpério, não classificados em outros locais**

F53.9 **Transtorno mental puerperal, não especificado**

F54 Fatores psicológicos e de comportamento associados a transtornos ou doenças classificadas em outros locais

Essa categoria deve ser usada para registrar a presença de influências psicológicas ou de comportamento supostas de terem desempenhado um papel importante na etiologia de transtornos físicos, que podem ser classificados pelo uso de outros capítulos da CID-10. Quaisquer perturbações mentais resultantes são usualmente leves e frequentemente prolongadas (tais como preocupação, conflito emocional, apreensão) e não justificam por elas mesmas o uso de qualquer das categorias descritas no resto deste livro. Um código adicional deve ser usado para identificar o transtorno físico (nas raras ocasiões nas quais um transtorno psiquiátrico patente é suposto como tendo causado um transtorno físico, um segundo código adicional deve ser usado para registrar o transtorno psiquiátrico).

Exemplos do uso dessa categoria são: asma (F54 mais J45. —); dermatite e eczema (F54 mais L23 — L25); úlcera gástrica (F54 mais K25. —); colite mucosa (F54 mais K58. —); colite ulcerativa (F54 mais K51. —) e urticária (F54 mais L50. —).

Inclui: fatores psicológicos afetando condições físicas

Exclui: cefaleia tensional (G44.2)

F55 Abuso de substâncias que não produzem dependência

Uma ampla variedade de medicamentos, drogas patenteadas e remédios populares pode estar envolvida, mas três grupos particularmente importantes são: drogas psicotrópicas que não produzem dependência, tais como antidepressivos; laxativos e analgésicos, que podem ser comprados sem prescrição médica, tais como aspirina e paracetamol. Embora a medicação possa ter sido prescrita ou recomendada, numa primeira instância por um médico, desenvolve-se uma dosagem prolongada, desnecessária e frequentemente excessiva, a qual é facilitada pela disponibilidade das substâncias sem prescrição médica. O uso persistente e injustificado dessas substâncias é usualmente associado a gastos desnecessários, frequentemente envolve contatos desnecessários com profissionais médicos ou equipe de apoio e é às vezes marcado pelos efeitos físicos nocivos das substâncias. Tentativas de desencorajar ou proibir o uso da substância frequentemente encontram resistência; para laxativos e analgésicos isto pode ocorrer, a despeito de avisos sobre problemas físicos (ou mesmo de seu desenvolvimento), tais como disfunção renal ou perturbações eletrolíticas. Embora seja usualmente claro que o paciente tem forte motivação para tomar a substância, não há desenvolvimento de dependência (F1x.2) ou sintomas de abstinência (F1x.3), como no caso das substâncias psicoativas especificadas em F10 — F19.

Um quarto caractere pode ser usado para identificar o tipo de substância envolvida.

F50 — F59 SÍNDROMES COMPORTAMENTAIS

F55.0 Antidepressivos
(tais como depressivos tricíclicos e tetracíclicos e inibidores da monoaminaoxidase)

F55.1 Laxativos

F55.2 Analgésicos
(tais como aspirina, paracetamol, fenacetina, não especificados como psicoativos em F10 — F19)

F55.3 Antiácidos

F55.4 Vitaminas

F55.5 Esteroides ou hormônios

F55.6 Ervas ou remédios folclóricos populares específicos

F55.8 Outras substâncias que não produzem dependência
(tais como diuréticos)

F55.9 Não especificada
Exclui: abuso de substâncias psicoativas (produtoras de dependência) (F10 — F19)

F59 Síndromes comportamentais associadas a transtornos fisiológicos e fatores físicos, não especificadas

Inclui: disfunção fisiológica psicogênica SOE

F60 — F69
Transtornos de personalidade e de comportamento em adultos

Visão geral deste bloco

F60 Transtornos específicos de personalidade
   F60.0 Transtorno de personalidade paranoide
   F60.1 Transtorno de personalidade esquizoide
   F60.2 Transtorno de personalidade antissocial
   F60.3 Transtorno de personalidade emocionalmente instável
      .30 Tipo impulsivo
      .31 Tipo *borderline* (limítrofe)
   F60.4 Transtorno de personalidade histriônica
   F60.5 Transtorno de personalidade anancástica
   F60.6 Transtorno de personalidade ansiosa (de evitação)
   F60.7 Transtorno de personalidade dependente
   F60.8 Outros transtornos específicos de personalidade
   F60.9 Transtorno de personalidade, não especificado

F61 Transtornos de personalidade, mistos e outros
   F61.0[1] Transtornos mistos de personalidade
   F61.1[1] Alterações importunas de personalidade

F62 Alterações permanentes de personalidade, não atribuíveis à lesão ou doença cerebral
   F62.0 Alteração permanente de personalidade após experiência catastrófica
   F62.1 Alteração permanente de personalidade após doença psiquiátrica
   F62.8 Outras alterações permanentes de personalidade
   F62.9 Alteração permanente de personalidade, não especificada

F63 Transtornos de hábitos e impulsos
   F63.0 Jogo patológico
   F63.1 Comportamento incendiário patológico (piromania)
   F63.2 Roubo patológico (cleptomania)
   F63.3 Tricotilomania
   F63.8 Outros transtornos de hábitos e impulsos
   F63.9 Transtorno de hábitos e impulsos, não especificado

---

1 Esse código de quarto caractere não está incluído no Capítulo V (F) da CID-10.

F64 Transtornos de identidade sexual
F64.0 Transexualismo
F64.1 Transvestismo de duplo papel
F64.2 Transtorno de identidade sexual na infância
F64.8 Outros transtornos de identidade sexual
F64.9 Transtorno de identidade sexual, não especificado

F65 Transtornos de preferência sexual
F65.0 Fetichismo
F65.1 Transvestismo fetichista
F65.2 Exibicionismo
F65.3 Voyeurismo
F65.4 Pedofilia
F65.5 Sadomasoquismo
F65.6 Transtornos múltiplos de preferência sexual
F65.8 Outros transtornos de preferência sexual
F65.9 Transtorno de preferência sexual, não especificado

F66 Transtornos psicológicos e de comportamento associados ao desenvolvimento e orientação sexuais
F66.0 Transtorno de maturação sexual
F66.1 Orientação sexual egodistônica
F66.2 Transtorno de relacionamento sexual
F66.8 Outros transtornos de desenvolvimento psicossexual
F66.9 Transtorno de desenvolvimento psicossexual, não especificado

Um quinto caractere pode ser usado para indicar associação a:
.x0 Heterossexualidade
.x1 Homossexualidade
.x2 Bissexualidade
.x8 Outros, incluindo pré-puberal

F68 Outros transtornos de personalidade e de comportamento em adultos
F68.0 Elaboração de sintomas físicos por razões psicológicas
F68.1 Produção intencional ou invenção de sintomas ou incapacidades físicas ou psicológicas (transtorno factício)
F68.8 Outros transtornos especificados de personalidade e de comportamento em adultos

F69 Transtorno não especificado de personalidade e de comportamento em adultos

Introdução

Este bloco inclui uma variedade de condições e de padrões de comportamento clinicamente significativos, os quais tendem a ser persistentes e são a expressão do estilo de vida e do modo de se relacionar, consigo mesmo e com os outros, característicos de um indivíduo. Algumas dessas condições e padrões de comportamento surgem precocemente no curso do desenvolvimento individual, como um resultado tanto de fatores constitucionais como da experiência social, enquanto outros são adquiridos mais tarde na vida.

F60 — F62 Transtornos específicos de personalidade, transtornos de personalidade, mistos e outros, e alterações permanentes de personalidade

Esses tipos de condição abrangem padrões de comportamento profundamente arraigados e permanentes, manifestando-se como respostas inflexíveis a uma ampla série de situações pessoais e sociais. Eles representam desvios extremos ou significativos do modo como o indivíduo médio, em uma dada cultura, percebe, pensa, sente e, particularmente, se relaciona com os outros. Tais padrões de comportamento tendem a ser estáveis e a abranger múltiplos domínios de comportamento e funcionamento psicológico. Eles estão frequentemente, mas não sempre, associados a graus variados de angústia subjetiva e a problemas no funcionamento e desempenho sociais.

Transtornos de personalidade diferem de alteração de personalidade pelo tempo e modo de seu aparecimento: eles são condições de desenvolvimento, as quais aparecem na infância ou adolescência e continuam pela vida adulta. Eles não são secundários a um outro transtorno mental ou doença cerebral, embora possam preceder ou coexistir com outros transtornos. Em contraste, alteração de personalidade é adquirida usualmente durante a vida adulta, seguindo-se a estresse grave ou prolongado, privação ambiental extrema, transtorno psiquiátrico sério ou doença ou lesão cerebral (ver F07. —).

Cada uma das condições neste grupo pode ser classificada de acordo com suas manifestações comportamentais predominantes. Entretanto, a classificação nesta área está atualmente limitada a uma série de tipos e subtipos, os quais não são mutuamente excludentes e se sobrepõem em algumas de suas características.

Transtornos de personalidade são, por conseguinte, subdivididos de acordo com agrupamentos de traços que correspondem às manifestações comportamentais mais assíduas ou conspícuas. Os subtipos assim descritos são largamente reconhecidos como formas maiores de desvio de personalidade. Ao fazer um diagnóstico de transtorno de personalidade, o clínico deve considerar todos os aspectos do funcionamento pessoal, embora a formulação diagnóstica, para ser simples e eficiente, se referirá somente àquelas dimensões ou traços para os quais os limiares sugeridos para gravidade são alcançados.

A avaliação deve ser baseada em tantas fontes de informações quanto possíveis. Embora seja às vezes possível avaliar uma condição de personalidade em uma única entrevista com o paciente, é frequentemente necessário ter mais de uma entrevista e colher dados de história com informantes.

A ciclotimia e o transtorno esquizotípico foram anteriormente classificados com os transtornos de personalidade, mas são agora listados em outros blocos (ciclotimia em F30 — F39 e transtorno esquizotípico em F20 — F29), desde que eles parecem ter muitos aspectos em comum com os transtornos naqueles blocos (p. ex., fenômenos, história familiar).

A subdivisão de alteração de personalidade é baseada na causa ou antecedente de tal alteração, isto é, experiência catastrófica, estresse ou tensão prolongada e doença psiquiátrica (excluindo esquizofrenia residual, a qual é classificada sob F20.5).

É importante separar condições de personalidade dos outros transtornos incluídos em outras categorias deste livro. Se uma condição de personalidade precede ou se segue a um transtorno psiquiátrico limitado no tempo ou crônico, ambos devem ser diagnosticados. O uso do formato multiaxial que acompanha a classificação nuclear de transtornos mentais e fatores psicossociais irá facilitar o registro dessas condições e transtornos.

Variações culturais ou regionais, nas manifestações de condições de personalidade, são importantes, mas o conhecimento específico na área ainda é escasso. Condições de personalidade que parecem ser frequentemente reconhecidas em uma dada parte do mundo, mas não correspondem a nenhum dos subtipos especificados abaixo, podem ser classificadas como "outros" transtornos de personalidade e identificadas através de um código de cinco caracteres, fornecido em uma adaptação desta classificação para aquele país ou região em especial. Variações locais nas manifestações de um transtorno de personalidade podem também estar refletidas na redação do conjunto de diretrizes diagnósticas para tais condições.

F60 Transtornos específicos de personalidade

Um transtorno específico de personalidade é uma perturbação grave da constituição caracterológica e das tendências comportamentais do indivíduo, usualmente envolvendo várias áreas da personalidade e quase sempre associado à considerável ruptura pessoal e social. O transtorno de personalidade tende a aparecer no final da infância ou na adolescência e continua a se manifestar pela idade adulta. É, entretanto, improvável que o diagnóstico de transtorno de personalidade seja apropriado antes da idade de 16 ou 17 anos.

As diretrizes diagnósticas gerais aplicáveis a todos os transtornos de personalidade são apresentadas abaixo; descrições suplementares são fornecidas para cada um dos subtipos.

Diretrizes diagnósticas

Condições não diretamente atribuíveis à lesão ou à doença cerebral flagrante ou a outro transtorno psiquiátrico, satisfazendo os seguintes critérios:

(a) atitudes e condutas marcantemente desarmônicas, envolvendo em várias áreas de funcionamento, p. ex., afetividade, excitabilidade, controle de impulsos, modos de percepção e de pensamento e estilo de relacionamento com os outros;
(b) o padrão anormal de comportamento é permanente, de longa duração e não limitado a episódios de doença mental;
(c) o padrão anormal de comportamento é invasivo e claramente mal-adaptativo para uma ampla série de situações pessoais e sociais;
(d) as manifestações acima sempre aparecem durante a infância ou adolescência e continuam pela idade adulta;
(e) o transtorno leva à angústia pessoal considerável, mas isso pode se tornar aparente apenas tardiamente em seu curso;
(f) o transtorno é usual, mas não invariavelmente associado a problemas significativos no desempenho ocupacional e social.

Para culturas diferentes pode ser necessário desenvolver conjuntos específicos de critérios com respeito a normas, deveres e obrigações sociais. Para diagnosticar a maioria dos subtipos listados abaixo, é em geral requerida uma evidência clara da presença de pelo menos três dos traços ou comportamentos dados na descrição clínica.

F60.0 Transtorno de personalidade paranoide

Transtornos de personalidade caracterizado por:

(a) sensibilidade excessiva a contratempos e rejeições;
(b) tendência a guardar rancores persistentemente, isto é, recusa a perdoar insultos e injúrias ou desfeitas;
(c) desconfiança e uma tendência invasiva a distorcer experiências por interpretar erroneamente as ações neutras ou amistosas de outros como hostis ou desdenhosas;
(d) um combativo e obstinado senso de direitos pessoais em desacordo com a situação real;
(e) suspeitas recorrentes, sem justificativa, com respeito à fidelidade sexual do cônjuge ou parceiro sexual;
(f) tendência a experimentar autovalorização excessiva, manifesta em uma atitude persistente de autorreferência;

(g) preocupação com explicações "conspiratórias", não substanciadas, de eventos ocorrendo próximos ao paciente assim como no mundo.

Inclui: personalidade (transtorno) paranoide expansiva, fanática, querelante e paranoide sensitiva

Exclui: transtorno delirante (F22. —)
   esquizofrenia (F20. —)

F60.1 Transtorno de personalidade esquizoide

Transtorno de personalidade satisfazendo à seguinte descrição:

(a) poucas (se algumas) atividades produzem prazer;
(b) frieza emocional, afetividade distanciada ou embotada;
(c) capacidade limitada para expressar sentimentos calorosos, ternos ou raiva para com os outros;
(d) indiferença aparente a elogios ou críticas;
(e) pouco interesse em ter experiências sexuais com outra pessoa (levando-se em conta a idade);
(f) preferência quase invariável por atividades solitárias;
(g) preocupação excessiva com fantasia e introspecção;
(h) falta de amigos íntimos ou de relacionamentos confidentes (ou ter apenas um) e de desejo de tais relacionamentos;
(i) insensibilidade marcante para com normas e convenções sociais predominantes.

Exclui: síndrome de Asperger (F84.5)
   transtorno delirante (F22.0)
   transtorno esquizoide da infância (F84.5)
   esquizofrenia (F20. —)
   transtorno esquizotípico (F21)

F60.2 Transtorno de personalidade antissocial

Transtorno de personalidade, usualmente vindo de atenção por uma disparidade flagrante entre o comportamento e as normas sociais predominantes, e caracterizado por:

(a) indiferença insensível pelos sentimentos alheios;
(b) atitude flagrante e persistente de irresponsabilidade e desrespeito por normas, regras e obrigações sociais;
(c) incapacidade de manter relacionamentos, embora não haja dificuldade em estabelecê-los;

(d) muito baixa tolerância à frustração e um baixo limiar para descarga de agressão, incluindo violência;
(e) incapacidade de experimentar culpa e de aprender com a experiência, particularmente punição;
(f) propensão marcante para culpar os outros ou para oferecer racionalizações plausíveis para o comportamento que levou o paciente a conflito com a sociedade.

Pode também haver irritabilidade persistente como um aspecto associado. Transtorno de conduta durante a infância e adolescência, ainda que não invariavelmente presente, pode dar maior suporte ao diagnóstico.

Inclui: personalidade (transtorno) amoral, dissocial, associal, psicopática e sociopática

Exclui: transtornos de conduta (F91. —)
transtorno de personalidade emocionalmente instável (F60.3)

F60.3 Transtorno de personalidade emocionalmente instável

Um transtorno de personalidade no qual há uma tendência marcante a agir impulsivamente sem consideração das consequências, junto com instabilidade afetiva. A capacidade de planejar pode ser mínima e acessos de raiva intensa podem com frequência levar à violência ou a "explosões comportamentais"; estas são facilmente precipitadas quando atos impulsivos são criticados ou impedidos por outros. Duas variantes desse transtorno de personalidade são especificadas e ambas compartilham esse tema geral de impulsividade e falta de autocontrole.

F60.30 Tipo impulsivo
As características predominantes são instabilidade emocional e falta de controle de impulsos. Acessos de violência ou comportamento ameaçador são comuns, particularmente em resposta a críticas de outros.

Inclui: personalidade (transtorno) explosiva e agressiva

Exclui: transtorno antissocial de personalidade (F60.2)

F60.31 Tipo *borderline* (limítrofe)
Várias das características de instabilidade emocional estão presentes; em adição, a autoimagem, objetivos e preferências internas (incluindo a sexual) do paciente são com frequência pouco claras ou perturbadas. Há em geral sentimentos crônicos de vazio. Uma propensão a se envolver em relacionamentos intensos e instáveis pode causar repetidas crises emocionais e pode

estar associada com esforços excessivos para evitar abandono e uma série de ameaças de suicídio ou atos de autolesão (embora esses possam ocorrer sem precipitantes óbvios).

Inclui: personalidade (transtorno) *borderline* (limítrofe)

F60.4 Transtorno de personalidade histriônica

Transtorno de personalidade caracterizado por:

(a) autodramatização, teatralidade, expressão exagerada de emoções;
(b) sugestionabilidade, facilmente influenciada por outros ou por circunstâncias;
(c) afetividade superficial e lábil;
(d) busca contínua de excitação, apreciação por outros e atividades nas quais o paciente seja o centro das atenções;
(e) sedução inapropriada em aparência ou comportamento;
(f) preocupação excessiva com atratividade física.

Aspectos associados podem incluir egocentrismo, autoindulgência, ânsia contínua de apreciação, sentimentos que são facilmente feridos e comportamento manipulativo persistente para alcançar as próprias necessidades.

Inclui: personalidade (transtorno) histérica e psicoinfantil

F60.5 Transtorno de personalidade anancástica

Transtorno de personalidade caracterizado por:

(a) sentimentos de dúvida e de cautela excessivas;
(b) preocupação com detalhes, regras, listas, ordem, organização ou esquemas;
(c) perfeccionismo que interfere com a conclusão de tarefas;
(d) consciencioso em excesso, escrupulosidade e preocupação indevida com produtividade com exclusão do prazer e das relações interpessoais;
(e) pedantismo e aderência excessivos às convenções sociais;
(f) rigidez e teimosia;
(g) insistência não razoável por parte do paciente para que os outros se submetam exatamente à sua maneira de fazer as coisas ou relutância não razoável em permitir que os outros façam as coisas;
(h) intrusão de pensamentos ou impulsos insistentes e inoportunos.

Inclui: personalidade (transtorno) compulsiva e obsessiva
transtorno de personalidade obsessivo-compulsiva

Exclui: transtorno obsessivo-compulsivo (F42. —)

F60.6 Transtorno de personalidade ansiosa (de evitação)

Transtorno de personalidade caracterizado por:

(a) sentimentos persistentes e invasivos de tensão e apreensão;
(b) crença de ser socialmente inepto, pessoalmente desinteressante ou inferior aos outros;
(c) preocupação excessiva em ser criticado ou rejeitado em situações sociais;
(d) relutância em se envolver com pessoas, a não ser com certeza de ser apreciado;
(e) restrições no estilo de vida devido à necessidade de segurança física;
(f) evitação de atividades sociais e ocupacionais que envolvam contato interpessoal significativo por medo de críticas, desaprovação ou rejeição.

Aspectos associados podem incluir hipersensibilidade à rejeição e críticas.

F60.7 Transtorno de personalidade dependente

Transtorno de personalidade caracterizado por:

(a) encorajar ou permitir a outros tomarem a maioria das importantes decisões da vida do indivíduo;
(b) subordinação de suas próprias necessidades àquelas dos outros dos quais é dependente e aquiescência aos desejos desses;
(c) relutância em fazer exigências ainda que razoáveis às pessoas das quais depende;
(d) sentir-se inconfortável ou desamparado quando sozinho por causa de medos exagerados de incapacidade de se autocuidar;
(e) preocupações com medos de ser abandonado por uma pessoa com a qual tem um relacionamento íntimo e de ser deixado para cuidar de si próprio;
(f) capacidade limitada de tomar decisões cotidianas sem um excesso de conselhos e reasseguramento pelos outros.

Aspectos associados podem incluir perceber-se como desamparado, incompetente e com falta de vigor.

Inclui: personalidade (transtorno) astênica, inadequada, passiva e autoderrotista

F60.8 Outros transtornos de personalidade

Um transtorno de personalidade que não se enquadra em nenhuma das rubricas específicas F60.0 — F60.7.

Inclui: personalidade (transtorno) excêntrica, tipo *haltlose*, imatura, narcisista, passivo-agressiva e psiconeurótica

F60.9 Transtorno de personalidade, não especificado

Inclui: neurose de caráter SOE personalidade patológica SOE

F61 Transtornos de personalidade, mistos e outros

Essa categoria é planejada para transtornos e anormalidades de personalidade que são frequentemente importunos, mas não demonstram os padrões específicos de sintomas que caracterizam os transtornos descritos em F60. —. Consequentemente, eles são com assiduidade mais difíceis de diagnosticar que os transtornos naquela categoria. Dois tipos são aqui especificados pelo quarto caractere; quaisquer outros tipos diferentes devem ser codificados como F60.8.

F61.0[1] Transtornos mistos de personalidade

Com aspectos de vários dos transtornos em F60. —, mas sem um conjunto predominante de sintomas que permitiriam um diagnóstico mais específico.

F61.1[1] Alterações inoportunas de personalidade

Não classificáveis em F60. — ou F62. — e consideradas como secundárias a um diagnóstico principal de um transtorno afetivo ou de ansiedade coexistente.

Exclui: acentuação de traços de personalidade (Z73.1)

F62 Alterações permanentes de personalidade, não atribuíveis à lesão ou doença cerebral

Esse grupo inclui transtornos de personalidade e de comportamento em adultos, os quais se desenvolvem seguindo-se a estresse catastrófico ou excessivo prolongado ou seguindo-se a uma doença psiquiátrica grave, em pessoas sem nenhum transtorno prévio de personalidade. Esses diagnósticos devem ser feitos apenas quando há evidência de uma alteração definitiva e permanente no padrão de uma pessoa de perceber, se relacionar ou pensar a respeito do ambiente e de si mesma. A alteração de personalidade deve ser significativa e associada a comportamento inflexível e mal-adaptativo, o qual não estava presente antes da experiência patogênica. A alteração não deve ser

---

1 Esse código de quatro caracteres não está incluído no Capítulo V (F) da CID-10.

uma manifestação de um outro transtorno mental, nem um sintoma residual de qualquer transtorno mental anterior. Tal alteração permanente de personalidade é mais frequentemente vista seguindo-se a experiência traumática devastadora, mas pode também se desenvolver como consequência de um transtorno mental grave, recorrente ou prolongado. Pode ser difícil fazer a diferenciação entre uma alteração adquirida de personalidade e a revelação ou exacerbação de um transtorno de personalidade existente, seguindo-se a estresse, tensão ou experiência psicótica. Uma alteração permanente de personalidade deve ser diagnosticada apenas quando a alteração representa um modo de ser permanente e diferente, o qual pode ser etiologicamente atribuído a uma experiência profunda e existencialmente extrema. O diagnóstico não deve ser feito se o transtorno de personalidade for secundário à lesão ou doença cerebral (ao invés, a categoria F07.0 deve ser usada).

Exclui: transtorno de personalidade e de comportamento decorrente de doença, lesão e disfunção cerebrais (F07. —)

F62.0 Alteração permanente de personalidade após experiência catastrófica

Uma alteração permanente de personalidade pode seguir-se à experiência de estresse catastrófico. O estresse deve ser tão extremo que é desnecessário considerar a vulnerabilidade individual para explicar seus profundos efeitos na personalidade. Exemplos incluem tortura, desastres, exposição prolongada a circunstâncias de ameaça de vida (p. ex., situações de refém — cativeiro prolongado com possibilidade iminente de ser morto). Transtorno de estresse pós-traumático (F43.1) pode preceder esse tipo de alteração de personalidade, a qual pode então ser vista como sequela crônica e irreversível do transtorno de estresse. Em outros casos, entretanto, a alteração permanente de personalidade satisfazendo a descrição dada abaixo pode se desenvolver sem uma fase intermediária de um transtorno de estresse pós-traumático manifesto. Entretanto, uma alteração prolongada de personalidade seguindo-se a exposição de curta duração a uma experiência de ameaça de vida, tal como um acidente de carro, não deve ser incluída nessa categoria, uma vez que pesquisas recentes indicam que tal desenvolvimento depende de uma vulnerabilidade psicológica preexistente.

Diretrizes diagnósticas

A alteração de personalidade deve ser permanente e manifestada por aspectos inflexíveis e mal-adaptativos, levando a um comprometimento no funcionamento interpessoal, social e ocupacional. Usualmente, a alteração de personalidade tem que ser confirmada por um informante-chave. Para fazer o diagnóstico é essencial estabelecer a presença de aspectos não vistos previamente, tais como:

(a) uma atitude hostil ou desconfiada ante o mundo;
(b) retraimento social;
(c) sentimentos de vazio ou desesperança;
(d) um sentimento crônico de estar "por um fio", como se constantemente ameaçado;
(e) alienação.

Essa mudança de personalidade deve estar presente por pelo menos 2 anos e não deve ser atribuível a um transtorno de personalidade preexistente ou a um transtorno mental outro que não transtorno de estresse pós-traumático (F43.1). A presença de lesão ou doença cerebral, a qual possa causar aspectos clínicos similares, deve ser excluída.

Inclui: alteração de personalidade após experiências em campo de concentração, desastres, cativeiro prolongado com possibilidade iminente de ser morto, exposição prolongada a situações de ameaça de vida, tais como ser vítima de terrorismo ou tortura

Exclui: transtorno de estresse pós-traumático (F43.1)

F62.1 Alteração permanente de personalidade após doença psiquiátrica

Alteração de personalidade atribuível à experiência traumática de sofrer uma doença mental grave. A alteração não pode ser explicada por um transtorno de personalidade preexistente e deve ser diferenciada da esquizofrenia residual e outros estados de recuperação incompleta de um transtorno mental antecedente.

Diretrizes diagnósticas

A alteração de personalidade deve ser permanente e manifestar-se como um padrão inflexível e mal-adaptativo de vivenciar e funcionar, levando a problemas duradouros no funcionamento interpessoal, social ou ocupacional e angústia subjetiva. Não deve haver nenhuma evidência de um transtorno de personalidade preexistente que possa explicar a alteração de personalidade e o diagnóstico não deve ser baseado em quaisquer sintomas residuais do transtorno mental, precedente. A alteração de personalidade desenvolve-se após a recuperação clínica de um transtorno mental que deve ter sido vivido como extremamente estressante emocionalmente e destrutivo para a autoimagem do paciente. As atitudes ou reações de outras pessoas para com o paciente, após a doença, são importantes na determinação e no reforço do nível de estresse percebido por ele. Esse tipo de alteração de personalidade não pode ser inteiramente compreendido sem levar em conta a experiência emocional subjetiva e a personalidade prévia, seu ajustamento e suas vulnerabilidades específicas.

Evidências diagnósticas para esse tipo de alteração de personalidade devem incluir tais aspectos clínicos como os seguintes:

(a) dependência excessiva e atitude exigente perante os outros;
(b) convicção de ter sido alterado ou estigmatizado pela doença precedente, levando a uma incapacidade de estabelecer ou manter relacionamentos pessoais próximos e confidentes e a isolamento social;
(c) passividade, interesses reduzidos e envolvimento diminuído em atividades de lazer;
(d) queixas persistentes de estar doente, as quais podem estar associadas a reclamações hipocondríacas e comportamento doentio;
(e) humor lábil ou disfórico, não decorrente da presença de um transtorno mental atual ou transtorno mental precedente com sintomas afetivos residuais;
(f) comprometimento significativo no funcionamento social e ocupacional comparado com a situação pré-mórbida.

As manifestações acima devem estar presentes por um período de 2 ou mais anos. A alteração não é atribuível à lesão ou doença cerebral grosseira. Um diagnóstico prévio de esquizofrenia não impede o diagnóstico.

F62.8   **Outras alterações permanentes de personalidade**

Inclui: transtorno permanente de personalidade após experiências não mencionadas em F62.0 e F62.1, tais como síndrome de personalidade de dor crônica e alteração permanente de personalidade após perda.

F62.9   **Alteração permanente de personalidade, não especificada**

F63 Transtornos de hábitos e impulsos

Essa categoria inclui certos transtornos de comportamento não classificáveis sob outras rubricas. Eles são caracterizados por atos repetidos que não têm nenhuma motivação racional clara e que geralmente prejudicam os interesses do próprio paciente e aqueles de outras pessoas. O paciente relata que o comportamento está associado a impulsos que não podem ser controlados. As causas dessas condições não são compreendidas; os transtornos estão agrupados por causa de amplas similaridades descritivas e não por conhecimento de que compartilhem quaisquer outros aspectos importantes. Por convenção, o uso excessivo habitual de álcool ou drogas (F10 — F19) e transtornos de hábitos e impulsos, envolvendo comportamento sexual (F65. —) ou alimentar (F52. —), são excluídos.

F63.0 Jogo patológico

O transtorno consiste de frequentes e repetidos episódios de jogo, os quais dominam a vida do indivíduo em detrimento de valores e compromissos sociais, ocupacionais, materiais e familiares. Aqueles que sofrem desse transtorno podem pôr em risco seu trabalho, contrair grandes dívidas e mentir ou violar a lei para obter dinheiro ou evitar o pagamento de suas dívidas. Eles descrevem um ímpeto intenso de jogar, o qual é difícil de controlar, junto com uma preocupação com ideias e imagens do ato de jogar e das circunstâncias que rodeiam o ato. Essas preocupações e ímpetos frequentemente aumentam em períodos nos quais a vida está estressante.

O transtorno é também denominado "jogo compulsivo", mas esse termo é menos apropriado porque o comportamento não é compulsivo no sentido técnico, nem o transtorno está relacionado com a neurose obsessivo-compulsiva.

Diretrizes diagnósticas

O aspecto essencial do transtorno é jogar persistente e repetidamente, o que contínua e frequentemente aumenta a despeito de consequências sociais adversas, tais como empobrecimento, comprometimento das relações familiares e ruptura da vida pessoal.

Inclui: jogo compulsivo

Diagnóstico diferencial. O jogo patológico deve ser distinguido de:

(a) jogo e aposta (Z72.6) (jogo frequente por excitação ou em uma tentativa de ganhar dinheiro; pessoas nessa categoria provavelmente refreiam seu hábito quando confrontadas com perdas importantes ou outros efeitos adversos);
(b) jogo excessivo em pacientes maníacos (F30. —);
(c) jogo em personalidades sociopáticas (F60.2) (nas quais há uma perturbação persistente e mais ampla do comportamento social, demonstrada

em atos que são agressivos ou que, de outras maneiras, mostrem falta de consideração marcante pelo bem-estar e sentimentos de outras pessoas).

F63.1 Comportamento incendiário patológico (piromania)

O transtorno é caracterizado por múltiplos atos ou tentativas de atear fogo em propriedades ou outros objetos, sem motivo aparente, e por uma preocupação persistente com assuntos relacionados com fogo e incêndio. Pode também haver um interesse anormal por carros de bombeiro e outros equipamentos de combate a incêndio, por outros assuntos relacionados a fogo e em chamar o corpo de bombeiros.

Diretrizes diagnósticas

Os aspectos essenciais são:

(a) comportamento incendiário repetido sem qualquer motivo óbvio, tal como ganho monetário, vingança ou extremismo político;
(b) um interesse intenso em assistir o fogo ardendo;
(c) relato de sentimentos de tensão crescente antes do ato e excitação intensa imediatamente após executá-lo.

Diagnóstico diferencial. O comportamento incendiário patológico deve ser distinguido de:

(a) comportamento incendiário deliberado sem um transtorno psiquiátrico manifesto (nesses casos há um motivo óbvio) (Z03.2, observação por suspeita de transtorno mental);
(b) comportamento incendiário em uma pessoa jovem com transtorno de conduta (F91.1), onde há evidência de outro comportamento perturbado tal como furto, agressão ou vadiagem;
(c) comportamento incendiário em adulto com transtorno de personalidade sociopática (F60.2), onde há evidência de outra perturbação persistente do comportamento social, tal como agressão ou outras indicações de falta de consideração com os sentimentos e interesses de outras pessoas;
(d) comportamento incendiário na esquizofrenia (F20. —), onde os incêndios são tipicamente iniciados em resposta a ideias delirantes ou comandos por vozes alucinatórias;
(e) comportamento incendiário em transtornos psiquiátricos orgânicos (F00 — F09), onde os incêndios são iniciados acidentalmente como um resultado de confusão, memória prejudicada, falta de consciência das consequências do ato ou uma combinação desses fatores.

Demência ou estados orgânicos agudos podem também levar a comportamentos incendiários involuntários; embriaguez aguda, alcoolismo crônico e outras intoxicações por drogas (F10 — F19) são outras causas.

F63.2 Roubo patológico (cleptomania)

O transtorno é caracterizado por falhas repetidas em resistir a impulsos de roubar objetos que não são adquiridos para uso pessoal ou ganho monetário. Os objetos podem, ao invés, ser jogados fora, presenteados ou armazenados.

Diretrizes diagnósticas

Há uma sensação crescente de tensão antes do ato e uma sensação de satisfação durante e imediatamente após. Embora algum esforço para ocultamento seja usualmente feito, nem todas as oportunidades para isso são aproveitadas. O roubo é um ato solitário, realizado sem um cúmplice. O indivíduo pode expressar ansiedade, abatimento e culpa entre os episódios de roubo em lojas (ou outras premissas), mas isto não impede a repetição. Casos seguindo esta descrição e não secundários a um dos transtornos listados abaixo são incomuns.

Diagnóstico diferencial. O roubo patológico deve ser distinguido de:

(a) roubos recorrentes em loja sem um transtorno psiquiátrico manifesto, quando os atos são mais cuidadosamente planejados e há um motivo óbvio de ganho pessoal (Z03.2, observação para suspeita de transtorno mental);
(b) transtorno mental orgânico (F00 — F09), quando há falha recorrente em pagar por mercadorias como uma consequência de memória prejudicada e outros tipos de deterioração intelectual;
(c) transtorno depressivo com roubo (F31 — F33); alguns pacientes deprimidos roubam e podem fazê-lo repetidamente enquanto o transtorno depressivo persiste.

F63.3 Tricotilomania

Um transtorno caracterizado por notável perda de cabelo devido a uma falha recorrente de resistir a impulsos de arrancá-lo. O arrancar de cabelos é usualmente precedido por tensão crescente e seguido por uma sensação de alívio ou satisfação. Esse diagnóstico não deve ser feito se existe uma inflamação preexistente da pele ou se o arrancar de cabelos ocorre em resposta a um delírio ou uma alucinação.

TRANSTORNOS MENTAIS E DE COMPORTAMENTO

Exclui: transtorno de movimento estereotipado com arrancar de cabelos (F98.4)

F63.8 Outros transtornos de hábitos e impulsos

Essa categoria deve ser usada para outros tipos de comportamento mal-adaptativo persistentemente repetido que não sejam secundários a uma síndrome psiquiátrica reconhecida e nos quais parece que há falhas repetidas em resistir a impulsos para executar o comportamento. Há um período prodrômico de tensão com um sentimento de alívio no momento do ato.

Inclui: transtorno (comportamento) explosivo intermitente

F63.9 Transtorno de hábitos e impulsos, não especificado

F64 Transtornos de identidade sexual

F64.0 Transexualismo

Um desejo de viver e ser aceito como um membro do sexo oposto, usualmente acompanhado por uma sensação de desconforto ou impropriedade de seu próprio sexo anatômico e um desejo de se submeter a tratamento hormonal e cirurgia para tornar seu corpo tão congruente quanto possível com o sexo preferido.

Diretrizes diagnósticas

Para que esse diagnóstico seja feito, a identidade transexual deve ter estado presente persistentemente por pelo menos 2 anos e não deve ser um sintoma de um outro transtorno mental, tal como esquizofrenia, nem estar associada a qualquer anormalidade intersexual, genética ou do cromossomo sexual.

F64.1 Transvestismo de duplo papel

O uso de roupas do sexo oposto durante parte da existência para desfrutar a experiência temporária de ser membro do sexo oposto, mas sem qualquer desejo de uma mudança de sexo mais permanente ou de redesignação sexual cirúrgica associada. Nenhuma excitação sexual acompanha a troca de roupas, o que distingue o transtorno do transvestismo fetichista (F65.1).

Inclui: transtorno de identidade sexual da adolescência ou da idade adulta, tipo não transexual

Exclui: transvestismo fetichista (F65.1)

F64.2 Transtornos de identidade sexual na infância

Transtornos, usualmente com sua manifestação inicial durante a primeira infância (e sempre bem antes da puberdade), caracterizados por uma angústia persistente e intensa com relação ao sexo designado, junto com um desejo de ser (ou insistência de que é) do outro sexo. Há uma preocupação persistente com a vestimenta e/ou atividades do sexo oposto e/ou repúdio pelo próprio sexo do paciente. Acredita-se que esses transtornos sejam relativamente incomuns e não devem ser confundidos com a não conformidade com o comportamento de papel sexual estereotipado, a qual é muito mais assídua. O diagnóstico de transtorno de identidade sexual na infância requer uma profunda perturbação do sentido normal de masculinidade ou feminilidade; não é suficiente que a menina seja estabanada ou levada como um menino ou que um menino tenha comportamento de menina. O diagnóstico não pode ser feito quando o indivíduo já atingiu a puberdade.

Como o transtorno de identidade sexual na infância tem muitos aspectos em comum com os outros transtornos de identidade nesta seção, ele foi classificado em F64. — ao invés de em F90 — F98.

Diretrizes diagnósticas

O aspecto diagnóstico essencial é o desejo persistente e invasivo da criança de ser (ou a insistência de que ela é) do sexo oposto àquele designado, junto com uma intensa rejeição pelo comportamento, atributos e/ou vestimenta do sexo designado. Tipicamente, isto começa a se manifestar durante os anos pré-escolares; para o diagnóstico ser feito, o transtorno deve ter estado aparente antes da puberdade. Em ambos os sexos pode haver repúdio pelas estruturas anatômicas do próprio sexo, porém isto é uma manifestação incomum, provavelmente rara. Caracteristicamente, crianças com transtorno de identidade sexual negam ser perturbadas por isso, embora elas possam estar angustiadas pelo conflito com as expectativas de sua família ou colegas e pela gozação e/ou rejeição a qual podem ser submetidas.

Existe mais conhecimento a respeito desses transtornos em meninos do que em meninas. Tipicamente, dos anos pré-escolares em diante, os meninos estão preocupados com tipos de jogos e outras atividades estereotipadamente associadas a mulheres e com assiduidade pode haver preferência por vestir-se com roupas de meninas ou de mulheres. Entretanto, tal troca de vestimenta não causa excitação sexual [diferentemente de transvestismo fetichista em adultos (F65.1)]. Eles podem ter um forte desejo de participar de jogos e passatempos de meninas, bonecas femininas são, com frequência, seus brinquedos favoritos e meninas são regularmente suas companheiras preferidas.

Um ostracismo social tende a surgir durante os primeiros anos de escolaridade e está, com frequência, no auge pelo meio da infância, com gozação humilhante por outros meninos. O comportamento grosseiramente feminino pode diminuir durante o início da adolescência, mas estudos de seguimento indicam que de um a dois terços dos meninos com transtorno de identidade sexual na infância mostram uma orientação homossexual durante e depois da adolescência. Entretanto, muito poucos exibem transexualismo na vida adulta (embora a maioria dos adultos com transexualismo relatem ter tido um problema de identidade sexual na infância).

Em amostras clínicas, transtornos de identidade sexual são menos assíduos em meninas do que em meninos, mas não é sabido se esta proporção entre sexos se aplica à população em geral. Em meninas, como em meninos, existe em geral uma manifestação precoce de uma preocupação ao comportamento estereotipadamente associado ao sexo oposto. Tipicamente, meninas com esses transtornos têm companhias masculinas e mostram um ávido interesse em esportes e jogos violentos; elas têm falta de interesse em bonecas e em assumir papéis femininos em jogos de faz-de-conta tais como "mamãe e papai" ou brincar de "casinha". Meninas com transtorno de identidade sexual tendem a não experimentar o mesmo grau de ostracismo social que os meninos, embora elas possam sofrer gozações no final da infância ou adolescência. Muitas desistem de uma insistência exagerada em atividades e vestimentas masculinas quando se aproximam da adolescência, mas algumas mantêm uma identificação masculina e continuam a mostrar uma orientação homossexual.

Raramente um transtorno de identidade sexual pode estar associado a um repúdio persistente pelas estruturas anatômicas do sexo designado. Em meninas, isso pode se manifestar por repetidas declarações de que elas têm, ou irá crescer, um pênis, por uma rejeição a urinar na posição sentada ou pela declaração de que elas não querem que os seios cresçam ou ter menstruação. Em meninos, isso pode ser demonstrado por repetidas declarações de que eles vão crescer fisicamente para tornarem-se uma mulher, de que o pênis e os testículos são repugnantes ou vão desaparecer e/ou de que seria melhor não ter pênis ou testículos.

Exclui: orientação sexual egodistônica (F66.1)
    transtorno de maturação sexual (F66.0)

F64.8   Outros transtornos de identidade sexual

F64.9   Transtorno de identidade sexual, não especificado

Inclui: transtorno do papel sexual SOE

F65 Transtornos de preferência sexual

Inclui: parafilias

Exclui: problemas associados à orientação sexual (F66. —)

F65.0 Fetichismo

Dependência de alguns objetos inanimados como um estímulo para excitação e satisfação sexuais. Muitos fetiches são extensões do corpo humano, tais como artigos de vestuário e calçados. Outros exemplos comuns são caracterizados por alguma textura particular, tais como borracha, plástico ou couro. Os objetos-fetiche variam em sua importância para o indivíduo: em alguns casos eles servem simplesmente para intensificar a excitação sexual alcançada por meios comuns (p. ex., ter parceiro usando uma determinada peça de roupa).

Diretrizes diagnósticas

O fetichismo deve ser diagnosticado apenas se o fetiche é a fonte mais importante de estimulação sexual ou é essencial para a resposta sexual satisfatória.

Fantasias fetichistas são comuns, mas não chegam a ser um transtorno a não ser que levem a rituais que sejam tão compulsórios ou inaceitáveis a ponto de interferir com a relação sexual e causar angústia no indivíduo.

O fetichismo é limitado quase exclusivamente a homens.

F65.1 Transvestismo fetichista

O uso de roupas do sexo oposto principalmente para obter excitação sexual.

Diretrizes diagnósticas

Esse transtorno deve ser diferenciado do fetichismo simples, visto que os artigos de vestimenta fetichistas não são apenas usados, mas usados também para criar a aparência de uma pessoa do sexo oposto. Usualmente, mais de um artigo é usado e, com frequência, o traje completo, mais peruca e maquiagem. O transvestismo fetichista se distingue do transvestismo transexual por sua clara associação à excitação sexual e o forte desejo de tirar a roupa assim que o orgasmo ocorre e a excitação sexual declina. Uma história de transvestismo fetichista é comumente relatada por transexuais como uma fase precoce e provavelmente representa um estágio no desenvolvimento de transexualismo em tais casos.

Inclui: fetichismo transvestista

F65.2 Exibicionismo

Uma tendência recorrente ou persistente a expor a genitália a estranhos (usualmente do sexo oposto) ou a pessoas em lugares públicos, sem convite ou pretensão de contato mais íntimo. Há usual, mas não invariavelmente, excitação sexual quando da exposição e o ato é comumente seguido de masturbação. Essa tendência pode ser manifestada em períodos de estresse ou crises emocionais, entremeada com longos períodos sem tal comportamento patente.

Diretrizes diagnósticas

O exibicionismo está quase inteiramente limitado a homens heterossexuais que se exibem para mulheres adultas ou adolescentes, usualmente defrontando-as à distância segura, em algum local público. Para alguns, o exibicionismo é sua única atividade sexual, mas outros mantêm o hábito simultaneamente a uma vida sexual ativa e dentro de relacionamentos duradouros, embora seus ímpetos possam tornar-se mais prementes quando de um conflito naqueles relacionamentos. A maior parte dos exibicionistas considera seus ímpetos difíceis de controlar e alheios ao próprio ego. Se a pessoa para quem se exibe parece chocada, assustada ou impressionada, a excitação do exibicionista é frequentemente intensificada.

F65.3 Voyeurismo

Uma tendência recorrente ou persistente a olhar pessoas envolvidas em comportamentos sexuais ou íntimos, tais como despir-se. Isso usualmente leva à excitação sexual e masturbação e é realizado sem que a pessoa observada tome conhecimento.

F65.4 Pedofilia

Uma preferência sexual por crianças, usualmente de idade pré-puberal ou no início da puberdade. Alguns pedófilos são atraídos apenas por meninas, outros apenas por meninos e outros ainda estão interessados em ambos os sexos. A pedofilia raramente é identificada em mulheres. Contatos entre adultos e adolescentes sexualmente maduros são socialmente reprovados, sobretudo se os participantes são do mesmo sexo, mas não estão necessariamente associados à pedofilia. Um incidente isolado, especialmente se quem o comete é ele próprio um adolescente, não estabelece a presença da tendência persistente ou predominante requerida para o diagnóstico. Incluídos entre os pedófilos, entretanto, estão homens que mantêm uma preferência por parceiros sexuais adultos, mas que, por serem cronicamente frustrados em conseguir contatos apropriados, habitualmente voltam-se para crianças como substitutos. Homens que molestam sexualmente seus próprios filhos pré-puberes, ocasionalmente seduzem outras crianças também, mas em qualquer caso seu comportamento é indicativo de pedofilia.

F65.5 Sadomasoquismo

Uma preferência por atividade sexual que envolve servidão ou a infrição de dor ou humilhação. Se o indivíduo prefere ser o objeto de tal estimulação, isso é chamado masoquismo; se é o executor, sadismo. Frequentemente, um indivíduo obtém excitação sexual de ambas as atividades, sádica e masoquista.

Graus leves de estimulação sadomasoquista são comumente usados para intensificar a atividade sexual normal. Essa categoria deve ser usada apenas se a atividade sadomasoquista é a fonte de estimulação mais importante ou é necessária para a satisfação sexual.

O sadismo sexual é às vezes difícil de ser distinguido da crueldade em situações sexuais ou da raiva não relacionada a erotismo. Quando a violência é necessária para a excitação erótica, o diagnóstico pode ser claramente estabelecido.

Inclui: masoquismo
sadismo

F65.6 Transtornos múltiplos de preferência sexual

Às vezes mais de um transtorno de preferência sexual ocorre em uma pessoa e nenhum tem uma precedência clara. A combinação mais comum é fetichismo, transvestismo e sadomasoquismo.

F65.8 Outros transtornos de preferência sexual

Uma variedade de outros padrões de preferência e atividades sexuais pode ocorrer, cada um sendo relativamente incomum. Esses incluem tais atividades como fazer telefonemas obscenos, esfregar-se nas pessoas para estimulação sexual, em lugares públicos lotados (frotteurismo), atividades sexuais com animais, uso de estrangulamento ou anóxia para intensificar a excitação sexual e uma preferência por parceiros com alguma anormalidade anatômica particular, tal como um membro amputado.

As práticas eróticas são bastante diversas e muitas são raras ou idiossincrásicas demais para justificar um termo separado para cada uma. Engolir urina, untar-se de fezes, perfurar o prepúcio ou mamilos podem ser parte do repertório de comportamentos no sadomasoquismo. Rituais masturbatórios de vários tipos são comuns, mas as práticas mais extremas, tais como introdução de objetos no reto, na uretra peniana ou autoestrangulamento parcial, quando tomam o lugar de contatos sexuais comuns, constituem anormalidades. A necrofilia também deve ser codificada aqui.

Inclui: frotteurismo
necrofilia

F65.9 Transtorno de preferência sexual, não especificado
Inclui: desvio sexual SOE

F66 Transtornos psicológicos e de comportamento associados ao desenvolvimento e orientação sexuais

Nota: A orientação sexual por si só não é para ser considerada como um transtorno.

Os seguintes códigos de cinco caracteres podem ser usados para indicar variações de desenvolvimento ou orientação sexual que podem ser problemáticas para o indivíduo:

F66.*x*0 Heterossexual

F66.*x*1 Homossexual

F66.*x*2 Bissexual
Para ser usado apenas quando há evidência clara de atração sexual por membros de ambos os sexos.

F66.*x*8 Outros, incluindo pré-puberal

F66.0 Transtorno de maturação sexual
O indivíduo sofre de incerteza a respeito de sua identidade ou orientação sexual, a qual causa ansiedade ou depressão. Mais comumente, isto ocorre em adolescentes que não estão certos se são de orientação homossexual,

heterossexual ou bissexual ou em indivíduos que depois de um período de orientação sexual aparentemente estável, frequentemente dentro de um relacionamento duradouro, notam que sua orientação sexual está mudando.

F66.1 Orientação sexual egodistônica

A identidade ou preferência sexual não está em dúvida, mas o indivíduo deseja que isso fosse diferente por causa de transtornos psicológicos e comportamentais associados e pode procurar tratamento para alterá-la.

F66.2 Transtorno de relacionamento sexual

A anormalidade de identidade ou preferência sexual é responsável por dificuldades em adquirir e manter um relacionamento com um parceiro sexual.

F66.8 Outros transtornos de desenvolvimento psicossexual

F66.9 Transtorno de desenvolvimento psicossexual, não especificado

F68 Outros transtornos de personalidade e de comportamento em adultos

F68.0 Elaboração de sintomas físicos por razões psicológicas

Sintomas físicos compatíveis e originalmente decorrentes de transtorno, doença ou incapacidade física confirmada que se torna exagerada ou prolongada devido ao estado psicológico do paciente. Uma síndrome de comportamento de chamar atenção (histriônico) desenvolve-se, a qual pode também conter queixas adicionais (e usualmente não específicas) que não são de origem física. O paciente está comumente angustiado por essa dor ou incapacidade e, com frequência, está preocupado com inquietações, as quais podem ser justificadas, sobre a possibilidade de uma incapacidade ou dor prolongada ou progressiva. Insatisfação com o resultado do tratamento ou investigações ou desapontamento com o montante de atenção pessoal recebida em enfermarias e clínicas podem também ser um fator motivante. Alguns casos parecem ser claramente motivados pela possibilidade de compensação financeira após acidentes ou lesões, mas a síndrome não necessariamente se resolve com rapidez, mesmo após litígio bem-sucedido.

Inclui: neurose de compensação

F68.1 Produção intencional ou invenção de sintomas ou incapacidades físicas ou psicológicas (transtorno factício)

Na ausência de um transtorno, doença ou incapacidade física ou mental confirmada, o indivíduo inventa sintomas repetida e consistentemente. Para sintomas físicos, isto pode até chegar à autoinflição de cortes ou abrasões para produzir sangramento ou à autoinjeção de substâncias tóxicas. A imitação de dor e insistência sobre a presença de sangramento podem ser tão convincentes e persistentes que investigações e operações repetidas são realizadas em vários hospitais e clínicas diferentes, a despeito de achados repetidamente negativos.

A motivação para esse comportamento é quase sempre obscura e presumivelmente interna e a condição é mais bem interpretada como um transtorno de comportamento de doença e do papel de doente. Indivíduos com esse padrão de comportamento, usualmente, mostram sinais de muitas outras anormalidades marcantes de personalidade e relacionamentos.

Simulação, definida como a produção intencional ou invenção de sintomas ou incapacidades tanto físicas quanto psicológicas, motivada por estresse ou incentivos externos, deve ser codificada como Z76.5 da CID-10 e não por um dos códigos neste livro. Os motivos externos mais comuns para simulação incluem evasão de processos criminais, obtenção de drogas ilícitas, evitação de recrutamento militar ou de tarefas militares perigosas e tentativas de obter auxílio-doença ou melhoramento das condições de vida, tal como moradia. A simulação é comparativamente comum em meios legais e militares e comparativamente incomum na vida civil cotidiana.

Inclui: síndrome do "rato" de hospital
síndrome de Munchhausen
paciente peregrino

Exclui: síndrome do bebê ou criança espancada SOE (T74.1)
dermatite factícia (L98.1)
simulação (pessoa fingindo doença) (Z76.5)
Munchhausen por procuração (abuso de criança) (T74.8)

F68.8 Outros transtornos especificados de personalidade e comportamento em adultos

Essa categoria deve ser usada para codificar qualquer transtorno especificado de personalidade e comportamento em adultos que não possa ser classificado sob qualquer um dos títulos precedentes.

Inclui: transtorno de caráter SOE
transtorno de relacionamento SOE

F69 Transtorno não especificado de personalidade e comportamento em adultos

Esse código deve ser usado apenas como um último recurso, se a presença de um transtorno de personalidade e comportamento em adultos pode ser admitida, mas falta informação para permitir seu diagnóstico e localização em uma categoria específica.

F70 – F79
Retardo mental

Visão geral deste bloco

F70 Retardo mental leve
F71 Retardo mental moderado
F72 Retardo mental grave
F73 Retardo mental profundo
F78 Outro retardo mental
F79 Retardo mental não especificado

Um quarto caractere pode ser usado para especificar a extensão do comprometimento associado de comportamento:

F7x.0 Nenhum ou mínimo comprometimento de comportamento
F7x.1 Comprometimento significativo de comportamento requerendo atenção ou tratamento
F7x.8 Outros comprometimentos de comportamento
F7x.9 Sem menção a comprometimento de comportamento

F70 — F79 RETARDO MENTAL

Introdução

Retardo mental é uma condição de desenvolvimento interrompido ou incompleto da mente, a qual é especialmente caracterizada por comprometimento de habilidades manifestadas durante o período de desenvolvimento, as quais contribuem para o nível global de inteligência, isto é, aptidões cognitivas, de linguagem, motoras e sociais. O retardo pode ocorrer com ou sem qualquer outro transtorno mental ou físico. Entretanto, indivíduos mentalmente retardados podem apresentar a série completa de transtornos mentais e a prevalência destes é pelo menos três a quatro vezes maior nessa população do que na população em geral. Em adição, indivíduos mentalmente retardados têm maior risco de serem explorados e sofrerem abuso físico/sexual. O comportamento adaptativo está sempre comprometido, mas em ambientes sociais protegidos, onde um suporte está disponível, este comprometimento pode não ser absolutamente óbvio em pacientes com retardo mental leve.

Um quarto caractere pode ser usado para especificar a extensão do comprometimento de comportamento, se isto não é decorrente de um transtorno associado:

F7x.0 Nenhum ou mínimo comprometimento de comportamento

F7x.1 Comprometimento significativo de comportamento requerendo atenção ou tratamento

F7x.8 Outros comprometimentos de comportamento

F7x.9 Sem menção a comprometimento de comportamento

Se a causa do retardo mental é conhecida, um código adicional da CID-10 deve ser usado (p. ex., F72: retardo mental grave, mais E00. —: síndrome da deficiência congênita de iodo).

A presença de retardo mental não exclui diagnósticos adicionais codificados em outros blocos neste livro. Entretanto, dificuldades de comunicação provavelmente farão necessário, mais do que o usual para o diagnóstico, contar com sintomas objetivamente observáveis, tais como, no caso de um episódio depressivo, retardo psicomotor, perdas de apetite e de peso e perturbação do sono.

Diretrizes diagnósticas

A inteligência não é uma característica unitária; ao invés, é avaliada com base em um grande número de diferentes habilidades mais ou menos específicas. Embora a tendência geral seja de que todas essas habilidades se desenvolvam até um nível similar em cada indivíduo, pode haver grandes discrepâncias, especialmente em pessoas que são mentalmente retardadas. Tais pessoas podem exibir comprometimentos graves em uma área específica (p. ex., linguagem) ou podem ter uma área particular de maior habilidade (p. ex., em tarefas visuoespaciais simples) contra um fundo de retardo mental grave. Isto apresenta problemas quando da determinação da categoria diagnóstica, na qual uma pessoa retardada deve ser classificada. A avaliação do nível intelectual deve ser baseada em todas as informações disponíveis, incluindo achados clínicos, comportamento adaptativo (avaliação em relação ao meio cultural do indivíduo) e desempenho em testes psicométricos.

Para um diagnóstico definitivo, deve haver um nível reduzido de funcionamento intelectual resultando em capacidade diminuída para se adaptar às demandas diárias do ambiente social normal. Transtornos mentais ou físicos associados têm uma grande influência no quadro clínico e no uso de quaisquer habilidades. A categoria diagnóstica escolhida deve, portanto, ser baseada em avaliações globais de capacidade e não em qualquer área isolada de comprometimento ou habilidade específica. Os níveis de QI são fornecidos como um guia e não devem ser aplicados rigidamente, em vista dos problemas de validação transcultural. As categorias dadas abaixo são divisões arbitrárias de um continuum complexo e não podem ser definidas com precisão absoluta. O QI deve ser determinado a partir de testes de inteligência padronizados, administrados individualmente, para os quais normas culturais locais tenham sido determinadas, e o teste selecionado deve ser apropriado ao nível de funcionamento do indivíduo e às suas condições adicionais específicas de prejuízo, p. ex., problemas de linguagem expressiva, comprometimento auditivo, envolvimento físico. Escalas de maturidade e adaptação sociais, outra vez localmente padronizadas, devem ser completadas, se for possível, através de entrevistas com um dos pais ou pessoa que cuida e que esteja familiarizada com as habilidades do indivíduo no dia a dia. Sem o uso de procedimentos padronizados, o diagnóstico deve ser considerado somente como uma estimativa provisória.

F70 Retardo mental leve

Pessoas levemente retardadas adquirem linguagem com algum atraso, mas a maioria atinge a capacidade de usar a fala para finalidades cotidianas, para manter conversações e para envolver-se na entrevista clínica. A maioria delas também consegue total independência em cuidados próprios (comer, lavar-se, vestir-se, controle intestinal e vesical) e em habilidades práticas e domésticas, mesmo se o ritmo de desenvolvimento é consideravelmente mais lento que o normal. As principais dificuldades são usualmente vistas no trabalho escolar acadêmico e muitos têm problemas específicos de leitura e escrita. No entanto, pessoas levemente retardadas podem ser grandemente auxiliadas pela educação planejada para desenvolver suas habilidades e compensar seus prejuízos. A maioria daqueles indivíduos nos limites superiores de retardo mental leve é potencialmente capaz de trabalhos que demandam habilidades práticas, ao invés de acadêmicas, incluindo trabalho manual não especializado ou semiespecializado. Em um contexto sociocultural que requeira pouca realização acadêmica, algum grau de retardo mental leve pode, por si só, não representar um problema. No entanto, se há também notável imaturidade emocional e social, as consequências do prejuízo, por exemplo, incapacidade para enfrentar as demandas do casamento ou da educação dos filhos ou dificuldades em harmonizar-se com tradições e expectativas culturais, serão aparentes.

Em geral, as dificuldades comportamentais, emocionais e sociais do retardado mental leve e as necessidades de tratamento e suporte decorrentes delas são mais proximamente análogas àquelas encontradas em pessoas de inteligência normal do que aos problemas específicos dos moderada e gravemente retardados. Uma etiologia orgânica está sendo identificada em proporções crescentes de pacientes, ainda que não na maioria.

Diretrizes diagnósticas

Se os testes de QI padronizados apropriados são usados, a faixa de 50 a 69 é indicativa de retardo leve. A compreensão e o uso da linguagem tendem a estar atrasados em um grau variado e problemas de linguagem expressiva, que interferem com o desenvolvimento da independência, podem persistir na vida adulta. Uma etiologia orgânica é identificável em apenas uma minoria dos pacientes. Condições associadas, tais como autismo, outros transtornos do desenvolvimento, epilepsia, transtornos de conduta ou incapacidade física, são encontradas em proporções variadas. Se tais transtornos estão presentes, devem ser codificados independentemente.

Inclui: debilidade mental
subnormalidade mental leve
oligofrenia leve

F71 Retardo mental moderado

Indivíduos nessa categoria são lentos no desenvolvimento da compreensão e uso da linguagem e suas eventuais realizações nessa área são limitadas. Realizações nos cuidados pessoais e habilidades motoras estão igualmente retardadas e alguns necessitam de supervisão durante a vida toda. O progresso em trabalhos escolares é limitado, porém uma proporção desses indivíduos aprende as habilidades básicas necessárias para leitura, escrita e cálculo. Programas educacionais podem oferecer oportunidades para eles desenvolverem seu potencial limitado e adquirir algumas habilidades básicas; tais programas são apropriados para pessoas que aprendem lentamente e que têm um baixo limite de realização. Como adultos, as pessoas moderadamente retardadas são usualmente capazes de fazer trabalhos práticos simples, se as tarefas forem cuidadosamente estruturadas e supervisão especializada for proporcionada. Uma vida completamente independente na idade adulta é raramente alcançada. Geralmente, entretanto, tais pessoas são inteiramente móveis, fisicamente ativas e a maioria mostra evidência de desenvolvimento social na sua capacidade de estabelecer contato, comunicar-se com outros e se engajar em atividades sociais simples.

Diretrizes diagnósticas

O QI está usualmente na faixa de 35 a 49. Perfis discrepantes de capacidades são comuns nesse grupo, com alguns indivíduos alcançando níveis mais altos em habilidades visuoespaciais do que em tarefas dependentes de linguagem, enquanto outros são marcantemente desajeitados, mas apreciam interação social e conversação simples. O nível de desenvolvimento de linguagem é variável: alguns daqueles afetados podem tomar parte em conversações simples, enquanto outros têm apenas linguagem suficiente para comunicar suas necessidades básicas. Alguns nunca aprendem a usar linguagem, embora possam entender instruções simples e aprender a usar sinais manuais para compensar até certo ponto suas incapacidades de linguagem. Uma etiologia orgânica pode ser identificada na maioria das pessoas com retardo mental moderado. O autismo infantil e outros transtornos invasivos do desenvolvimento estão presentes em substancial minoria e têm um efeito importante sobre o quadro clínico e o tipo de manejo necessário. Epilepsia e incapacidades neurológicas e físicas são também comuns, embora a maioria das pessoas moderadamente retardadas seja capaz de andar sem assistência. É, às vezes, possível identificar outras condições psiquiátricas, porém o nível limitado de desenvolvimento de linguagem pode tornar o diagnóstico difícil e dependente de informações obtidas de outros que estão familiarizados com o indivíduo. Quaisquer transtornos associados devem ser codificados independentemente.

Inclui: imbecilidade
subnormalidade mental moderada
oligofrenia moderada

F72 Retardo mental grave

Essa categoria é, de modo geral, similar àquela do retardo mental moderado em termos do quadro clínico, da presença de uma etiologia orgânica e das condições associadas. Os níveis mais baixos de realizações mencionados sob F71 são também os mais comuns nesse grupo. A maioria das pessoas nessa categoria sofre de um grau marcante de comprometimento motor e outros déficits associados, indicando a presença de lesão clinicamente significativa ou desenvolvimento inadequado do sistema nervoso central.

Diretrizes diagnósticas

O QI está usualmente na faixa de 20 a 34.

Inclui: subnormalidade mental grave
   oligofrenia grave

F73 Retardo mental profundo

O QI estimado nesta categoria é abaixo de 20, o que significa, na prática, que os indivíduos afetados são gravemente limitados em sua capacidade de entender ou de agir de acordo com pedidos ou instruções. A maioria de tais indivíduos é imóvel ou gravemente restrito em sua mobilidade, incontinente e capaz de, no máximo, apenas formas muito rudimentares de comunicação não verbal. Eles possuem pequena ou nenhuma capacidade de cuidar de suas próprias necessidades básicas e requerem constante ajuda e supervisão.

Diretrizes diagnósticas

O QI está abaixo de 20. A compreensão e o uso de linguagem estão limitados, na melhor das hipóteses, ao entendimento de ordens básicas e a fazer pedidos simples. As habilidades visuoespaciais mais básicas e simples de separar e combinar podem ser adquiridas e a pessoa afetada pode estar apta, com supervisão e direção apropriadas, a tomar uma pequena parte em tarefas domésticas e práticas. Uma etiologia orgânica pode ser identificada na maioria dos casos. Incapacidades neurológicas graves ou outros problemas físicos afetando a mobilidade são comuns, como epilepsia e comprometimentos visuais e auditivos. Transtornos invasivos do desenvolvimento em sua forma mais grave, em especial o autismo atípico, são particularmente frequentes, em especial naqueles que se movimentam.

Inclui: idiotia
   subnormalidade mental profunda
   oligofrenia profunda

F78 Outro retardo mental

Essa categoria deve ser usada somente quando a avaliação do grau de retardo intelectual por meio dos procedimentos usuais está prejudicada, particularmente difícil ou impossibilitada por comprometimentos sensoriais ou físicos, como em cegos, surdo-mudos e em pessoas com perturbações graves de comportamento ou fisicamente incapacitadas.

F79 Retardo mental não especificado

Há evidência de retardo mental, mas as informações disponíveis são insuficientes para designar o paciente para uma das categorias acima.

Inclui: deficiência mental SOE
subnormalidade mental SOE
oligofrenia SOE

F80 — 89
Transtornos do desenvolvimento psicológico

Visão geral deste bloco

F80 Transtornos específicos do desenvolvimento da fala e linguagem
F80.0 Transtorno específico de articulação da fala
F80.1 Transtorno de linguagem expressiva
F80.2 Transtorno de linguagem receptiva
F80.3 Afasia adquirida com epilepsia (síndrome de Landau-Kleffner)
F80.8 Outros transtornos do desenvolvimento da fala e linguagem
F80.9 Transtorno do desenvolvimento da fala e linguagem, não especificado

F81 Transtornos específicos do desenvolvimento das habilidades escolares
F81.0 Transtorno específico de leitura
F81.1 Transtorno específico do soletrar
F81.2 Transtorno específico de habilidades aritméticas
F81.3 Transtorno misto das habilidades escolares
F81.8 Outros transtornos do desenvolvimento das habilidades escolares
F81.9 Transtorno do desenvolvimento das habilidades escolares, não especificado

F82 Transtorno específico do desenvolvimento da função motora

F83 Transtornos específicos mistos do desenvolvimento

F84 Transtornos invasivos do desenvolvimento
F84.0 Autismo infantil
F84.1 Autismo atípico
F84.2 Síndrome de Rett
F84.3 Outro transtorno desintegrativo da infância
F84.4 Transtorno de hiperatividade associado a retardo mental e movimentos estereotipados
F84.5 Síndrome de Asperger
F84.8 Outros transtornos invasivos do desenvolvimento
F84.9 Transtorno invasivo do desenvolvimento, não especificado

F88 Outros transtornos do desenvolvimento psicológico

F89 Transtorno não especificado do desenvolvimento psicológico

Introdução

Os transtornos incluídos em F80 — F89 têm os seguintes aspectos em comum:

(a) um início que ocorre invariavelmente durante a infância;
(b) um comprometimento ou atraso no desenvolvimento de funções que são fortemente relacionadas à maturação biológica do sistema nervoso central;
(c) um curso estável que não envolve as remissões e recaídas que tendem a ser características de muitos transtornos mentais.

Na maioria dos casos, as funções afetadas incluem linguagem, habilidades visuoespaciais e/ou coordenação motora. É característico que os comprometimentos diminuam progressivamente à medida que a criança cresce (embora déficits mais leves frequentemente perdurem na vida adulta). Em geral, a história é de um atraso ou comprometimento que está presente desde tão cedo quando possa ser confiavelmente detectado, sem nenhum período anterior de desenvolvimento normal. A maioria dessas condições é mais comum em meninos do que em meninas.

É característico dos transtornos do desenvolvimento que uma história familiar de transtornos similares ou relacionados seja comum e há evidência presuntiva de que fatores genéticos tenham um papel importante na etiologia de muitos (mas não de todos) casos. Fatores ambientais frequentemente influenciam as funções de desenvolvimento afetadas, mas na maioria dos casos eles não são de influência predominante. Entretanto, embora exista uma concordância geralmente boa na conceituação global dos transtornos nesta seção, a etiologia na maioria dos casos é desconhecida e há incerteza contínua com respeito a ambos, os limites e as subdivisões precisas dos transtornos do desenvolvimento. Além disso, dois tipos de condições que estão incluídos neste bloco não satisfazem inteiramente a definição conceitual ampla, delineada acima. Primeiro, há transtornos nos quais há uma fase indubitável de desenvolvimento normal anterior, tais como o transtorno desintegrativo da infância, a síndrome de Landau-Kleffner e alguns casos de autismo. Estas condições estão incluídas porque, embora seu início seja diferente, suas características e curso têm muitas similaridades com o grupo de transtornos do desenvolvimento, além do que ainda não se sabe se eles são ou não etiologicamente distintos. Segundo, há transtornos que são definidos primariamente mais em termos de desvio do que de um atraso no desenvolvimento de funções; isto se aplica especialmente ao autismo. Os transtornos autistas são incluídos neste bloco porque, embora definidos em termos de desvio, um atraso de desenvolvimento de algum grau é quase invariável. Ademais, há coincidência com os outros transtornos de desenvolvimento em termos de ambos os aspectos de casos individuais e agrupamento familiar.

F80 Transtornos específicos do desenvolvimento da fala e linguagem

Esses são transtornos nos quais os padrões normais de aquisição da linguagem estão perturbados desde os estágios precoces do desenvolvimento. As condições não são diretamente atribuíveis a anormalidades neurológicas ou do mecanismo da fala, a comprometimentos sensoriais, retardo mental ou fatores ambientais. A criança pode ser mais capaz de se comunicar ou entender em certas situações muito familiares do que em outras, mas a capacidade para a linguagem em qualquer situação está comprometida.

Diagnóstico diferencial. Assim como em outros transtornos do desenvolvimento, a primeira dificuldade no diagnóstico diz respeito à diferenciação das variações normais do desenvolvimento. Crianças normais variam amplamente na idade na qual elas iniciam a aquisição da linguagem falada e no ritmo no qual as habilidades de linguagem se tornam firmemente estabelecidas. Tais variações normais são de pequena ou nenhuma importância clínica, visto que a grande maioria dos casos de "desenvolvimento lento da fala" se desenvolve inteiramente dentro da normalidade. Em nítido contraste, crianças com transtornos específicos do desenvolvimento da fala e linguagem, embora a maioria por fim adquira um nível normal de habilidades de linguagem, têm múltiplos problemas associados. Atraso de linguagem é, muitas vezes, seguido por dificuldades de leitura e do soletrar, anormalidades em relacionamentos interpessoais e transtornos emocionais e de comportamento. Em consonância, um diagnóstico precoce e acurado dos transtornos específicos do desenvolvimento da fala e linguagem é importante. Não há uma demarcação clara dos extremos de variação do normal, mas quatro critérios principais são úteis para sugerir a ocorrência de um transtorno clinicamente significativo: gravidade, curso, padrão e problemas associados.

Como uma regra geral, um atraso de linguagem que é suficientemente grave para ficar fora dos limites de 2 desvios-padrão pode ser considerado como anormal. A maioria dos casos dessa gravidade tem problemas associados. O nível de gravidade em termos estatísticos é de menor uso diagnóstico em crianças maiores, entretanto, porque há uma tendência natural para melhora progressiva. Nesta situação, o curso fornece um indicador útil. Se o nível atual de comprometimento é leve, mas há contudo uma história de um grau de comprometimento previamente grave, a probabilidade é de que o funcionamento atual represente a sequela de um transtorno significativo, mais do que somente uma variação do normal. Deve-se prestar atenção ao padrão de funcionamento da fala e da linguagem. Se o padrão é anormal (isto é, desviado e não apenas aquele apropriado para uma fase precoce do desenvolvimento) ou se a fala ou linguagem da criança inclui aspectos qualitativamente anormais, um transtorno clinicamente significativo é provável. Ademais, se um atraso em algum aspecto específico do desenvolvimento da fala e linguagem é acompanhado por déficits escolares (tais como retardo específico na leitura ou no soletrar), por anormalidades nos relacionamentos interpessoais e/ou perturbações emocionais ou de comportamento, é improvável que o atraso constitua somente uma variação do normal.

A segunda dificuldade no diagnóstico diz respeito à diferenciação do retardo mental ou atraso global do desenvolvimento. Desde que a inteligência inclui habilidades verbais, é provável que uma criança cujo QI está substancialmente abaixo da média irá mostrar também um desenvolvimento da linguagem que está um tanto abaixo da média. O diagnóstico de um transtorno específico do desenvolvimento implica que o atraso específico está significativamente em desacordo com o nível geral de funcionamento cognitivo. Consequentemente, quando um atraso de linguagem é simplesmente parte de um retardo mental mais difuso ou de um atraso global do desenvolvimento, um código de retardo mental (F70 — F79) deve ser usado, *não* um código F80. —. Entretanto, é comum que o retardo mental esteja associado a um padrão irregular de desempenho intelectual e especialmente a um grau de comprometimento da linguagem que é mais grave do que o retardo em habilidades não verbais. Quando esta disparidade é de um grau tão marcante que é evidente no funcionamento cotidiano, um transtorno específico do desenvolvimento da fala e linguagem deve ser codificado *em adição* a um código para retardo mental (F70 — F79).

A terceira dificuldade diz respeito à diferenciação de um transtorno secundário à surdez grave ou a alguma anormalidade neurológica específica ou outros problemas estruturais. Surdez grave na primeira infância levará quase sempre a um atraso e a uma distorção marcantes do desenvolvimento da linguagem; tais condições *não* devem ser incluídas aqui, desde que elas são uma consequência direta do comprometimento auditivo. Entretanto, não é incomum que os transtornos mais graves do desenvolvimento da linguagem receptiva sejam acompanhados por comprometimentos auditivos seletivos parciais (especialmente para altas frequências). A diretriz é para excluir esses transtornos de F80 — F89, se a gravidade da perda auditiva constitui uma explicação suficiente para o atraso de linguagem, mas *incluí-los* se a perda parcial da audição é um fator agravante, mas não uma causa direta suficiente. Entretanto, é impossível fazer uma distinção firme e segura. Um princípio similar se aplica com respeito a anormalidades neurológicas e defeitos estruturais. Assim, uma anormalidade de articulação diretamente decorrente de uma fenda palatina ou de uma disartria resultante de paralisia cerebral seria excluída deste bloco. Por outro lado, a presença de anormalidades neurológicas sutis que não poderiam ter causado diretamente o atraso da fala ou linguagem não constituiria uma razão para exclusão.

F80.0 Transtorno específico de articulação da fala

Um transtorno específico do desenvolvimento no qual o uso dos sons da fala pela criança está abaixo do nível apropriado para sua idade mental, mas no qual há um nível normal das habilidades de linguagem.

Diretrizes diagnósticas

A idade de aquisição dos sons da fala e a ordem na qual estes se desenvolvem mostram considerável variação individual.

Desenvolvimento normal. Na idade de 4 anos, erros na produção de sons da fala são comuns, mas a criança é capaz de ser facilmente entendida por estranhos. Em torno da idade de 6-7 anos, a maioria dos sons da fala será adquirida. Embora dificuldades possam permanecer com certas combinações de sons, essas não devem resultar em quaisquer problemas de comunicação. Em torno de 11-12 anos, o domínio de quase todos os sons da fala deve estar adquirido.

Desenvolvimento anormal ocorre quando a aquisição de sons da fala pela criança está atrasada e/ou desviada, levando a: má articulação na fala da criança com consequentes dificuldades para que os outros a entendam; omissões, distorções ou substituições de sons da fala e inconsistência na coocorrência de sons (isto é, a criança pode produzir fonemas corretamente em algumas posições nas palavras, mas não em outras).

O diagnóstico deve ser feito apenas quando a gravidade do transtorno de articulação estiver fora dos limites da variação do normal para a idade mental da criança; a inteligência não verbal está dentro da faixa normal; as habilidades de linguagem expressiva e receptiva estão dentro da faixa normal; as anormalidades de articulação não são diretamente atribuíveis a uma anormalidade sensorial, estrutural ou neurológica e a pronúncia incorreta é claramente anormal no contexto do uso coloquial na subcultura da criança.

Inclui: transtorno do desenvolvimento da articulação
    transtorno do desenvolvimento fonológico
    dislalia
    transtorno funcional de articulação
    gagueira (forma grave)

Exclui: transtorno de articulação decorrente de:
afasia SOE (R47.0)
apraxia (R48.2)
comprometimentos de articulação associados a transtorno de desenvolvimento de linguagem expressiva ou receptiva (F80.1, F80.2)
fenda palatina ou outras anormalidades estruturais das estruturas orais envolvidas na fala (Q35 — Q38)
perda auditiva (H90 — H91)
retardo mental (F70 — F79)

F80.1 Transtorno de linguagem expressiva

Um transtorno específico do desenvolvimento no qual a capacidade da criança de utilizar a linguagem expressiva falada está marcantemente abaixo do nível apropriado para sua idade mental, mas onde a compreensão da linguagem está dentro dos limites normais. Pode haver ou não anormalidades na articulação.

Diretrizes diagnósticas

Embora considerável variação individual ocorra no desenvolvimento normal da linguagem, a falta de palavras simples (ou aproximação de palavras) em torno da idade de 2 anos e a incapacidade de formar frases simples com 2 palavras em torno dos 3 anos devem ser consideradas como sinais significativos de atraso. Dificuldades mais tardias incluem: desenvolvimento restrito do vocabulário; uso excessivo de um pequeno conjunto de palavras gerais, dificuldades em selecionar palavras apropriadas e substituição de palavras; pronúncia curta; estrutura imatura de sentenças; erros de sintaxe, especialmente omissões de finais de palavras ou prefixos e uso incorreto ou falha em usar elementos gramaticais, como preposições, pronomes, artigos, flexões verbais e nominais. Excessos incorretos de generalizações de regras também podem ocorrer, assim como uma falta na fluência de sentenças e dificuldades em dar sequência ao narrar eventos passados.

É frequente que comprometimentos na linguagem falada sejam acompanhados por atrasos ou anormalidades, na produção dos sons da palavra.

O diagnóstico deve ser feito apenas quando a gravidade do atraso no desenvolvimento da linguagem expressiva estiver fora dos limites da variação normal para a idade mental da criança, mas as habilidades de linguagem receptiva estão dentro dos limites normais (embora possam com frequência estar algo abaixo da média). O uso de indicadores não-verbais (tais como sorrisos e gestos) e de linguagem "interna", como a expressa em jogos de imaginação ou de faz-de-conta, deve estar relativamente intacto e a capacidade de se comunicar socialmente sem palavras deve estar relativamente não comprometida. A criança buscará se comunicar a despeito do comprometimento da linguagem e tenderá a compensar a falta de fala com o uso de demonstração, gestos, mímicas ou vocalizações não verbais. Entretanto, dificuldades associadas a relacionamentos com companheiros, perturbação emocional, comportamento destrutivo e/ou hiperatividade e desatenção não são incomuns, particularmente em crianças em idade escolar. Numa minoria de casos, pode haver alguma perda auditiva parcial (frequentemente seletiva) associada, mas esta não deve ser de uma gravidade suficiente para ser responsável pelo atraso de linguagem. Envolvimento inadequado em conversas ou privações ambientais mais gerais podem ter um papel maior ou contribuinte no desenvolvimento comprometido da linguagem expressiva. Quando este for o caso, o fator causal ambiental deve ser anotado por meio do código Z apropriado do Capítulo XXI da CID-10. O comprometimento na linguagem falada deve ser evidente desde a infância, sem nenhuma fase prolongada clara de uso da linguagem normal. Entretanto, uma história de uso prévio aparentemente normal de poucas palavras simples, seguida de um recuo ou falha em progredir, não é incomum.

Inclui: disfasia ou afasia do desenvolvimento, tipo expressivo

Exclui: afasia adquirida com epilepsia (síndrome de Landau-Kleffner) (F80.3)
afasia ou disfasia do desenvolvimento, tipo receptivo (F80.2)
disfasia e afasia SOE (R47.0)
mutismo eletivo (F94.0)
retardo mental (F70 — F79)
transtornos invasivos do desenvolvimento (F84. —)

F80.2 Transtorno de linguagem receptiva

Um transtorno específico do desenvolvimento no qual a compreensão da linguagem pela criança está abaixo do nível apropriado para sua idade mental. Em quase todos os casos, a linguagem expressiva está marcantemente perturbada e anormalidades na produção dos sons da palavra são comuns.

Diretrizes diagnósticas

Falha em responder a nomes familiares (na ausência de indicadores não verbais) em torno do primeiro aniversário, incapacidade de identificar pelo menos alguns objetos comuns em torno dos 18 meses ou falha em seguir instruções simples e de rotina, em torno dos 2 anos, devem ser consideradas como sinais significativos de atraso. Dificuldades mais tardias incluem: incapacidade de entender estruturas gramaticais (negativas, questões, comparativos, etc.) e falta de compreensão de aspectos mais sutis da linguagem (tom de voz, gestos, etc.).

O diagnóstico deve ser feito apenas quando a gravidade do atraso na linguagem receptiva estiver fora dos limites normais de variação para a idade mental da criança e quando os critérios para um transtorno invasivo do desenvolvimento não forem satisfeitos. Em quase todos os casos, o desenvolvimento da linguagem expressiva está também gravemente atrasado e anormalidades na produção dos sons da palavra são comuns. De todas as variedades de transtornos específicos do desenvolvimento da fala e linguagem, esse é o que tem maior índice de perturbações sociais, emocionais e comportamentais associadas. Tais perturbações não assumem nenhuma forma específica, mas hiperatividade e desatenção, inaptidão social e isolamento dos colegas e ansiedade, hipersensibilidade e timidez excessiva são todos relativamente frequentes. Crianças com as formas mais graves de comprometimento de linguagem receptiva podem estar algo atrasadas em seu desenvolvimento social, repetir em forma de eco a linguagem que elas não entendem e mostrar padrões de interesses algo restritos. Entretanto, elas diferem das crianças autistas por usualmente mostrarem reciprocidade social normal, brincadeiras normais de faz-de-conta, procura normal dos pais para consolo, uso quase normal de gestos e apenas leves comprometimentos na comunicação não verbal. Algum grau de perda auditiva de alta frequência não é infrequente, mas o grau de surdez não é suficiente para ser responsável pelo comprometimento de linguagem.

Inclui: falha de percepção auditiva congênita
    afasia ou disfasia do desenvolvimento, tipo receptivo
    afasia de Wernicke de desenvolvimento
    surdez verbal

Exclui: afasia adquirida com epilepsia (síndrome de Landau-Kleffner) (F80.3)
    autismo (F84.0, F84.1)
    disfasia e afasia, SOE (R47.0) ou tipo expressivo (F80.1)
    mutismo eletivo (F94.0)
    atraso de linguagem decorrente de surdez (H90 — H91)
    retardo mental (F70 — F79)

F80.3 Afasia adquirida com epilepsia (síndrome de Landau-Kleffner)

Um transtorno no qual a criança, tendo feito previamente um processo normal no desenvolvimento da linguagem, perde ambas as habilidades de linguagem, receptiva e expressiva, mas retém a inteligência global. O início do transtorno é acompanhado por anormalidades paroxísticas no EEG (quase sempre dos lobos temporais, em geral bilaterais, mas frequentemente com perturbação mais difusa) e, na maioria dos casos, também por crises epiléticas. Tipicamente, o início é entre as idades de 3 e 7 anos, mas o transtorno pode surgir mais cedo ou mais tarde na infância. Em um quarto dos casos, a perda da linguagem ocorre gradualmente durante um período de alguns meses, mas mais frequentemente a perda é abrupta, com habilidades sendo perdidas em dias ou semanas. A associação temporal entre o início das crises convulsivas e a perda da linguagem é muito variável, com uma precedendo a outra por poucos meses a 2 anos. É altamente característico que o comprometimento da linguagem receptiva seja profundo, com dificuldades na compreensão auditiva sendo assiduamente a primeira manifestação da condição. Algumas crianças emudecem, algumas ficam restritas a sons do tipo jargões e algumas mostram déficits mais leves na fluência e produção verbais, frequentemente acompanhados por má articulação. Em uns poucos casos, a qualidade da voz é afetada, com uma perda de inflexões normais. Algumas vezes, as funções de linguagem parecem flutuantes nas fases precoces do transtorno. Perturbações emocionais e de comportamento são muito comuns nos meses após a perda inicial da linguagem, mas tendem a melhorar quando a criança adquire outros meios de comunicação.

A etiologia da condição não é conhecida, mas as características clínicas sugerem a possibilidade de um processo encefalítico inflamatório. O curso do transtorno é muito variável: aproximadamente dois terços das crianças ficam com um déficit mais ou menos grave de linguagem receptiva e cerca de um terço apresenta uma remissão completa.

Exclui: afasia adquirida decorrente de traumatismo, tumor ou outros
       processos mórbidos cerebrais conhecidos
       autismo (F84.0, F84.1)
       outro transtorno desintegrativo da infância (F84.3)

F80.8 Outros transtornos do desenvolvimento da fala e linguagem

Inclui: balbucio

F80.9 Transtorno do desenvolvimento da fala e linguagem, não especificado

Essa categoria deve ser evitada tanto quanto possível e deve ser usada somente para transtornos inespecíficos, nos quais há um comprometimento significativo no desenvolvimento da fala ou linguagem que não pode ser atribuído a retardo mental ou a comprometimentos neurológicos, sensoriais ou físicos que afetam diretamente a fala ou linguagem.

Inclui: transtorno de linguagem SOE

F81 Transtornos específicos do desenvolvimento das habilidades escolares

O conceito de transtornos específicos do desenvolvimento das habilidades escolares é diretamente comparável ao dos transtornos específicos do desenvolvimento da fala e linguagem (ver F80. —) e essencialmente aplicam-se às mesmas questões de definição e medida.

Esses são transtornos nos quais os padrões normais de aquisição de habilidades estão perturbados desde os estágios iniciais do desenvolvimento. Eles não são simplesmente uma consequência de uma falta de oportunidade de aprender nem são decorrentes de qualquer forma de traumatismo ou doença cerebral adquirida. Ao contrário, pensa-se que os transtornos originam-se de anormalidades no processo cognitivo, que derivam em grande parte de algum tipo de disfunção biológica. Como na maioria dos outros transtornos do desenvolvimento, as condições são substancialmente mais comuns em meninos do que em meninas.

Cinco tipos de dificuldades aparecem no diagnóstico. Primeiro, há a necessidade de diferenciar os transtornos das variações normais nas realizações escolares. As considerações são similares àquelas nos transtornos de linguagem e os mesmos critérios são propostos para a avaliação de anormalidade (com as modificações necessárias que surgem da avaliação de realizações escolares em vez de linguagem). Segundo, há necessidade de levar em consideração o curso do desenvolvimento. Isto é importante por duas razões diferentes:

(a) Gravidade: o significado de um retardo de um ano em leitura, na idade de 7 anos, é muito diferente daquele retardo de um ano aos 14 anos de idade.
(b) Mudança no padrão: é comum que um atraso de linguagem nos anos pré-escolares desapareça no que concerne à linguagem falada, mas seja seguido por retardo específico na leitura, o qual, por sua vez, diminui na adolescência; o principal problema remanescente no início da idade adulta é um transtorno grave do soletrar. A condição é a mesma ao longo do tempo, mas o padrão se altera com o aumento da idade; os critérios diagnósticos precisam levar em conta essa mudança de desenvolvimento.

Terceiro, há a dificuldade de que as habilidade escolares têm que ser ensinadas e aprendidas; elas não são simplesmente uma função da maturação biológica. Inevitavelmente, o nível de habilidades de uma criança dependerá das circunstâncias familiares e da escolaridade, bem como de suas próprias características individuais. Infelizmente, não há meios diretos e exatos de diferenciar dificuldades escolares decorrentes de falta de experiências adequadas daquelas que decorrem de algum transtorno individual. Há boas razões para se supor que a distinção é real e clinicamente válida, mas o diagnóstico em casos individuais é difícil. Quarto, embora achados de pesquisas deem suporte para a hipótese de anormalidades subjacentes no processo cognitivo, não há nenhuma forma fácil de diferenciar, numa criança em particular, aquelas que causam dificuldades de leitura daquelas que derivam ou estão associadas à pobreza de habilidades de leitura. A dificuldade é ampliada pela descoberta de que transtornos de leitura podem derivar de mais de um tipo de anormalidade cognitiva. Quinto, há contínuas incertezas sobre a melhor forma de subdividir os transtornos específicos do desenvolvimento das habilidades escolares.

As crianças aprendem a ler, escrever, soletrar e realizar cálculos aritméticos quando são apresentadas a estas atividades em casa e na escola. Os países variam amplamente com relação à idade na qual se inicia o ensino formal, ao programa seguido dentro das escolas e, por isso, às habilidades que se espera que as crianças adquiram em diferentes idades. Essa disparidade de expectativas é maior durante os anos de escola primária ou elementar (isto é, até cerca de 11 anos de idade) e complica a questão de estabelecer definições operacionais de transtornos de habilidades escolares que tenham validade internacional.

Mesmo assim, dentro de todas as estruturas educacionais, fica claro que em cada grupo etário de crianças em idade escolar há um amplo espectro de realizações escolares e que algumas crianças não obtêm um desempenho satisfatório em aspectos específicos de realizações em relação ao seu nível geral de funcionamento intelectual.

Os transtornos específicos do desenvolvimento das habilidades escolares (DEDHE) compreendem grupos de transtornos manifestados por comprometimentos específicos e significativos no aprendizado de habilidades escolares. Esses comprometimentos no aprendizado não são resultado direto de outros transtornos (tais como retardo mental, déficits neurológicos grosseiros, problemas visuais ou auditivos não corrigidos ou perturbações emocionais), embora eles possam ocorrer simultaneamente com tais condições. Os DEDHEs frequentemente ocorrem junto com outras síndromes clínicas (tais como transtorno de déficit de atenção ou transtorno de conduta) ou outros transtornos do desenvolvimento (tais como transtorno específico do desenvolvimento da função motora ou transtornos específicos do desenvolvimento da fala e linguagem).

A etiologia dos DEDHEs não é conhecida, mas há uma suposição da primazia de fatores biológicos, os quais interagem com fatores não-biológicos (tais como oportunidade para aprender e qualidade do ensino) para produzir as manifestações. Embora esses transtornos estejam relacionados à maturação biológica, isto não implica que crianças com esses transtornos estejam simplesmente no mais baixo nível de um continuum normal e por isso se desenvolverão com o tempo. Em muitos casos, traços desses transtornos podem continuar através da adolescência e da idade adulta. De qualquer forma, é um aspecto diagnóstico necessário que os transtornos sejam manifestados de alguma forma durante os primeiros anos de escolaridade. As crianças podem se atrasar no seu desempenho escolar em um estágio posterior de sua carreira educacional (por falta de interesse, ensino deficiente, perturbação emocional, um aumento ou mudança no padrão de exigência das tarefas, etc.), mas tais problemas não fazem parte do conceito de DEDHE.

Diretrizes diagnósticas

Há vários requisitos básicos para o diagnóstico de quaisquer dos transtornos específicos do desenvolvimento das habilidades escolares. Primeiro, deve haver um grau clinicamente significativo de comprometimento na habilidade escolar especificada. Isto pode ser julgado com base na gravidade, como definido em termos escolares (isto é, um grau que pode ser esperado ocorrer em menos de 3% das crianças em idade escolar); em precursores do desenvolvimento (isto é, as dificuldades escolares foram precedidas por atrasos ou desvios de desenvolvimento mais frequentemente em fala ou linguagem) nos anos pré-escolares; em problemas associados (tais como desatenção, hiperatividade, perturbação emocional ou dificuldades de conduta); no padrão (isto é, a presença de anormalidades qualitativas que não são usualmente parte do desenvolvimento normal) e na resposta (isto é, as dificuldades escolares não são rápida e prontamente resolvidas por maior ajuda em casa e/ou na escola).

Segundo, o comprometimento deve ser específico no sentido de que não é explicado unicamente por retardo mental ou por comprometimentos menores na inteligência global. Como QI e realização escolar não correm exatamente em paralelo, essa distinção pode ser feita somente com base em testes padronizados de realização e de QI, administrados individualmente, que sejam apropriados para a cultura e o sistema educacional relevantes. Tais testes devem ser usados em conjunto com tabelas estatísticas que forneçam dados sobre o nível médio de realização esperado para um dado nível de QI, em uma dada idade cronológica. Este último requisito é necessário por causa da importância dos efeitos de regressão estatística: diagnósticos baseados

F80 — F89 TRANSTORNOS DO DESENVOLVIMENTO PSICOLÓGICO

em subtrair a idade de realização da idade mental estão fadados a ser seriamente enganadores. Na prática clínica de rotina, contudo, é improvável que esses requisitos sejam satisfeitos na maioria dos casos. Consequentemente, a diretriz clínica é simplesmente que o nível de realização da criança deve estar substancialmente abaixo do esperado para uma criança com a mesma idade mental.

Terceiro, o comprometimento deve ser de desenvolvimento, no sentido de que deve ter estado presente durante os primeiros anos de escolaridade e não ser adquirido mais tarde no processo educacional. A história do progresso escolar da criança deve fornecer evidências nesse ponto.

Quarto, não deve haver fatores externos que pudessem fornecer uma razão suficiente para as dificuldades escolares. Como indicado acima, um diagnóstico de DEDHE deve geralmente se basear em evidências positivas de transtorno clinicamente significativo de realização escolar associado a fatores intrínsecos do desenvolvimento da criança. Para aprender efetivamente, contudo, crianças devem ter oportunidades de um aprendizado adequado. Consequentemente, se está claro que a pobreza de realização escolar é diretamente decorrente de ausência muito prolongada da escola sem ensinamentos em casa ou de educação grosseiramente inadequada, os transtornos não devem ser codificados aqui. Ausências frequentes da escola ou descontinuidades educacionais resultantes de mudanças na escola não são usualmente suficientes para ocasionar retardo escolar do grau necessário para um diagnóstico de DEDHE. Entretanto, escolaridade deficiente pode complicar ou contribuir para o problema, em cujo caso os fatores escolares devem ser codificados por meio de um código Z do Capítulo XXI da CID-10.

Quinto, os DEDHEs não devem ser diretamente decorrentes de comprometimentos visuais ou auditivos não corrigidos.

Diagnóstico diferencial. É clinicamente importante diferenciar DEDHEs que surgem na ausência de qualquer transtorno neurológico diagnosticável daqueles que são secundários a alguma condição neurológica, tal como paralisia cerebral. Na prática, essa diferenciação é frequentemente difícil de se fazer (por causa do significado incerto de múltiplos sinais neurológicos "leves") e achados de pesquisas não mostram nenhuma diferenciação precisa tanto no padrão quanto no curso de DEDHE, de acordo com a presença ou ausência de disfunção neurológica manifesta. Consequentemente, embora isso não faça parte dos critérios diagnósticos, é necessário que a presença de qualquer transtorno associado seja codificada separadamente, na seção neurológica apropriada da classificação.

F81.0 Transtorno específico de leitura

O aspecto principal desse transtorno é um comprometimento específico e significativo no desenvolvimento das habilidades de leitura, o qual não é unicamente justificado por idade mental, problemas de acuidade visual ou escolaridade inadequada. A habilidade de compreensão da leitura, o reconhecimento de palavras na leitura, a habilidade de leitura oral e o desempenho de tarefas que requerem leitura podem estar todos afetados. Dificuldades para soletrar estão frequentemente associadas a transtorno específico de leitura e muitas vezes permanecem na adolescência, mesmo depois de que algum progresso na leitura tenha sido feito. Crianças com transtorno específico de leitura, seguidamente têm uma história de transtornos específicos do desenvolvimento da fala e linguagem, e uma avaliação abrangente do funcionamento corrente da linguagem muitas vezes revela dificuldades contemporâneas sutis. Em adição à falha acadêmica, comparecimento escolar deficiente e problemas com ajustamento social são complicações assíduas, particularmente nos últimos anos do primário e do secundário. A condição é encontrada em todas as linguagens conhecidas, mas há incerteza se a sua frequência é afetada ou não pela natureza da linguagem e do manuscrito.

Diretrizes diagnósticas

O desempenho da criança na leitura deve estar significativamente abaixo do nível esperado com base na idade, inteligência global e colocação escolar. O desempenho é melhor avaliado por meio de um teste padronizado de exatidão e compreensão de leitura, administrado individualmente. A natureza precisa do problema de leitura depende do nível esperado de leitura, de linguagem e de escrita. Todavia, nos primeiros estágios de aprendizagem de uma escrita alfabética, pode haver dificuldades em recitar o alfabeto, em dar os nomes corretos das letras, em dar rimas simples às palavras e na análise ou categorização de sons (apesar da acuidade auditiva normal). Mais tarde, pode haver erros em habilidades de leitura oral, tais como mostrados por:

(a) omissões, substituições, distorções ou adições de palavras ou parte de palavras;
(b) baixa velocidade de leitura;
(c) falsas partidas, hesitações longas ou "perda de lugar" no texto e fraseologia incorreta;
(d) inversões de palavras dentro de sentença ou de letras dentro de palavras.

Pode também haver déficits na compreensão de leitura, como mostrados, por exemplo, por:

(e) uma incapacidade de lembrar fatos já lidos;

(f) incapacidade de tirar conclusões ou inferências baseadas na matéria lida;
(g) uso de conhecimento geral como informação de fundo, ao invés de informação de uma história em particular para responder questões sobre uma história lida.

Nos últimos anos da infância e na vida adulta, é comum que dificuldades no soletrar se tornem mais profundas do que os déficits de leitura. É característico que as dificuldades no soletrar frequentemente envolvam erros fonéticos e parece que ambos, problemas de leitura e do soletrar, podem derivar em parte de um comprometimento na análise fonológica. Há poucos conhecimentos sobre a natureza ou frequência de erros do soletrar em crianças que têm que ler linguagens não fonéticas e pouco se sabe sobre os tipos de erros em escritas não alfabéticas.

Os transtornos específicos do desenvolvimento de leitura são comumente precedidos por uma história de transtornos no desenvolvimento da fala e linguagem. Em outros casos, as crianças podem passar pelos pontos significativos do desenvolvimento da linguagem na idade normal, mas ter dificuldades no processamento auditivo, demonstradas por problemas na categorização de sons, na rima e possivelmente por déficits na discriminação dos sons da fala, na memória auditiva sequencial e na associação auditiva. Em alguns casos, também, pode haver problemas no processamento visual (tais como na discriminação de letras); porém, esses problemas são comuns entre crianças que há pouco tempo começaram a aprender a ler e, por isso, provavelmente não estão direta e causalmente relacionados à leitura deficiente. Dificuldades de atenção, muitas vezes associadas a hiperatividade e impulsividade, são também comuns. O padrão preciso de dificuldades de desenvolvimento no período pré-escolar varia consideravelmente de uma criança para outra, como também sua gravidade; mesmo assim, tais dificuldades estão em geral (porém não invariavelmente) presentes.

Perturbações emocionais e/ou de comportamento associadas também são comuns durante o período escolar. Problemas emocionais são mais comuns durante os primeiros anos escolares, mas os transtornos de conduta e síndromes de hiperatividade são mais prováveis de estar presentes mais tarde, na infância e na adolescência. Baixa autoestima é comum e problemas de ajustamento na escola e de relacionamento com colegas também são frequentes.

Inclui: "leitura invertida"
        dislexia do desenvolvimento
        retardo específico de leitura
        dificuldades do soletrar associadas a um transtorno de leitura

Exclui: alexia e dislexia adquiridas (R48.0)
 dificuldades adquiridas de leitura secundária a perturbação emocional (F93. —)
 transtorno do soletrar não associado a dificuldades de leitura (F81.1)

F81.1 Transtorno específico do soletrar

O aspecto principal desse transtorno é um comprometimento específico e significativo no desenvolvimento das habilidades do soletrar, na ausência de uma história de transtorno específico de leitura, o qual não é justificado apenas por baixa idade mental, problemas de acuidade visual ou escolaridade inadequada. A capacidade de soletrar oralmente e a de escrever corretamente as palavras por extenso estão ambas afetadas. Crianças cujo problema é unicamente de caligrafia não devem ser incluídas, mas, em alguns casos, as dificuldades do soletrar podem estar associadas a problemas na escrita. Ao contrário do padrão usual dos transtornos específicos de leitura, os erros do soletrar tendem a ser, de forma predominante, foneticamente corretos.

Diretrizes diagnósticas

O desempenho da criança no soletrar deve estar significativamente abaixo do nível esperado com base em sua idade, inteligência global e colocação escolar e isto é mais bem avaliado por meio de um teste padronizado de soletração, administrado individualmente. As habilidades de leitura da criança (com respeito a ambas, exatidão e compreensão) devem estar dentro da faixa normal e não deve haver história de dificuldades prévias e significativas de leitura. As dificuldades no soletrar não devem ser decorrentes, principalmente, de ensino grosseiramente inadequado ou dos efeitos diretos de déficits de função visual, auditiva ou neurológica e não devem ter sido adquiridas como um resultado de qualquer transtorno neurológico, psiquiátrico ou outro.

Embora saiba-se que um transtorno "puro" do soletrar difere dos transtornos de leitura associados a dificuldades no soletrar, pouco se conhece dos antecedentes, curso, correlatos ou evolução dos transtornos específicos do soletrar.

Inclui: retardo específico do soletrar (sem transtorno de leitura)

Exclui: transtorno adquirido do soletrar (R48.8)
 dificuldades no soletrar associadas a um transtorno de leitura (F81.0)
 dificuldades no soletrar atribuíveis principalmente a ensino inadequado (Z55.8)

F81.2 Transtorno específico de habilidades aritméticas

Esse transtorno envolve um comprometimento específico em habilidades aritméticas, o qual não é explicável unicamente com base em retardo mental global ou em escolaridade grosseiramente inadequada. O déficit diz respeito ao domínio de habilidades computacionais básicas de adição, subtração, multiplicação e divisão (ao invés de habilidades matemáticas mais abstratas envolvidas em álgebra, trigonometria, geometria ou cálculo).

Diretrizes diagnósticas

O desempenho aritmético da criança deve estar significativamente abaixo do nível esperado com base em sua idade, inteligência global e colocação escolar e isto é mais bem avaliado por meio de um teste padronizado de aritmética, administrado individualmente. As habilidades da leitura e do soletrar devem estar dentro da faixa normal esperada para a idade mental da criança, preferivelmente como avaliadas em testes apropriadamente padronizados, administrados individualmente. As dificuldades em aritmética não devem ser principalmente decorrentes de ensino grosseiramente inadequado ou dos efeitos diretos de defeitos de função visual, auditiva ou neurológica e não devem ter sido adquiridas como resultado de qualquer transtorno neurológico, psiquiátrico ou outro.

Os transtornos aritméticos têm sido menos estudados do que os de leitura e o conhecimento dos antecedentes, curso, correlatos e evolução é bastante limitado. Contudo, parece que crianças com esses transtornos tendem a ter habilidades audioperceptivas e verbais dentro da faixa normal, mas habilidades visuoespaciais e visuoperceptivas comprometidas; isto contrasta com muitas crianças com transtornos de leitura. Algumas crianças têm problemas sociais, emocionais e de comportamento associados, mas pouco se sabe sobre suas características ou frequência. Tem-se sugerido que dificuldades em interações sociais podem ser particularmente comuns.

As dificuldades aritméticas que ocorrem são variadas, mas podem incluir: falha em entender os conceitos subjacentes a certas operações aritméticas; falta de entendimento de termos ou sinais matemáticos; falha em reconhecer símbolos numéricos; dificuldades em realizar manipulações aritméticas padronizadas; dificuldade em entender quais números são relevantes ao problema aritmético em consideração; dificuldade em alinhar números apropriadamente ou em inserir pontos decimais ou símbolos durante os cálculos; organização espacial precária para cálculos aritméticos e incapacidade de aprender satisfatoriamente a tabuada.

Inclui: acalculia do desenvolvimento
   transtorno aritmético do desenvolvimento
   síndrome de Gerstmann do desenvolvimento

Exclui: transtorno aritmético (acalculia) adquirido (R48.8)
   dificuldades aritméticas associadas a um transtorno de leitura ou do soletrar (F81.1)
   dificuldades aritméticas atribuíveis principalmente a ensino inadequado (Z55.8)

F81.3 Transtorno misto das habilidades escolares

Essa é uma categoria residual, maldefinida e inadequadamente conceitualizada (porém necessária) de transtornos nos quais ambas as habilidades, de aritmética e de leitura ou de soletrar, estão significativamente comprometidas, mas na qual o transtorno não é explicável unicamente em termos de retardo mental global ou escolaridade inadequada. Ela deve ser usada para transtornos que satisfazem os critérios para F81.2 e também F81.0 ou F81.1.

Exclui: transtorno específico de habilidades aritméticas (F81.2)
   transtorno específico de leitura (F81.0)
   transtorno específico do soletrar (F81.1)

F81.8 Outros transtornos do desenvolvimento das habilidades escolares

Inclui: transtorno do desenvolvimento da escrita expressiva

F81.9 Transtorno específico do desenvolvimento das habilidades escolares, não especificado

Essa categoria deve ser evitada tanto quanto possível e deve ser usada apenas para transtornos não especificados nos quais há uma incapacidade significativa de aprendizado que não pode ser justificada unicamente por retardo mental, problemas de acuidade visual ou escolaridade inadequada.

Inclui: incapacidade de aquisição de conhecimento SOE
   incapacidade de aprendizagem SOE
   transtorno de aprendizagem SOE

F82 Transtorno específico do desenvolvimento da função motora

O aspecto principal desse transtorno é um sério comprometimento no desenvolvimento da coordenação motora, que não é explicável unicamente em termos de retardo intelectual global ou qualquer transtorno neurológico congênito ou adquirido específico (a não ser aquele que possa estar implícito na anormalidade da coordenação). É usual que a inabilidade motora esteja associada a algum grau de desempenho comprometido em tarefas cognitivas visuoespaciais.

Diretrizes diagnósticas

A coordenação motora da criança, em tarefas motoras grosseiras ou finas, deve estar significativamente abaixo do nível esperado com base em sua idade e inteligência global. Isto é mais bem avaliado com base em um teste padronizado de coordenação motora fina e grosseira, administrado individualmente. As dificuldades na coordenação devem estar presentes precocemente no desenvolvimento (isto é, elas não devem constituir um déficit adquirido) e não devem ser um resultado direto de quaisquer defeitos de visão ou audição ou de qualquer transtorno neurológico diagnosticável.

A extensão, na qual o transtorno envolve principalmente a coordenação motora fina ou grosseira, varia e o padrão particular das incapacidades motoras varia com a idade. Pontos significativos do desenvolvimento motor podem estar atrasados e pode haver algumas dificuldades de fala associadas (especialmente envolvendo articulação). A criança pequena pode ser inábil na marcha, sendo lenta para aprender a correr, pular e subir e descer escadas. Há, provavelmente, dificuldades em aprender a amarrar os cordões dos sapatos, abotoar e desabotoar botões e atirar e pegar bolas. A criança pode ser desajeitada em movimentos finos e/ou grosseiros — tendendo a derrubar coisas, tropeçar, se chocar com obstáculos e ter caligrafia insatisfatória. As habilidades de desenho são usualmente pobres e crianças com esse transtorno são com frequência inábeis em quebra-cabeças, brinquedos estruturais, construção de modelos, jogos de bola e desenho e compreensão de mapas.

Na maioria dos casos, um exame clínico cuidadoso mostra imaturidades marcantes do desenvolvimento neurológico, tais como movimentos coreiformes de membros ou movimentos em espelho e outros aspectos motores associados, como também sinais de deficiente coordenação motora fina e grosseira (geralmente descritos como sinais neurológicos "leves" por sua ocorrência normal em crianças mais novas e por sua falta de valor de localização). Os reflexos tendinosos podem estar aumentados ou diminuídos bilateralmente, mas não serão assimétricos.

Dificuldades escolares ocorrem em algumas crianças e podem ocasionalmente ser graves; em alguns casos, há problemas sociais, emocionais e de comportamento associados, mas pouco se conhece sobre sua frequência ou características.

Não há nenhum transtorno neurológico diagnosticável (tal como paralisia cerebral ou distrofia muscular). Em alguns casos, entretanto, há uma história de complicações perinatais tais como peso muito baixo no nascimento ou nascimento marcantemente prematuro. A síndrome da criança desajeitada tem muitas vezes sido diagnosticada como "disfunção cerebral mínima", mas este termo não é recomendado por ter muitos significados diferentes e contraditórios.

Inclui: síndrome da criança desajeitada
   transtorno de coordenação do desenvolvimento
   dispraxia do desenvolvimento

Exclui: anormalidades de marcha e mobilidade (R26. —)
   falta de coordenação (R27. —) secundária tanto a retardo mental (F70 — F79) quanto a algum transtorno neurológico específico diagnosticável (G00 — G99)

F83 Transtornos específicos mistos do desenvolvimento

Essa é uma categoria residual, maldefinida e inadequadamente conceitualizada (mas necessária) de transtornos nos quais há alguma mistura de transtornos específicos do desenvolvimento da fala e linguagem, de habilidades escolares e/ou de função motora, mas nos quais nenhum predomina o suficiente para constituir o diagnóstico principal. É comum que cada um desses transtornos específicos do desenvolvimento esteja associado a algum grau de comprometimento geral de funções cognitivas e essa categoria mista deve ser usada somente quando há uma sobreposição maior. Assim, a categoria deve ser usada quando há disfunções satisfazendo os critérios para dois ou mais de F80. —, F81. — e F82.

F84 Transtornos invasivos do desenvolvimento

Esse grupo de transtornos é caracterizado por anormalidades qualitativas em interações sociais recíprocas e em padrões de comunicação e por um repertório de interesses e atividades restrito, estereotipado e repetitivo. Essas anormalidades qualitativas são um aspecto invasivo do funcionamento do indivíduo em todas as situações, embora possam variar em grau. Na maioria dos casos, o desenvolvimento é anormal desde a infância e, com apenas poucas exceções, as condições se manifestam nos primeiros 5 anos de vida. É usual, mas não invariável, haver algum grau de comprometimento cognitivo, mas os transtornos são definidos em termos de *comportamento* que

F80 — F89 TRANSTORNOS DO DESENVOLVIMENTO PSICOLÓGICO

é desviado em relação à idade mental (seja o indivíduo retardado ou não). Há algum desacordo quanto à subdivisão desse grupo global de transtornos invasivos do desenvolvimento.

Em alguns casos, os transtornos estão associados, e são presumivelmente decorrentes, a alguma condição médica das quais espasmos infantis, rubéola congênita, esclerose tuberosa, lipoidose cerebral e anomalia da fragilidade do cromossoma X estão entre as mais comuns. Entretanto, o transtorno deve ser diagnosticado com base nos aspectos comportamentais, independente da presença ou ausência de quaisquer condições médicas associadas; qualquer condição associada deve, todavia, ser codificada separadamente. Se um retardo mental está presente, é importante que ele também seja codificado à parte, sob F70 — F79, porque ele não é um aspecto universal dos transtornos invasivos de desenvolvimento.

F84.0   Autismo infantil

Um transtorno invasivo do desenvolvimento definido pela presença de desenvolvimento anormal e/ou comprometido que se manifesta antes da idade de 3 anos e pelo tipo característico de funcionamento anormal em todas as três áreas de interação social, comunicação e comportamento restrito e repetitivo. O transtorno ocorre em garotos três ou quatro vezes mais frequentemente que em meninas.

Diretrizes diagnósticas

Em geral, não há um período prévio de desenvolvimento inequivocamente normal, mas, se há, anormalidades se tornam aparentes antes da idade de 3 anos. Há sempre comprometimentos qualitativos na interação social recíproca. Estes tomam a forma de uma apreciação inadequada de indicadores socioemocionais, como demonstrada por uma falta de respostas para as emoções de outras pessoas e/ou falta de modulação do comportamento, de acordo com o contexto social; uso insatisfatório de sinais sociais e uma fraca integração dos comportamentos sociais, emocionais e de comunicação e, especialmente, uma falta de reciprocidade socioemocional. Similarmente, comprometimentos qualitativos na comunicação são universais. Estes tomam a forma de uma falta de uso social de quaisquer habilidades de linguagem que estejam presentes; comprometimento em brincadeiras de faz-de--conta e jogos sociais de imitação; pouca sincronia e falta de reciprocidade no intercâmbio de conversação; pouca flexibilidade na expressão da linguagem e uma relativa ausência de criatividade e fantasia nos processos de pensamento; falta de resposta emocional às iniciativas verbais e não verbais de outras pessoas; uso comprometido de variações na cadência ou ênfase para refletir modulação comunicativa e uma falta similar de gestos concomitantes para dar ênfase ou ajuda na significação na comunicação falada.

A condição é também caracterizada por padrões de comportamento, interesses e atividades restritos, repetitivos e estereotipados. Isto toma a forma de uma tendência a impor rigidez e rotina a uma ampla série de aspectos do funcionamento diário; usualmente, isto se aplica tanto a atividades novas como a hábitos familiares e a padrões de brincadeiras. Particularmente na primeira infância, pode haver vinculação específica a objetos incomuns, tipicamente não macios. A criança pode insistir na realização de rotinas particulares e em rituais de caráter não funcional; pode haver preocupações estereotipadas com interesses tais como datas, itinerários ou horários; frequentemente, há estereotipias motoras; um interesse específico em elementos não funcionais de objetos (tais como seu cheiro ou tato) é comum e pode haver resistência a mudanças na rotina ou em detalhes do meio ambiente pessoal (tais como as movimentações de ornamentos ou móveis em casa).

Em adição a esses aspectos diagnósticos específicos, é frequente a criança com autismo mostrar uma série de outros problemas não específicos tais como medo/fobias, perturbações de sono e alimentação, ataques de birra e agressão. Autolesão (p. ex., morder o punho) é bastante comum, especialmente quando há retardo mental grave associado. A maioria dos indivíduos com autismo carece de espontaneidade, iniciativa e criatividade na organização de seu tempo de lazer e tem dificuldade em aplicar conceitualizações em decisões no trabalho (mesmo quando as tarefas em si estão à altura de sua capacidade). A manifestação específica dos déficits característicos do autimo muda à medida que as crianças crescem, mas os déficits continuam através da vida adulta com um padrão amplamente similar de problemas na socialização, comunicação e padrões de interesse. As anormalidades do desenvolvimento devem estar presentes nos primeiros 3 anos para que o diagnóstico seja feito, mas a síndrome pode ser diagnosticada em todos os grupos etários.

Todos os níveis de QI podem ocorrer em associação com o autismo, mas há retardo mental significativo em cerca de três quartos dos casos.

Inclui: transtorno autista
    autismo infantil
    psicose infantil
    síndrome de Kanner

Diagnóstico diferencial. À parte outras variedades de transtorno invasivo do desenvolvimento, é importante considerar: transtorno específico do desenvolvimento da linguagem receptiva (F80.2) com problemas socioemocionais secundários; transtorno reativo de vinculação (F94.1) ou transtorno de vinculação com desinibição (F94.2); retardo mental (F70 — F79) com algum transtorno emocional/de comportamento associado; esquizofrenia (F20. —) de início inusualmente precoce e síndrome de Rett (F84.2).

Exclui: psicopatia autista (F84.5)

F84.1 Autismo atípico

Um transtorno invasivo do desenvolvimento que difere do autismo em termos *ou* de idade de início *ou* de falha em preencher todos os três conjuntos de critérios diagnósticos. Assim, o desenvolvimento anormal e/ou comprometido se manifesta pela primeira vez apenas depois da idade de 3 anos e/ou há anormalidades demonstráveis insuficientes em uma ou duas das três áreas de psicopatologia requeridas para o diagnóstico de autismo (a saber, interações sociais recíprocas, comunicação e comportamento restrito, estereotipado e repetitivo), a despeito de anormalidades características em outra(s) área(s). O autismo atípico surge mais frequentemente em indivíduos profundamente retardados, cujo nível muito baixo de funcionamento oferece pouca oportunidade de exibir comportamentos desviados específicos, requeridos para o diagnóstico de autismo; ele também ocorre em indivíduos com um grave transtorno específico do desenvolvimento da linguagem receptiva. O autismo atípico, então, constitui uma condição significativamente separada do autismo.

Inclui: psicose atípica da infância
retardo mental com aspectos autistas

F84.2 Síndrome de Rett

Uma condição de causa desconhecida, até então relatada somente em meninas, a qual tem sido diferenciada com base em um início, curso e padrão de sintomatologia característicos. Tipicamente, um desenvolvimento inicial aparentemente normal ou quase normal é seguido por perda total ou parcial das habilidades manuais adquiridas e da fala, junto com uma desaceleração do crescimento do crânio, usualmente com um início entre 7 e 24 meses de idade. Estereotipias de aperto de mão, hiperventilação e perda dos movimentos propositais da mão são características particulares. O desenvolvimento social e lúdico é interrompido nos primeiros 2 ou 3 anos, mas o interesse social tende a ser mantido. Durante a metade da infância, ataxia e apraxia do tronco, associadas a escoliose ou cifoescoliose, tendem a desenvolver-se e algumas vezes há movimentos coreoateoides. Prejuízo mental grave invariavelmente é o resultado. Convulsões frequentemente se desenvolvem durante o início ou meio da infância.

Diretrizes diagnósticas

Na maioria dos casos, o início é entre 7 e 24 meses de idade. O aspecto mais característico é uma perda de movimentos propositais das mãos e das habilidades motoras manipulativas finas adquiridas. Isto é acompanhado por perda, perda parcial ou falta de desenvolvimento da linguagem; movimentos tortuosos estereotipados característicos de aperto ou "lavagem das mãos", com os braços flexionados em frente ao tórax ou queixo; molhar as mãos, estereotipadamente, com saliva; falta de mastigação apropriada da comida; episódios, frequentes, de hiperventilação; quase sempre uma falha em alcançar controle intestinal e vesical; frequentes, salivação excessiva e protrusão da língua e uma perda do envolvimento social. Tipicamente, as crianças retêm uma espécie de "sorriso social", olhando para ou "através" das pessoas, mas não interagindo socialmente com elas na primeira infância (embora, com frequência, uma interação social se desenvolva mais tarde). A postura e a marcha tendem a ter uma base alargada, os músculos são hipotônicos, os movimentos do tronco usualmente tornam-se insatisfatoriamente coordenados e escoliose ou cifoescoliose habitualmente se desenvolve. Atrofias espinhais, com incapacidade motora grave, se desenvolvem na adolescência ou idade adulta, em aproximadamente metade dos casos. Mais tarde, uma espasticidade rígida pode se manifestar e é em geral mais pronunciada nos membros inferiores do que nos superiores. Crises epiléticas, usualmente envolvendo algum tipo de ataque menor e com um início geralmente antes da idade de 8 anos, ocorrem na maioria dos casos. Em contraste com o autismo, tanto autoinjúrias deliberadas quanto preocupações ou rotinas estereotipadas e complexas são raras.

Diagnóstico diferencial. De início, a síndrome de Rett é primariamente diferenciada com base na falta de movimentos propositais das mãos, desaceleração do crescimento do crânio, ataxia, movimentos estereotipados do tipo "lavar as mãos" e falta de mastigação apropriada. O curso do transtorno, em termos de deterioração motora progressiva, confirma o diagnóstico.

F84.3 Outro transtorno desintegrativo da infância

Um transtorno invasivo do desenvolvimento (outro que não a síndrome de Rett) que é definido por um período de desenvolvimento normal antes do início e por uma perda definitiva, no curso de poucos meses, de habilidades previamente adquiridas em pelo menos várias áreas do desenvolvimento, junto com o início de anormalidades características do funcionamento social, comunicativo e do comportamento. Muitas vezes há um período prodrômico de doença vaga; a criança se torna irrequieta, irritável, ansiosa e hiperativa. Isso é seguido por empobrecimento e então perda da fala e linguagem, acompanhado por desintegração do comportamento. Em alguns casos, a perda de habilidades é persistentemente progressiva (em geral quando o transtorno está associado a uma condição neurológica progressiva diagnosticável), mas mais frequentemente o declínio que ocorre em um período de alguns meses é seguido por um platô e então por uma melhora limitada. O prognóstico é usualmente muito pobre e a maioria dos indivíduos evolui para um retardo mental grave. Há incerteza sobre a extensão na qual essa condição difere do autismo. Em alguns casos, o transtorno pode ser demonstrado como decorrente de alguma encefalopatia associada, mas o diagnóstico deve ser feito pelos aspectos comportamentais. Qualquer condição neurológica associada deve ser codificada separadamente.

Diretrizes diagnósticas

O diagnóstico é baseado em um desenvolvimento aparentemente normal até a idade de pelo menos 2 anos, seguido por uma perda definitiva de habilidades previamente adquiridas; isso é acompanhado por um funcionamento social qualitativamente anormal. É comum haver uma profunda regressão ou perda da linguagem, uma regressão no nível de brincadeiras, habilidades sociais e comportamento adaptativo e muitas vezes uma perda do controle intestinal ou vesical, algumas vezes com uma deterioração do controle motor. Tipicamente, isso é acompanhado por uma perda geral do interesse pelo ambiente, por maneirismos motores repetitivos e estereotipados e por um comprometimento do tipo autista da interação social e da comunicação. Em alguns aspectos, a síndrome lembra a demência na vida adulta, mas difere em três aspectos-chave: não há em geral nenhuma evidência de qualquer lesão ou doença orgânica identificável (embora uma disfunção cerebral orgânica de algum tipo seja usualmente inferida); a perda de habilidades pode ser seguida por um grau de recuperação e o comprometimento na socialização e comunicação tem qualidades desviadas mais típicas de autismo do que de declínio intelectual. Por todas estas razões, a síndrome está incluída aqui ao invés de sob F00 — F09.

Inclui: demência infantil
  psicose desintegrativa
  síndrome de Heller
  psicose simbiótica

Exclui: afasia adquirida com epilepsia (F80.3)
mutismo eletivo (F94.0)
síndrome de Rett (F84.2)
esquizofrenia (F20. —)

F84.4 Transtorno de hiperatividade associado a retardo mental e movimentos estereotipados

Esse é um transtorno maldefinido de validade nosológica incerta. A categoria é incluída aqui por causa da evidência de que crianças com retardo mental grave (QI abaixo de 50) que apresentam problemas maiores de hiperatividade e desatenção, assiduamente mostram comportamentos estereotipados; tais crianças tendem a não se beneficiar com drogas estimulantes (ao contrário daquelas com um QI na faixa normal) e podem exibir uma reação disfórica grave (às vezes com retardo psicomotor) quando tomam estimulantes; na adolescência, a hiperatividade tende a ser substituída por hipoatividade (um padrão que não é usual em crianças hipercinéticas com inteligência normal). É também comum a síndrome estar associada a uma variedade de atrasos do desenvolvimento, sejam específicos ou globais.

A extensão na qual o padrão de comportamento é uma função de baixo QI ou de lesão cerebral orgânica não é conhecida, nem está claro se os transtornos em crianças com retardo mental moderado, que exibem a síndrome hipercinética, seriam melhor classificados aqui ou sob F90. —; no presente momento eles são incluídos em F90. —.

Diretrizes diagnósticas

O diagnóstico depende da combinação de hiperatividade grave e inapropriada ao desenvolvimento, estereotipias motoras e retardo mental grave; todos os três devem estar presentes para o diagnóstico. Se os critérios diagnósticos para F84.0, F84.1 ou F84.2 são satisfeitos, aquela condição deve ser diagnosticada ao invés desta.

F84.5 Síndrome de Asperger

Um transtorno de validade nosológica incerta, caracterizado pelo mesmo tipo de anormalidades qualitativas de interação social recíproca que tipifica o autismo, junto com um repertório de interesses e atividades restrito, estereotipado e repetitivo. O transtorno difere do autismo primariamente por não haver nenhum atraso ou retardo global no desenvolvimento cognitivo ou de linguagem. A maioria dos indivíduos é de inteligência global normal, mas é comum que seja marcantemente desajeitada; a condição ocorre predominantemente em meninos (em uma proporção de cerca de oito garotos para uma menina). Parece altamente provável que pelo menos alguns casos representem variedades leves de autismo, mas é incerto se é assim para todos. Há uma forte tendência para que as anormalidades persistam na adolescência e na vida adulta e parece que elas representam características individuais que não são grandemente afetadas por influências ambientais. Episódios psicóticos ocasionalmente ocorrem no início da vida adulta.

Diretrizes diagnósticas

O diagnóstico é baseado na combinação de uma falta de qualquer atraso global clinicamente significativo no desenvolvimento da linguagem ou cognitivo, como com o autismo, a presença de deficiências qualitativas na interação social recíproca e padrões de comportamento, interesses e atividades restritos, repetitivos e estereotipados. Pode haver ou não problemas de comunicação similares àqueles associados ao autismo, mas um retardo significativo de linguagem excluiria o diagnóstico.

Inclui: psicopatia autista
transtorno esquizoide da infância

Exclui: transtorno de personalidade anancástica (F60.5)
transtornos de vinculação na infância (F94.1, F94.2)
transtorno obsessivo-compulsivo (F42. —)
transtorno esquizotípico (F21)
esquizofrenia simples (F20.6)

F84.8 Outros transtornos invasivos do desenvolvimento

F84.9 Transtorno invasivo do desenvolvimento, não especificado

Essa é uma categoria diagnóstica residual que deve ser usada para transtornos os quais se encaixam na descrição geral para transtornos invasivos do desenvolvimento, mas nos quais uma falta de informações adequadas ou achados contraditórios indicam que os critérios para qualquer dos outros códigos F84 não podem ser satisfeitos.

F88 Outros transtornos do desenvolvimento psicológico

Inclui: agnosia do desenvolvimento

F89 Transtorno não especificado do desenvolvimento psicológico

Inclui: transtorno do desenvolvimento SOE

F90 — F98
Transtornos emocionais e de comportamento com início usualmente ocorrendo na infância e adolescência

F99
Transtorno mental não especificado

Visão geral destas seções

F90 **Transtornos hipercinéticos**
    F90.0 Perturbação da atividade e atenção
    F90.1 Transtorno de conduta hipercinética
    F90.8 Outros transtornos hipercinéticos
    F90.9 Transtorno hipercinético, não especificado

F91 **Transtornos de conduta**
    F91.0 Transtorno de conduta restrito ao contexto familiar
    F91.1 Transtorno de conduta não socializado
    F91.2 Transtorno de conduta socializado
    F91.3 Transtorno desafiador de oposição
    F91.8 Outros transtornos de conduta
    F91.9 Transtorno de conduta, não especificado

F92 **Transtornos mistos de conduta e emoções**
    F92.0 Transtorno depressivo de conduta
    F92.8 Outros transtornos mistos de conduta e emoções
    F92.9 Transtorno misto de conduta e emoções, não especificado

F93 **Transtornos emocionais com início específico na infância**
    F93.0 Transtorno de ansiedade de separação na infância
    F93.1 Transtorno de ansiedade fóbica na infância
    F93.2 Transtorno de ansiedade social na infância
    F93.3 Transtorno de rivalidade entre irmãos
    F93.8 Outros transtornos emocionais na infância
    F93.9 Transtorno emocional na infância, não especificado

F94 **Transtornos de funcionamento social com início específico na infância e adolescência**

F94.0 Mutismo eletivo
F94.1 Transtorno reativo de vinculação na infância
F94.2 Transtorno de vinculação com desinibição na infância
F94.8 Outros transtornos de funcionamento social na infância
F94.9 Transtorno de funcionamento social na infância, não especificado

F95 Transtornos de tique
F95.0 Transtorno de tique transitório
F95.1 Transtorno crônico de tique motor ou vocal
F95.2 Transtorno de tiques vocais e motores múltiplos combinados (síndrome de Gilles de la Tourette)
F95.8 Outros transtornos de tique
F95.9 Transtorno de tique, não especificado

F98 Outros transtornos emocionais e de comportamento com início ocorrendo usualmente na infância e adolescência.
F98.0 Enurese não orgânica
F98.1 Encoprese não orgânica
F98.2 Transtorno de alimentação na infância
F98.3 Pica na infância
F98.4 Transtornos de movimento estereotipado
F98.5 Gagueira (tartamudez)
F98.6 Fala desordenada (taquifemia)
F98.8 Outros transtornos emocionais e de comportamento especificados com início ocorrendo usualmente na infância e adolescência
F98.9 Transtornos emocionais e de comportamento com início usualmente ocorrendo na infância e adolescência, não especificados

F99 Transtorno mental, sem outra especificação

F90 Transtornos hipercinéticos

Esse grupo de transtornos é caracterizado por: início precoce; uma combinação de um comportamento hiperativo e pobremente modulado com desatenção marcante e falta de envolvimento persistente nas tarefas e conduta invasiva nas situações e persistência no tempo dessas característica de comportamento.

É pensamento geral que anormalidades constitucionais desempenham um papel crucial na gênese desses transtornos, mas o conhecimento de uma etiologia específica não existe no momento. Nos últimos anos, o termo diagnóstico "transtorno de déficit de atenção" foi usado para essas síndromes. Não foi usado aqui porque implica num conhecimento de processos psicológicos que ainda não está disponível e sugere a inclusão de crianças ansiosas, preocupadas ou "sonhadoras" apáticas, cujos problemas são provavelmente diferentes. Entretanto, é claro que, do ponto de vista do comportamento, problemas de desatenção constituem o aspecto central dessas síndromes hipercinéticas.

Transtornos hipercinéticos sempre começam cedo no desenvolvimento (usualmente nos primeiros 5 anos de vida). Suas principais características são falta de persistência em atividades que requeiram envolvimento cognitivo e uma tendência a mudar de uma atividade para outra sem completar nenhuma, junto com uma atividade excessiva, desorganizada e malcontrolada. Esses problemas usualmente persistem através dos anos escolares e mesmo na vida adulta, mas muitos indivíduos afetados mostram uma melhora gradual na atividade e na atenção.

Várias outras anormalidades podem estar associadas a esses transtornos. Crianças hipercinéticas são assiduamente imprudentes e impulsivas, propensas a acidentes e incorrem em problemas disciplinares por infrações não premeditadas de regras (ao invés de desafio deliberado). Seus relacionamentos com adultos são, com frequência, socialmente desinibidos, com uma falta da precaução e reserva normais; elas são impopulares com outras crianças e podem se tornar isoladas. Comprometimento cognitivo é comum e atrasos específicos do desenvolvimento motor e da linguagem são desproporcionalmente frequentes.

Complicações secundárias incluem comportamento antissocial e baixa autoestima. Em consonância, há considerável sobreposição entre hipercinesia e outros padrões de comportamento destrutivo, tais como o "transtorno de conduta não socializado". Todavia, evidências atuais favorecem a separação de um grupo no qual a hipercinesia é o problema principal.

F90 — F98 TRANSTORNOS DA INFÂNCIA E DA ADOLESCÊNCIA

Transtornos hipercinéticos são várias vezes mais frequentes em meninos do que em meninas. Dificuldades de leitura associadas (e/ou outros problemas escolares) são comuns.

Diretrizes diagnósticas

As características fundamentais são atenção comprometida e hiperatividade: ambas são necessárias para o diagnóstico e devem ser evidentes em mais de uma situação (p. ex., casa, classe, clínica).

A atenção comprometida é manifestada por interromper tarefas prematuramente e por deixar atividades inacabadas. As crianças mudam frequentemente de uma atividade para outra, parecendo perder o interesse em uma tarefa porque se distraem com outras (embora estudos de laboratório geralmente não mostrem um grau inusual de distraibilidade sensorial ou perceptiva). Esses déficits na persistência e na atenção devem ser diagnosticados apenas se forem excessivos para a idade e QI da criança.

A hiperatividade implica em inquietação excessiva, em especial em situações que requerem calma relativa. Pode, dependendo da situação, envolver correr e pular ou levantar do lugar quando é esperado ficarem sentadas, loquacidade e algazarra excessivas ou inquietação e se remexer. O padrão para julgamento deve ser que a atividade é excessiva no contexto do que é esperado na situação e por comparação com outras crianças da mesma idade e QI. Este aspecto de comportamento é mais evidente em situações estruturadas e organizadas que necessitam de um alto grau de autocontrole de comportamento.

Os aspectos associados não são suficientes ou mesmo necessários para o diagnóstico, mas ajudam a sustentá-lo. Desinibição em relacionamentos sociais, imprudência em situações que envolvem algum perigo e zombarias impulsivas das regras sociais (como mostradas por intromissões e interrupções das atividades dos outros, respostas prematuras a questões antes que elas tenham sido completadas ou dificuldades de esperar a sua vez) são todas características de crianças com esse transtorno.

Transtornos de aprendizado e inabilidade motora ocorrem com bastante frequência e devem ser codificados separadamente (sob F80 — F89) quando presentes; eles não devem, entretanto, ser parte do diagnóstico real do transtorno hipercinético.

Sintomas de transtorno de conduta não são critérios nem de exclusão nem de inclusão para o diagnóstico principal, mas a sua presença ou ausência constitui a base para a principal subdivisão do transtorno (ver abaixo).

Os problemas característicos de comportamento devem ter início precoce (antes da idade de 6 anos) e longa duração. Entretanto, antes da idade de entrada na escola, a hiperatividade é difícil de ser reconhecida devido à ampla variação normal; somente níveis extremos devem levar a um diagnóstico em crianças pré-escolares.

O diagnóstico de transtorno hipercinético pode ainda ser feito na vida adulta. Os fundamentos são os mesmos, mas a atenção e a atividade devem ser julgadas com referência a normas apropriadas do desenvolvimento. Quando a hipercinesia esteve presente na infância, mas desapareceu e foi seguida por outra condição, tal como transtorno de personalidade antissocial ou abuso de substância, a condição atual, em vez da anterior, é codificada.

Diagnóstico diferencial. Transtornos mistos são comuns e transtornos invasivos do desenvolvimento têm precedência quando eles estão presentes. Os problemas maiores no diagnóstico encontram-se na diferenciação com transtorno de conduta: quando seus critérios diagnósticos são satisfeitos, o transtorno hipercinético é diagnosticado com prioridade sobre o transtorno de conduta. Entretanto, graus mais leves de hiperatividade e desatenção são comuns no transtorno de conduta. Quando aspectos de ambos, transtorno hipercinético e de conduta, estão presentes e se a hiperatividade é invasiva e grave, "transtorno de conduta hipercinética" (F90.1) deve ser o diagnóstico.

Um problema adicional origina-se do fato de que hiperatividade e desatenção, de um tipo muito diferente daquele que é característico de um transtorno hipercinético, podem surgir como um sintoma de transtornos ansiosos ou depressivos. Assim, a inquietação que é tipicamente parte de um transtorno depressivo agitado não deve levar ao diagnóstico de transtorno hipercinético. Igualmente, a inquietação que é com frequência parte de ansiedade grave não deve levar ao diagnóstico de um transtorno hipercinético. Se os critérios para um dos transtornos de ansiedade (F40. —, F41. —, F43. — ou F93. —) são satisfeitos, isto deve ter precedência sobre o transtorno hipercinético, a menos que haja evidência, à parte a inquietação associada à ansiedade, da presença adicional de um transtorno hipercinético. Similarmente, se os critérios para um transtorno do humor (F30 — F39) são satisfeitos, um transtorno hipercinético não deve ser diagnosticado em adição, simplesmente porque a concentração está comprometida e há agitação psicomotora. O diagnóstico duplo deve ser feito somente quando os sintomas que não são simplesmente parte da perturbação de humor indicam com clareza a presença separada de um transtorno hipercinético.

O início agudo de comportamento hiperativo em uma criança em idade escolar é com maior probabilidade decorrente de algum tipo de transtorno reativo (psicogênico ou orgânico), estado maníaco, esquizofrenia ou doença neurológica (p. ex., febre reumática).

Exclui: transtornos de ansiedade (F41. — ou F93.0)
      transtornos do humor (afetivos) (F30 — F39)
      transtornos invasivos do desenvolvimento (F84. —)
      esquizofrenia (F20. —)

F90.0 Perturbação da atividade e atenção

Há uma incerteza contínua sobre a subdivisão mais satisfatória dos transtornos hipercinéticos. Entretanto, estudos de seguimento mostram que a evolução na adolescência e na vida adulta está muito influenciada pela associação ou não à agressão, delinquência e comportamento antissocial. Em consonância, a principal subdivisão é feita de acordo com a presença ou ausência desses aspectos associados. O código usado deve ser F90.0, quando os critérios globais para transtorno hipercinético (F90. —) forem satisfeitos, mas aqueles para F91. — (transtorno de conduta) não.

Inclui: transtorno ou síndrome de déficit de atenção com hiperatividade
      transtorno de déficit de atenção e hiperatividade

Exclui: transtorno hipercinético associado a transtorno de conduta (F90.1)

F90.1 Transtorno de conduta hipercinética

Esse código deve ser usado quando ambos os critérios globais, para transtorno hipercinético (F90. —) e para transtorno de conduta (F91. —) são satisfeitos.

F90.8 Outros transtornos hipercinéticos

F90.9 Transtorno hipercinético, não especificado

Essa categoria residual não é recomendada e deve ser usada somente quando há uma falta de diferenciação entre F90.0 e F90.1, mas os critérios globais para F90. — são preenchidos.

Inclui: reação ou síndrome hipercinética da infância ou adolescência SOE

F91 Transtornos de conduta

Os transtornos de conduta são caracterizados por um padrão repetitivo e persistente de conduta antissocial, agressiva ou desafiadora. Tal comportamento, quando em seu maior extremo, deve alcançar violações importantes das expectativas sociais apropriadas à idade do indivíduo e é, portanto, mais grave que travessuras infantis ou rebeldia adolescente normais. Atos antissociais ou criminosos isolados não são, em si mesmos, base para o diagnóstico, o qual implica num padrão permanente de comportamento.

Aspectos de transtorno de conduta podem também ser sintomáticos de outras condições psiquiátricas, em cujo caso o diagnóstico subjacente deve ser codificado.

Transtornos de conduta podem, em alguns casos, anteceder transtorno de personalidade antissocial (F60.2). Eles estão frequentemente associados a ambientes psicossociais adversos, incluindo relacionamentos familiares insatisfatórios e fracasso escolar, e são mais comumente observados em meninos. Sua distinção com transtorno emocional está bem validada; sua separação da hiperatividade é menos clara e há, com frequência, sobreposição.

Diretrizes diagnósticas

Julgamentos acerca da presença de transtorno de conduta devem levar em consideração o nível de desenvolvimento da criança. Acessos de birra, por exemplo, são uma parte normal do desenvolvimento aos 3 anos de idade e sua mera presença não seria base para o diagnóstico. Igualmente, a violação de direitos cívicos de outras pessoas (como por crime violento) não está dentro da capacidade da maioria das crianças com 7 anos de idade e então não é um critério diagnóstico necessário para esse grupo etário.

Exemplos de comportamentos nos quais o diagnóstico está baseado incluem os seguintes: níveis excessivos de brigas ou intimidação; crueldade com animais ou outras pessoas; destruição grave de propriedades; comportamento incendiário; roubo; mentiras repetidas; cabular aulas ou fugir de casa; ataques de birra inusualmente frequentes e graves; comportamento provocativo desafiador e desobediência grave e persistente. Qualquer uma dessas categorias, se marcante, é suficiente para o diagnóstico, mas atos antissociais isolados não o são.

Critérios de exclusão incluem condições subjacentes incomuns, mas sérias, tais como esquizofrenia, mania, transtorno invasivo do desenvolvimento, transtorno hipercinético e depressão.

Esse diagnóstico não é recomendado, a menos que a duração do comportamento descrito acima seja de 6 meses ou mais.

Diagnóstico diferencial. O transtorno de conduta sobrepõe-se a outras condições. A coexistência de transtornos emocionais na infância (F93. —) deve levar a um diagnóstico de transtorno misto de conduta e emoções (F92. —). Se um caso também satisfaz os critérios para transtorno hipercinético (F90. —), aquela condição deve ser diagnosticada ao invés. Entretanto, níveis de hiperatividade e desatenção mais leves ou mais especificamente situacionais são comuns em crianças com transtorno de conduta, como são baixa autoestima e transtornos emocionais menores; nenhum exclui o diagnóstico.

Exclui: transtornos de conduta associados a transtornos emocionais (F92. —)
    ou transtornos hipercinéticos (F90. —)
    transtornos de humor (afetivos) (F30 — F39)
    transtornos invasivos do desenvolvimento (F84. —)
    esquizofrenia (F20. —)

F91.0 Transtorno de conduta restrito ao contexto familiar

Essa categoria compreende transtornos de conduta envolvendo comportamento antissocial ou agressivo (e não meramente comportamento de oposição, desafiador ou destrutivo), nos quais o comportamento anormal é inteiramente ou quase inteiramente confinado ao lar e/ou a interações com membros da família nuclear ou objetos domésticos. O transtorno requer que os critérios globais para F91 sejam satisfeitos; mesmo relações pais-criança gravemente perturbadas não são por si só suficientes para o diagnóstico. Pode haver roubo no lar, com frequência especificamente focalizado no dinheiro ou posses de um ou dois indivíduos em particular. Isso pode ser acompanhado por comportamento deliberadamente destrutivo, outra vez focalizado com frequência em membros familiares específicos, tais como quebrar brinquedos ou enfeites, rasgar roupas, estragar mobília e destruir objetos de estimação. Violência contra membros da família (mas não outros) e comportamento incendiário deliberado restrito ao lar são também bases para o diagnóstico.

Diretrizes diagnósticas

O diagnóstico requer que não haja perturbação significativa de conduta fora do ambiente familiar e que os relacionamentos sociais da criança fora da família estejam dentro dos limites normais.

Na maioria dos casos, esses transtornos de conduta especificamente familiares terão surgido no contexto de alguma forma de perturbação marcante no relacionamento da criança com um ou mais membros da família nuclear. Em alguns casos, por exemplo, o transtorno pode ter surgido em relação a um conflito com um(a) padrasto(madrasta) recém-chegado(a). A validade nosológica dessa categoria permanece incerta, mas é possível que esses transtornos de conduta em alto grau, especificamente situacionais, não acarretem o prognóstico geralmente pobre associado a perturbações invasivas de conduta.

F91.1 Transtorno de conduta não socializado

Esse tipo de transtorno de conduta é caracterizado pela combinação de comportamento antissocial ou agressivo persistente (satisfazendo os critérios globais para F91 e não meramente compreendendo comportamento desafiador, de oposição e destrutivo) com uma anormalidade invasiva e significativa nos relacionamentos do indivíduo com outras crianças.

Diretrizes diagnósticas

A falta efetiva de uma integração em um grupo de companheiros constitui a distinção-chave com os transtornos de conduta "socializados" e isto tem precedência sobre todas as outras diferenciações. Relacionamentos perturbados com os companheiros são evidenciados principalmente por isolamento e/ou rejeição ou impopularidade com outras crianças e por uma falta de amigos íntimos ou relacionamentos duradouros, empáticos e recíprocos com outros, no mesmo grupo etário. Relacionamentos com adultos tendem a ser marcados por discórdia, hostilidade e ressentimento. Bons relacionamentos com adultos podem ocorrer (embora usualmente faltem a eles uma qualidade íntima e confidente) e, se presentes, isso não exclui o diagnóstico. Frequentemente, mas não sempre, há alguma perturbação emocional associada (mas se esta é de um grau suficiente para satisfazer os critérios de um transtorno misto, o código F92. — deve ser usado).

As transgressões são características mas não necessariamente solitárias. Comportamentos típicos compreendem: intimidação, brigas excessivas e (em crianças mais velhas) extorsão ou agressões violentas; graus excessivos de desobediência, grosseria, falta de cooperação e resistência à autoridade;

graves acessos de birra e fúrias incontroladas; destruição de propriedades, comportamento incendiário e crueldade com animais e outras crianças. Algumas crianças isoladas, entretanto, envolvem-se em transgressões em grupo. A natureza da transgressão é, portanto, menos importante, ao se fazer o diagnóstico, do que a qualidade dos relacionamentos pessoais.

O transtorno é usualmente difuso através de situações, mas pode ser mais evidente na escola; a especificidade para situações outras que não as familiares é compatível com o diagnóstico.

Inclui: transtorno de conduta, tipo agressivo solitário
    transtorno agressivo não socializado

F91.2 Transtorno de conduta socializado

Essa categoria se aplica a transtornos de conduta envolvendo comportamento antissocial ou agressivo persistente (satisfazendo os critérios globais para F91 e não meramente compreendendo comportamento de oposição, desafiador e destrutivo) ocorrendo em indivíduos que são geralmente bem integrados em seu grupo de companheiros.

Diretrizes diagnósticas

O aspecto-chave para diferenciação é a presença de amizades adequadas e duradouras com outros cuja idade é aproximada. Com frequência, mas não sempre, o grupo de companheiros consistirá de outros jovens envolvidos em atividades delinquentes ou antissociais (em cujo caso a conduta socialmente inaceitável da criança pode bem ser aprovada pelos companheiros de grupo e regulada pela subcultura à qual pertence). Entretanto, isso não é um requisito necessário para o diagnóstico: a criança pode fazer parte de um grupo de companheiros não delinquentes, com seu comportamento antissocial ocorrendo fora deste contexto. Se o comportamento antissocial envolve particularmente intimidação, pode haver relacionamentos perturbados com vítimas ou algumas outras crianças. Novamente, isto não invalida o diagnóstico, desde que a criança tenha algum grupo de companheiros ao qual ela seja leal e o qual envolva amizades duradouras.

Relacionamentos com adultos em posição de autoridade tendem a ser insatisfatórios, mas podem haver bons relacionamentos com outros. As perturbações emocionais são usualmente mínimas. A perturbação de conduta pode ou não incluir o ambiente familiar, mas se é restrito ao lar, o diagnóstico está excluído. Com frequência, o transtorno é mais evidente fora do contexto familiar e a especificidade para a escola (ou outros ambientes extrafamiliares) é compatível com o diagnóstico.

Inclui: transtorno de conduta, tipo grupal
delinquência grupal
transgressões no contexto de membros de gangue
roubo na companhia de outros
cabular aulas

Exclui: atividades de gangue sem transtorno psiquiátrico manifesto (Z03.2)

F91.3 Transtorno desafiador de oposição

Esse tipo de transtorno de conduta é caracteristicamente visto em crianças abaixo da idade de 9 ou 10 anos. É definido pela presença de comportamento marcantemente desafiador, desobediente e provocativo e pela ausência de atos antissociais ou agressivos mais graves, que violem a lei ou os direitos de outros. O transtorno requer que os critérios globais para F91 sejam satisfeitos: mesmo comportamento gravemente travesso ou desobediente não é por si mesmo suficiente para o diagnóstico. Muitas autoridades consideram que padrões de comportamento desafiador de oposição representam um tipo menos grave de transtorno de conduta mais do que um tipo qualitativamente distinto. Faltam evidências de pesquisa quanto à distinção ser quantitativa ou qualitativa. Entretanto, achados sugerem que, na medida em que há distinção, isso é verdadeiro principalmente ou apenas nas crianças mais jovens. Deve-se ter cautela antes de utilizar essa categoria, em especial no caso de crianças mais velhas. Transtornos de conduta clinicamente significativos em crianças mais velhas são em geral acompanhados por comportamento antissocial ou agressivo que vai além do desafio, desobediência ou destrutividade, embora, não infrequentemente, eles sejam precedidos por transtornos desafiadores de oposição em uma idade mais precoce. A categoria está incluída para refletir uma prática diagnóstica comum e para facilitar a classificação dos transtornos que ocorrem em crianças menores.

Diretrizes diagnósticas

O aspecto essencial desse transtorno é um padrão de comportamento persistentemente negativista, hostil, desafiador, provocativo e destrutivo, o qual está claramente fora da faixa normal de comportamento para uma criança da mesma idade e no mesmo contexto sociocultural e o qual não inclui violações mais graves dos direitos de outros, como as expressadas no comportamento agressivo e antissocial especificado para as categorias de F91.0 e F91.2. Crianças com esse transtorno tendem frequente e ativamente a desafiar os pedidos ou normas dos adultos e deliberadamente aborrecer outras pessoas. Usualmente, elas tendem a ser coléricas, ressentidas e facilmente se aborrecem com outras pessoas, a quem culpam por seus próprios erros e dificuldades. Elas geralmente têm uma baixa tolerância à frustração e rapidamente perdem a paciência. Tipicamente, seu desafio tem uma qualidade provocativa, de modo que elas iniciam confrontações e em geral exibem níveis excessivos de grosseria, falta de cooperação e resistência à autoridade.

Com frequência, esse comportamento é mais evidente em interações com adultos ou com companheiros, os quais a criança conhece bem, e sinais do transtorno podem não estar evidentes durante uma entrevista clínica.

A distinção-chave com outros tipos de transtornos de conduta é a ausência de comportamento que viola a lei e os direitos básicos de outros, tais como roubo, crueldade, intimidação, agressão física e destrutividade. A presença definitiva de quaisquer das situações acima excluiria o diagnóstico. Entretanto, o comportamento desafiador de oposição, como delineado no parágrafo acima, é com frequência encontrado em outros tipos de transtorno de conduta. Se outro tipo (F91.0 — F91.2) está presente, ele deve ser codificado de preferência ao transtorno desafiador de oposição.

Exclui: transtornos de conduta incluindo comportamento abertamente antissocial ou agressivo (F91.0 — F91.2).

F91.8 Outros transtornos de conduta

F91.9 Transtorno de conduta, não especificado

Essa categoria residual não é recomendada e deve ser usada apenas para transtornos que satisfazem os critérios gerais para F91, mas que não foram especificados no que diz respeito a subtipos ou que não preenchem os critérios para qualquer dos subtipos especificados.

Inclui: transtorno de comportamento na infância SOE
transtorno de conduta na infância SOE

F92 Transtornos mistos de conduta e emoções

Esse grupo de transtornos é caracterizado pela combinação de comportamento persistentemente agressivo, antissocial ou desafiador com sintomas patentes e marcantes de depressão, ansiedade ou outros transtornos emocionais.

Diretrizes diagnósticas

A gravidade deve ser suficiente para que os critérios para ambos, transtornos de conduta na infância (F91. —) e transtornos emocionais na infância (F93. —) ou para um transtorno neurótico semelhante aos do adulto (F40 — F48) ou transtorno de humor (F30 — F39) sejam satisfeitos.

As pesquisas que têm sido realizadas são insuficientes para se estar seguro de que essa categoria deva realmente ser separada dos transtornos de conduta na infância. Ela está incluída aqui por sua potencial importância etiológica e terapêutica e por sua contribuição para a fidedignidade da classificação.

F92.0 Transtorno de conduta depressivo

Essa categoria requer a combinação de transtorno de conduta na infância (F91. —) com persistente e acentuada depressão do humor, como evidenciada por sintomas tais como sofrimento excessivo, perda de interesse e prazer em atividades usuais, autorrecriminação e desesperança. Perturbações de sono ou apetite podem também estar presentes.

Inclui: transtorno de conduta (F91. —) associado a transtorno depressivo
(F30 — F39)

F92.8 Outros transtornos mistos de conduta e emoções

Essa categoria requer a combinação de transtorno de conduta na infância (F91. —) com sintomas emocionais persistentes e marcantes, tais como ansiedade, medo, obsessões ou compulsões, despersonalização ou desrealização, fobias ou hipocondria. Raiva e ressentimento são aspectos de transtorno de conduta mais do que de transtorno emocional; eles não contradizem nem apoiam o diagnóstico.

Inclui: transtorno de conduta (F91. —) associado a transtorno emocional
(F93. —) ou neurótico (F40 — F48)

F92.9 Transtorno misto de conduta e emoções, não especificado

F93 Transtornos emocionais com início específico na infância

Em psiquiatria infantil, uma diferenciação tem sido tradicionalmente feita entre transtornos emocionais específicos da infância e adolescência e transtornos neuróticos semelhantes aos do adulto. Há quatro justificativas principais para essa diferenciação. Primeira, achados de pesquisas têm sido consistentes em mostrar que a maioria das crianças com transtornos emocionais se tornam adultos normais: apenas uma minoria mostra transtornos neuróticos na vida adulta. Inversamente, muitos transtornos neuróticos em adultos parecem ter um início na vida adulta, sem precursores psicopatológicos importantes na infância. Portanto, há uma descontinuidade considerável entre transtornos emocionais que ocorrem nestes dois períodos etários. Segunda, muitos transtornos emocionais na infância parecem constituir exageros das tendências normais do desenvolvimento mais do que fenômenos que são qualitativamente anormais em si mesmos. Terceira, relacionada à última consideração, tem havido com frequência a suposição teórica que os mecanismos mentais envolvidos em transtornos emocionais na infância podem não ser os mesmos das neuroses em adultos. Quarta, os transtornos emocionais na infância são menos claramente demarcados em entidades supostamente específicas, tais como transtornos fóbicos ou obsessivos.

Ao terceiro destes pontos falta validação empírica e dados epidemiológicos sugerem que, se o quarto é correto, é apenas uma questão de grau (com transtornos emocionais insatisfatoriamente diferenciados bastante comuns em ambas, infância e vida adulta). Em consonância, o segundo aspecto (isto é, adequação ao desenvolvimento) é usado como o aspecto diagnóstico-chave para definir a diferença entre os transtornos emocionais com um início específico na infância (F93. —) e os transtornos neuróticos (F40 — F48). A validade dessa distinção é incerta, mas há alguma evidência empírica sugerindo que os transtornos emocionais na infância, que são apropriados ao desenvolvimento, têm um prognóstico melhor.

F93.0 Transtorno de ansiedade de separação na infância

É normal crianças que estão aprendendo a andar e pré-escolares mostrarem um grau de ansiedade em relação a separações, reais ou ameaçadas, das pessoas as quais estão vinculadas. O transtorno de ansiedade de separação deve ser diagnosticado apenas quando o medo de separação constitui o foco da ansiedade e quando tal ansiedade surge durante os primeiros anos. É diferenciado da ansiedade de separação normal, quando é de gravidade tal que é estatisticamente inusual (incluindo uma persistência anormal além da idade usual) e quando está associado a problemas significativos no funcionamento social. Em adição, o diagnóstico requer que não deve haver nenhuma perturbação generalizada no desenvolvimento do funcionamento da personalidade; se tal perturbação está presente, um código de F40 — F48 deve ser considerado. A ansiedade de separação que surge numa idade inapropriada do desenvolvimento (tal como durante a adolescência) não deve ser codificada aqui, a menos que constitua uma continuação anormal da ansiedade de separação apropriada ao desenvolvimento.

Diretrizes diagnósticas

O aspecto diagnóstico-chave é uma ansiedade focada e excessiva concernente à separação daqueles indivíduos aos quais a criança está vinculada (usualmente pais ou outros membros da família), que não é meramente parte de uma ansiedade generalizada em relação a múltiplas situações. A ansiedade pode tomar a forma de:

(a) uma preocupação irrealista e aflitiva sobre um possível dano acontecendo para as importantes figuras de vinculação ou um medo de que elas irão embora e não voltarão;
(b) uma preocupação irrealista e aflitiva que algum acontecimento desfavorável, tal como a criança se perdendo, sendo raptada, indo para o hospital ou sendo morta, irá separá-la de uma importante figura de vinculação;
(c) relutância ou recusa persistente para ir à escola por causa do medo de separação (mais do que por outras razões, tais como medo de acontecimentos na escola);
(d) relutância ou recusa persistente para ir dormir sem estar perto ou próxima de uma importante figura de vinculação;
(e) medo persistente e inapropriado de ficar sozinha ou de alguma maneira sem a importante figura de vinculação em casa durante o dia;
(f) pesadelos repetidos sobre separação;
(g) ocorrência repetida de sintomas físicos (náusea, dor de estômago, dor de cabeça, vômitos, etc.) em ocasiões que envolvem separação de uma importante figura de vinculação, tais como sair de casa para ir à escola;
(h) angústia excessiva e recorrente (como mostrada por ansiedade, choro, acessos de raiva, sofrimento, apatia ou retraimento social) em antecipação, durante ou imediatamente após a separação de uma importante figura de vinculação.

Muitas situações que envolvem separação também envolvem outros estressores ou fontes de ansiedade potenciais. O diagnóstico fundamenta-se na demonstração de que o elemento comum que dá origem à ansiedade nas várias situações é a circunstância de separação de uma importante figura de vinculação. Isto ocorre mais comumente, talvez, em relação à recusa (ou "fobia") escolar. Com frequência, isto de fato representa ansiedade de separação, mas às vezes não (especialmente na adolescência). A recusa escolar surgindo pela primeira vez na adolescência não deve ser codificada aqui, a menos que seja primariamente uma função da ansiedade de separação e que a ansiedade tenha sido pela primeira vez evidente, em um grau anormal, durante os anos pré-escolares. A menos que esses critérios sejam satisfeitos, a síndrome deve ser codificada em uma das outras categorias em F93 ou sob F40 — F48.

F90 — F98 TRANSTORNOS DA INFÂNCIA E DA ADOLESCÊNCIA

Exclui: transtorno do humor (afetivos) (F30 — F39)
transtornos neuróticos (F40 — F48)
transtorno de ansiedade fóbica na infância (F93.1)
transtorno de ansiedade social na infância (F93.2)

F93.1 Transtorno de ansiedade fóbica na infância

Crianças, como adultos, podem desenvolver medo, que é focalizado numa ampla série de objetos e situações. Alguns desses medos (ou fobias), por exemplo, agorafobia, não são uma parte normal do desenvolvimento psicossocial. Quando tais medos ocorrem na infância, eles devem ser codificados sob a categoria apropriada em F40 — F48. Entretanto, alguns medos mostram uma especificidade marcante para uma fase de desenvolvimento e aparecem (em algum grau) na maioria das crianças; isto poderia ser verdadeiro, por exemplo, quanto ao medo de animais no período pré-escolar.

Diretrizes diagnósticas

Essa categoria deve ser usada apenas para medos específicos de fases do desenvolvimento, quando eles satisfazem os critérios adicionais que se aplicam a todos os transtornos em F93, a saber:

(a) o início é durante período etário apropriado do desenvolvimento;
(b) o grau de ansiedade é clinicamente anormal;
(c) a ansiedade não faz parte de um transtorno mais generalizado.

Exclui: transtorno de ansiedade generalizada (F41.1)

F93.2 Transtorno de ansiedade social na infância

Uma precaução a estranhos é um fenômeno normal na segunda metade do primeiro ano de vida e um certo grau de apreensão ou ansiedade social é normal durante o início da infância, quando as crianças encontram situações novas, estranhas ou socialmente ameaçadoras. Essa categoria deve, portanto, ser usada apenas para transtornos que surgem antes da idade de 6 anos, que são tanto inusuais em grau quanto acompanhados por problemas no funcionamento social e que não são parte de alguma perturbação emocional mais generalizada.

Diretrizes diagnósticas

Crianças com esse transtorno mostram um medo e/ou evitação persistente e recorrente de estranhos; tal medo pode ocorrer principalmente com adultos, sobretudo com companheiros ou com ambos. O medo está associado a um grau normal de vinculação seletiva com os pais ou com outras pessoas da família. A evitação ou medo de encontros sociais é de um grau que está fora dos limites normais para a idade da criança e está associado a problemas clinicamente significativos no funcionamento social.

Inclui: transtorno de evitação na infância ou adolescência

F93.3   Transtorno de rivalidade entre irmãos

Uma alta proporção ou mesmo a maioria das crianças menores mostra algum grau de perturbação emocional seguindo-se ao nascimento de um irmão (em geral imediatamente mais novo). Na maioria dos casos, a perturbação é leve, mas a rivalidade ou ciúme estabelecido durante o período após o nascimento pode ser notavelmente persistente.

Diretrizes diagnósticas

O transtorno é caracterizado pela combinação de:

(a) evidência de rivalidade e/ou ciúmes entre irmãos;
(b) início durante os meses seguintes ao nascimento de um irmão (em geral imediatamente mais novo);
(c) perturbação emocional que é anormal em grau e/ou persistência e que está associada a problemas psicossociais.

Rivalidade e/ou ciúme entre irmãos pode ser mostrada por competição marcante com os irmãos pela atenção e afeto dos pais; para isto ser considerado como anormal, deve estar associado a um grau inusual de sentimentos negativos. Em casos graves, isso pode estar acompanhado de franca hostilidade, traumatismos físicos e/ou dolo e sabotagem do irmão. Em casos mais leves, pode ser mostrado por uma forte relutância em compartilhar, falta de respeito e escassez de interações amigáveis.

A perturbação emocional pode tomar qualquer uma de várias formas, com frequência incluindo alguma regressão, com perda de habilidades previamente adquiridas (tais como controle intestinal ou vesical) e uma tendência a comportamentos mais infantis. Frequentemente, também, a criança quer imitar o bebê em atividades que proporcionam atenção dos pais, tais como alimentação. Há usualmente um aumento do comportamento de oposição ou confrontação com os pais, acessos de birra e disforia exibida na forma de ansiedade, sofrimento ou retraimento social. O sono pode se tornar perturbado e há frequentemente uma pressão aumentada para obter atenção dos pais, tal como na hora de dormir.

Inclui: ciúmes entre irmãos

Exclui: rivalidades com companheiros (não irmãos) (F93.8)

F93.8 Outros transtornos emocionais na infância
Inclui: transtorno de identidade
transtorno de hiperansiedade
rivalidades com companheiros (não irmãos)

Exclui: transtorno de identidade sexual na infância (F64.2)

F93.9 Transtorno emocional na infância, não especificado
Inclui: transtorno emocional na infância SOE

F94 Transtornos de funcionamento social com início específico na infância e adolescência

Esse é um grupo algo heterogêneo de transtornos, os quais têm em comum anormalidades no funcionamento social que começam durante o período de desenvolvimento, mas que (diferentemente dos transtornos invasivos do desenvolvimento) não são caracterizados primariamente por uma incapacidade ou déficit social, aparentemente constitucional, que invade todas as áreas de funcionamento. Distorções ou privações ambientais graves estão comumente associadas e pensa-se que desempenham um papel etiológico crucial em muitas ocasiões. Não há diferença sexual marcante. A existência desse grupo de transtornos de funcionamento social é bem reconhecida, mas há incerteza quanto à definição dos critérios diagnósticos e também desacordo quanto à subdivisão e à classificação mais apropriadas.

F94.0 Mutismo eletivo
A condição é caracterizada por uma seletividade marcante e emocionalmente determinada na fala, tal que a criança demonstra a sua competência de linguagem em algumas situações, mas falha em falar em outras (definíveis). Mais frequentemente, o transtorno é manifestado pela primeira vez no início da infância; ocorre com aproximadamente a mesma frequência nos dois sexos e é usual que o mutismo esteja associado a aspectos marcantes de personalidade envolvendo ansiedade social, retraimento, suscetibilidade ou resistência. Tipicamente, a criança fala em casa ou com amigos íntimos, mas é muda na escola ou com estranhos, mas outros padrões (inclusive o inverso) podem ocorrer.

Diretrizes diagnósticas

O diagnóstico pressupõe:

(a) um nível normal ou quase normal de compreensão da linguagem;
(b) um nível de competência na expressão da linguagem, que é suficiente para a comunicação social;
(c) evidência demonstrável de que o indivíduo pode e de fato fala normalmente ou quase normalmente em algumas situações.

Entretanto, uma minoria substancial de crianças com mutismo eletivo tem uma história tanto de algum atraso da fala quanto de problemas de articulação. O diagnóstico pode ser feito na presença de tais problemas, desde que haja uma linguagem adequada para a comunicação efetiva e uma disparidade grosseira na utilização da linguagem conforme o contexto social, tal que a criança fala fluentemente em algumas situações, mas fica muda ou quase muda em outras. Deve haver também falha demonstrável em falar em algumas situações sociais, mas não em outras. O diagnóstico requer que a falha em falar seja persistente no tempo e que haja uma consistência e previsibilidade em relação às situações nas quais a fala pode ou não ocorrer.

Outras perturbações socioemocionais estão presentes na grande maioria dos casos, mas não constituem parte dos aspectos necessários para o diagnóstico. Tais perturbações não seguem um padrão consistente, mas aspectos anormais de temperamento (especialmente suscetibilidade, ansiedade e retraimento sociais) são usuais e comportamento de oposição é comum.

Inclui: mutismo seletivo

Exclui: transtornos invasivos do desenvolvimento (F84. —)
esquizofrenia (F20. —)
transtornos específicos do desenvolvimento da fala e linguagem (F80. —)
mutismo transitório como parte de ansiedade de separação em crianças menores (F93.0)

F94.1 Transtorno reativo de vinculação na infância

Esse transtorno, que ocorre em bebês e crianças pequenas, é caracterizado por anormalidades persistentes no padrão de relacionamentos sociais da criança, as quais estão associadas à perturbação emocional e são reativas a mudanças em circunstâncias ambientais. Medo e hipervigilância que não respondem a consolo são característicos, uma interação social insatisfatória com os companheiros é típica, auto e heteroagressão são muito frequentes, sofrimento é usual e falha de crescimento ocorre em alguns casos. A síndrome provavelmente ocorre como um resultado direto de negligência parental grave, abuso ou sérios maus tratos. A existência desse padrão de comportamento é bem reconhecida e aceita, mas há uma incerteza contínua sobre os critérios diagnósticos a serem aplicados, os limites da síndrome e se ela constitui uma entidade nosológica válida. Entretanto, a categoria está incluída aqui por causa da importância da síndrome em saúde pública, porque não há dúvidas quanto à sua existência e porque o padrão de comportamento claramente não se ajusta aos critérios de outras categorias diagnósticas.

Diretrizes diagnósticas

O aspecto-chave é um padrão anormal de relacionamentos com quem cuida da criança, que começa antes da idade de 5 anos, que envolve aspectos mal-adaptativos não vistos normalmente em crianças e que é persistente, mas reativo a alterações suficientemente marcantes no padrão de criação.

Crianças menores com essa síndrome mostram respostas sociais fortemente contraditórias ou ambivalentes que podem ser mais evidentes em momentos de separações e reuniões. Assim, as crianças podem se aproximar evitando o olhar, com olhar distante quando estão sendo seguradas ou responder a quem cuida delas com uma mistura de aproximação, evitação e resistência a consolo. A perturbação emocional pode estar evidente em sofrimento visível, falta de responsividade emocional, reações de retraimento, tais como encolher-se no chão e/ou respostas agressivas para sua própria angústia e para a dos outros. Medo e hipervigilância (algumas vezes descrita como "vigilância congelada") que não respondem a consolo, ocorrem em alguns casos. Na maioria dos casos, as crianças mostram interesse em interações com companheiros, mas a atividade social é impedida por respostas emocionais negativas. O transtorno de vinculação pode ser também acompanhado por uma falha em desenvolver-se fisicamente e por crescimento físico comprometido [o qual deve ser codificado de acordo com a categoria somática apropriada (R62)].

Muitas crianças normais mostram insegurança no padrão de sua vinculação seletiva com um ou outro dos pais, mas isto não deve ser confundido com um transtorno reativo de vinculação, o qual difere em vários aspectos cruciais. O transtorno é caracterizado por um tipo anormal de insegurança mostrado em respostas sociais marcantemente contraditórias, não comumente vistas nas crianças normais. As respostas anormais se estendem para diferentes situações sociais e não estão restritas a um relacionamento diádico com uma determinada pessoa que cuida da criança; há uma falta de responsividade ao consolo e há perturbação emocional associada na forma de apatia, sofrimento ou medo.

Cinco aspectos principais diferenciam essa condição dos transtornos invasivos do desenvolvimento. Primeiro, crianças com um transtorno reativo de vinculação têm uma capacidade normal para reciprocidade e receptividade sociais, enquanto aquelas com um transtorno invasivo do desenvolvimento não têm. Segundo, embora os padrões anormais de respostas sociais em um transtorno reativo de vinculação sejam inicialmente um aspecto geral do comportamento da criança em uma variedade de situações, eles remitem em grau importante se a criança é colocada em um ambiente normal de criação, que promova continuidade em cuidados receptivos. Isto não ocorre com transtornos invasivos do desenvolvimento. Terceiro, embora crianças com transtorno reativo de vinculação possam mostrar desenvolvimento comprometido de linguagem (do tipo descrito sob F80.4), elas não exibem as qualidades anormais de comunicação características do autismo. Quarto, diferentemente do autismo, o transtorno reativo de vinculação não está associado a déficits cognitivos persistentes e graves que não respondem sensivelmente a alteração ambiental. Quinto, padrões de comportamento, interesses e atividades persistentemente restritos, repetitivos e estereotipados não são um aspecto dos transtornos reativos de vinculação.

Transtornos reativos de vinculação quase sempre surgem em relação a cuidados grosseiramente inadequados com a criança. Isto pode tomar a forma de abuso ou negligência psicológica (como evidenciado por punição severa, falha persistente em responder às iniciativas da criança, ou cuidados parentais grosseiramente inadequados) ou abuso ou negligência física (como evidenciado por desrespeito persistente com as necessidades físicas básicas da criança, lesões deliberadas repetidas ou provisão inadequada de alimentos). Porque o conhecimento da consistência da associação entre cuidados inadequados à criança e o transtorno é insuficiente, a presença de privação e distorção ambientais não é um requisito diagnóstico. Entretanto, deve-se ter cautela ao fazer o diagnóstico na ausência de evidência de abuso ou negligência. Inversamente, o diagnóstico não deve ser feito automaticamente com base em abuso ou negligência; nem todas as crianças que sofrem abuso ou negligência manifestam o transtorno.

Exclui: síndrome de Asperger (F84.5)
  transtorno de vinculação com desinibição na infância (F94.2)
  síndromes de maus tratos resultando em problemas físicos (T74)
  variação normal no padrão de vinculação seletiva
  abuso sexual ou físico na infância resultando em problemas psicossexuais (Z61.4 — Z61.6)

F94.2 Transtorno de vinculação com desinibição na infância

Um padrão particular de funcionamento social anormal que surge durante os primeiros 5 anos de vida e que, tendo se estabelecido, mostra uma tendência a persistir apesar de alterações marcantes nas circunstâncias ambientais. Na idade de aproximadamente 2 anos, é geralmente manifestado por um comportamento de vinculação aderente, difuso e não seletivamente focalizado. Por volta da idade de 4 anos, os vínculos difusos permanecem, mas a aderência tende a ser substituída por comportamento de chamar a atenção e indiscriminadamente amigável. No meio e no final da infância, os indivíduos podem ou não ter desenvolvido vínculos seletivos, mas o comportamento de chamar atenção com frequência persiste e interações insatisfatoriamente moduladas com companheiros são usuais; dependendo das circunstâncias pode também haver perturbação emocional ou de comportamento associada. A síndrome tem sido mais claramente identificada em crianças criadas em instituições desde cedo, mas ocorre também em outras situações. Pensa-se que ela é decorrente em parte de uma falha persistente de oportunidade de desenvolver vínculos seletivos, como uma consequência de mudanças extremamente frequentes das pessoas que cuidam da criança. A unidade conceitual da síndrome depende do início precoce de vínculos difusos, interações sociais continuamente insatisfatórias e perda de especificidade para as situações.

Diretrizes diagnósticas

O diagnóstico deve ser baseado na evidência de que a criança mostrou um grau inusual de difusão dos vínculos seletivos durante os primeiros 5 anos e que isto estava associado a comportamento geralmente aderente na infância e/ou comportamento indiscriminadamente amigável e de chamar atenção no início ou meio da infância. Usualmente, há dificuldade em formar relacionamentos íntimos e confidentes com companheiros. Pode ou não haver perturbação emocional ou de comportamento associada (dependendo em parte das circunstâncias atuais da criança). Na maioria dos casos, haverá claramente uma história de criação nos primeiros anos de vida que envolveu descontinuidades marcantes das pessoas que cuidavam da criança ou mudanças múltiplas no arranjo familiar (como com muitas famílias de criação).

Inclui: psicopatia por carência afetiva
síndrome institucional

Exclui: síndrome de Asperger (F84.5)
hospitalismo em crianças (F43.2)
transtorno hipercinético ou de déficit de atenção (F90. —)
transtorno reativo de vinculação na infância (F94.1)

F94.8 Outros transtornos de funcionamento social na infância

Inclui: transtornos do funcionamento social com retraimento e timidez decorrentes de deficiências da competência social.

F94.9 Transtorno de funcionamento social na infância, não especificado

F95 Transtornos de tique

A manifestação predominante nessas síndromes é alguma forma de tique. Um tique é um movimento motor involuntário, rápido, recorrente e não rítmico (usualmente envolvendo grupos musculares circunscritos) ou produção vocal, que é de início súbito e sem propósito aparente. Os tiques tendem a ser vivenciados como irresistíveis, mas eles podem usualmente ser suprimidos por períodos variáveis de tempo. Ambos os tiques, motor e vocal, podem ser classificados como simples ou complexos, embora os limites não sejam bem definidos. Tiques motores simples comuns incluem piscar de olhos, movimentos bruscos de pescoço, sacudir os ombros e caretas faciais. Tiques vocais simples comuns incluem pigarro, latidos, fungadas e sibilos. Tiques motores complexos comuns incluem bater em si mesmo, saltar e pular. Tiques vocais complexos comuns incluem a repetição de determinadas palavras e, às vezes, o uso de palavras socialmente inaceitáveis, frequentemente obscenas (coprolalia) e a repetição de seus próprios sons ou palavras (palilalia).

Há uma variação imensa na gravidade dos tiques. Em um extremo, o fenômeno é quase normal, com talvez de 1 em 5 a 1 em 10 crianças mostrando tiques transitórios em algum momento. No outro extremo, a síndrome de Gilles de la Tourette é um transtorno incomum, crônico e incapacitante. Há incerteza se esses extremos representam condições diferentes ou se são finais opostos de um mesmo *continuum*; muitas autoridades consideram a última hipótese como mais provável. Transtornos de tiques são substancialmente mais frequentes em meninos do que em meninas e uma história familiar de tiques é comum.

Diretrizes diagnósticas

Os principais aspectos que distinguem os tiques de outros transtornos motores são a natureza súbita, rápida, transitória e circunscrita dos movimentos, junto com a falta de evidência de transtorno neurológico subjacente; seu caráter repetitivo; seu desaparecimento (usualmente) durante o sono e a facilidade com a qual eles podem ser voluntariamente reproduzidos ou suprimidos. A falta de ritmo diferencia os tiques dos movimentos estereotipados repetitivos vistos em alguns casos de autismo ou de retardo mental. As atividades motoras maneiristas vistas nos mesmos transtornos tendem a compreender movimentos mais complexos e variáveis do que aqueles usualmente vistos nos tiques. Atividades obsessivo-compulsivas, às vezes, lembram tiques complexos, mas diferem porque sua forma tende a ser definida por seu propósito (tal como tocar algum objeto ou dar voltas muitas vezes) mais do que pelos grupos musculares envolvidos; entretanto, a diferenciação é, às vezes, difícil.

Os tiques, muitas vezes, ocorrem como um fenômeno isolado, mas não infrequentemente estão associados a uma ampla variedade de perturbações emocionais, especialmente, talvez, fenômenos obsessivos e hipocondríacos. Entretanto, atrasos específicos do desenvolvimento estão também associados a tiques.

Não há uma linha divisória clara entre um transtorno de tique com perturbação emocional associada e uma perturbação emocional com alguns tiques associados. Entretanto, o diagnóstico deve representar o tipo principal de anormalidade.

F95.0 Transtorno de tique transitório

Satisfaz os critérios gerais para um transtorno de tique, mas os tiques não persistem mais do que 12 meses. Esta é a forma mais comum de tique e é mais frequente por volta da idade de 4 ou 5 anos; os tiques usualmente tomam a forma de piscar de olhos, caretas faciais ou movimentos bruscos da cabeça. Em alguns casos, os tiques ocorrem como um episódio único, mas em outros há remissões e recaídas por um período de meses.

F95.1 Transtorno crônico de tique motor ou vocal

Satisfaz os critérios gerais para um transtorno de tique, no qual há tiques motores ou vocais (mas não ambos); os tiques podem ser únicos ou múltiplos (mas usualmente múltiplos) e duram por mais de um ano.

F95.2 Transtorno de tiques vocais e motores múltiplos combinados (síndrome de Gilles de la Tourette)

Uma forma de transtorno de tique na qual há ou houve tiques motores múltiplos e um ou mais tiques vocais, embora estes não precisem ter ocorrido simultaneamente. O início é quase sempre na infância ou adolescência. Uma história de tiques motores antes do desenvolvimento dos tiques vocais é comum; os sintomas, frequentemente, pioram durante a adolescência e é comum o transtorno persistir na vida adulta.

Os tiques vocais são, com frequência, múltiplos com vocalizações explosivas e repetitivas, pigarros e grunhidos e pode haver o uso de palavras ou frases obscenas. Algumas vezes, há ecopraxia gestual associada, a qual também pode ser de natureza obscena (copropraxia). Como com tiques motores, os tiques vocais podem ser voluntariamente suprimidos por curtos períodos, exacerbados pelo estresse e desaparecer durante o sono.

F95.8 Outros transtornos de tique

F95.9 Transtorno de tique, não especificado

Uma categoria residual não recomendada, para um transtorno que preenche os critérios gerais para um transtorno de tique, mas no qual a subcategoria específica não está determinada ou no qual os aspectos não preenchem os critérios para F95.0, F95.1 ou F95.2.

F98 Outros transtornos emocionais e de comportamento com início ocorrendo usualmente na infância e adolescência

Essa rubrica abrange um grupo heterogêneo de transtornos que compartilham a característica de início na infância, mas, por outro lado diferem em muitos aspectos. Algumas das condições representam síndromes bem definidas, mas outras não são mais do que complexos de sintomas aos quais falta validação nosológica, mas que estão incluídas devido à sua frequência e associação a problemas psicossociais e porque não podem ser incorporadas a outras síndromes.

Exclui: ataques de perda de fôlego (R06.8)
    transtorno de identidade sexual na infância (F64.2)
    hipersonolência e megafagia (síndrome de Kleine-Levin) (G47.8)
    transtorno obsessivo-compulsivo (F42. —)
    transtornos de sono (F51. —)

F98.0 Enurese não orgânica

Um transtorno caracterizado por eliminação involuntária de urina de dia e/ou de noite, a qual é anormal em relação à idade mental do indivíduo e a qual não é uma consequência de uma falha de controle vesical decorrente de qualquer transtorno neurológico, de ataques epilépticos ou de qualquer anormalidade estrutural do trato urinário. A enurese pode estar presente desde o nascimento (isto é, uma extensão anormal da incontinência infantil normal) ou pode ter surgido seguindo-se a um período de controle vesical adquirido. A variedade de início tardio (ou secundária) começa por volta da idade de 5 a 7 anos. A enurese pode constituir uma condição monossintomática ou pode estar associada a um transtorno emocional ou de comportamento mais difuso. No último caso, há incerteza sobre os mecanismos envolvidos na associação. Problemas emocionais podem surgir como uma consequência secundária da angústia ou estigma resultante da enurese, esta pode fazer parte de algum outro transtorno psiquiátrico ou ambas, a enurese e a perturbação emocional/de comportamento, podem surgir em paralelo, provenientes de fatores etiológicos relacionados. Não há modo direto e não ambíguo de decidir entre essas alternativas em um determinado caso e o diagnóstico deve ser feito com base em qual tipo de perturbação (isto é, enurese ou transtorno emocional/de comportamento) constitui o problema principal.

Diretrizes diagnósticas

Não há uma demarcação clara entre um transtorno enurético e as variações normais na idade de aquisição do controle vesical. Entretanto, a enurese não seria comumente diagnosticada em uma criança abaixo da idade de 5 anos ou com uma idade mental abaixo de 4 anos. Se a enurese está associada a algum (outro) transtorno emocional ou de comportamento, ela normalmente constituiria o diagnóstico primário somente se a perda involuntária de urina ocorreu pelo menos várias vezes por semana e se os outros sintomas mostrarem alguma covariação temporal com a enurese. A enurese, às vezes, ocorre em conjunção com a encoprese; quando este é o caso, encoprese deve ser diagnosticada.

Ocasionalmente, crianças desenvolvem enurese transitória como um resultado de cistite ou poliúria (como a da diabete). Entretanto, isso não constitui uma explicação suficiente para uma enurese que persiste após a infecção ter sido curada ou após a poliúria ter sido controlada. Não infrequentemente, a cistite pode ser secundária a uma enurese que surgiu por infecção ascendente do trato urinário, como um resultado de umidade permanente (especialmente nas meninas).

Inclui: enurese de origem não-orgânica (primária) (secundária)
enurese funcional ou psicogênica
incontinência urinária de origem não orgânica

Exclui: enurese SOE (R32)

F98.1 Encoprese não orgânica

Evacuação repetida, involuntária ou voluntária de fezes, em geral de consistência normal ou quase normal, em locais não apropriados para esse propósito no contexto sociocultural do indivíduo. A condição pode representar uma continuação anormal da incontinência infantil normal, pode envolver uma perda de continência seguindo-se à aquisição do controle intestinal ou pode envolver a deposição deliberada de fezes em locais não apropriados, a despeito do controle intestinal fisiológico normal. A condição pode ocorrer como um transtorno monossintomático ou pode fazer parte de um transtorno mais amplo, especialmente um transtorno emocional (F93. —) ou de conduta (F91. —).

Diretrizes diagnósticas

O aspecto diagnóstico crucial é a deposição inapropriada de fezes. A condição pode surgir de várias maneiras diferentes. Primeiro, pode representar a falta de um treinamento higiênico adequado ou de resposta adequada ao treinamento, sendo a história de uma falha contínua em adquirir controle intestinal adequado. Segundo, pode refletir um transtorno psicologicamente determinado, no qual há um controle fisiológico normal sobre a defecação, mas, por alguma razão, há uma relutância, resistência ou falha em adaptar-se às normas sociais de defecação em lugares aceitáveis. Terceiro, pode derivar de uma retenção fisiológica, envolvendo impactação de fezes, com acúmulo secundário de fezes e deposição das mesmas em locais inapropriados. Tal retenção pode surgir de brigas entre pais e criança sobre o treinamento intestinal, de contenção de fezes devido à defecação dolorosa (p. ex., como uma consequência de fissura anal) ou por outras razões.

Em algumas ocasiões, a encoprese pode ser acompanhada por esfregar fezes sobre o corpo ou no ambiente exterior e, menos comumente, pode haver manipulação anal com os dedos ou masturbação. Há usualmente algum grau de perturbação emocional/de comportamento associada. Não há uma demarcação clara entre encoprese com perturbação emocional/de comportamento associada e algum outro transtorno psiquiátrico, o qual inclui a encoprese como um sintoma subsidiário. A diretriz recomendada é codificar encoprese se esta for o fenômeno predominante e o outro transtorno se ela não for (ou se a frequência da encoprese for menor do que uma vez por mês). Encoprese e enurese não infrequentemente estão associadas e, quando este é o caso, a codificação da encoprese tem precedência. A encoprese pode algumas vezes seguir-se a uma condição orgânica tal como fissura anal ou uma infecção gastrintestinal; a condição orgânica deve ser a única codificada se ela constitui uma explicação suficiente para a perda fecal, mas, se cabe como um precipitante, mas não como uma causa suficiente, a encoprese deve ser codificada (em adição à condição somática).

Diagnóstico diferencial. É importante considerar o seguinte: (a) encoprese decorrente de doença orgânica, tal como megacolo aganglônico (Q43.1) ou spina bifida (Q05. —) (notar, contudo, que a encoprese pode acompanhar ou seguir-se a condições, tais como fissura anal ou infecção gastrintestinal); (b) constipação envolvendo bloqueio fecal resultando num "extravasamento" de fezes líquidas ou semilíquidas (K59.0); se, como acontece em alguns casos, encoprese e constipação coexistem, a encoprese deve ser codificada (com um código adicional, se apropriado, para identificar a causa da constipação).

F98.2 Transtorno de alimentação na infância

Um transtorno alimentar de manifestações variadas, usualmente específico da infância. Geralmente, ele envolve recusa de alimento e dengos extremos na presença de fornecimento adequado de comida, de alguém razoavelmente competente cuidando da criança e ausência de doença orgânica. Pode haver ou não ruminação associada (regurgitação repetida sem náusea ou doença gastrintestinal).

Diretrizes diagnósticas

Dificuldades menores na alimentação são muito comuns na infância (na forma de dengo, uma suposta sub ou superalimentação). Em si mesmas, essas não devem ser consideradas como indicativos de transtorno. Este deve ser diagnosticado somente se as dificuldades estiverem claramente além dos limites normais, se a natureza do problema de alimentação for de caráter qualitativamente anormal ou se a criança não consegue ganhar ou perde peso por um período de pelo menos 1 mês.

Inclui: transtorno de ruminação na infância

Diagnóstico diferencial. É importante diferenciar esse transtorno de:

(a) condições onde a criança prontamente aceita alimentação de outros adultos que não o que usualmente cuida dela;
(b) doenças orgânicas suficientes para explicar a recusa alimentar;
(c) anorexia nervosa e outros transtornos alimentares (F50. —);
(d) transtorno psiquiátrico mais amplo;
(e) pica (F98.3);
(f) dificuldade e má-administração alimentares (R63.3).

F98.3 Pica na infância

O comer persistente de substâncias não nutritivas (como terra, lascas de pintura, etc.). Pode ocorrer como um dos muitos sintomas de um transtorno psiquiátrico mais amplo (tal como o autismo) ou pode ocorrer como um fenômeno psicopatológico relativamente isolado; somente o último caso deve ser codificado aqui. O fenômeno é mais comum em crianças retardadas; se retardo mental também está presente, deve ser codificado (F70 — F79). Entretanto, a pica pode ocorrer em crianças (usualmente nas menores) com inteligência normal.

F98.4 Transtornos de movimento estereotipado

Movimentos voluntários, repetitivos, estereotipados, não funcionais (com frequência rítmicos) que não fazem parte de nenhuma condição neurológica ou psiquiátrica reconhecida. Quando tais movimentos ocorrem como sintomas de algum outro transtorno, somente o transtorno global deve ser codificado (isto é, F98.4 não deve ser codificado). Os movimentos que não são autoagressivos incluem: balançar o corpo, balançar a cabeça, puxar o cabelo, torcê-lo, maneirismos de pancadinhas com os dedos e sacudir as mãos (roer unhas, chupar o dedo e enfiar o dedo no nariz não devem ser incluídos porque não são bons indicadores de psicopatologia e não têm importância suficiente em saúde pública para justificar a classificação). Movimentos estereotipados autoagressivos incluem: golpear a cabeça repetidamente, dar tapas no rosto, enfiar o dedo nos olhos, morder as mãos, lábios ou outras partes do corpo. Todos os transtornos de movimento estereotipado ocorrem mais frequentemente associados a retardo mental; quando este é o caso, ambos devem ser codificados. Enfiar o dedo nos olhos é particularmente comum em crianças com comprometimento da visão. Entretanto, a dificuldade visual, não constitui uma explicação suficiente e quando ambos, enfiar o dedo nos olhos e cegueira (ou cegueira parcial), ocorrem, os dois devem ser codificados: enfiar o dedo nos olhos sob F98.4 e a condição visual sob o código apropriado do transtorno somático.

Exclui: movimentos involuntários anormais (R25. —)
  transtornos de movimentos de origem orgânica (G20 — G26)
  roer unhas, enfiar o dedo no nariz, chupar o dedo (F98.8)
  transtorno obsessivo-compulsivo (F42. —)
  estereotipias que são parte de uma condição psiquiátrica mais ampla (tal como transtorno invasivo do desenvolvimento)
  transtornos de tique (F95. —)
  tricotilomania (F63.3)

F98.5 Gagueira (tartamudez)

Fala que é caracterizada por frequente repetição ou prolongamento de sons, sílabas ou palavras, ou por frequentes hesitações ou pausas que rompem o fluxo rítmico da fala. Disritmias menores desse tipo são muito comuns como uma fase transitória no início da infância ou como um aspecto menor mas persistente da fala na criança mais velha e na vida adulta. Elas devem ser classificadas como um transtorno somente se a sua gravidade for tão marcante que prejudique a fluência da fala. Pode haver movimentos associados da face e/ou outras partes do corpo, que coincidem no tempo com as repetições, prolongamentos ou pausas no fluxo da fala. A gagueira deve ser diferenciada da fala desordenada (ver abaixo) e de tiques. Em alguns casos, pode haver um transtorno associado do desenvolvimento da fala ou linguagem, em cujo caso isso deve ser codificado separadamente sob F80. —.

Exclui: fala desordenada (F98.6)
transtorno neurológico dando origem a disritmias de fala (Capítulo VI da CID-10)
transtorno obsessivo-compulsivo (F42. —)
transtornos de tiques (F95. —)

F98.6 Fala desordenada (taquifemia)

Uma rápida velocidade da fala com quebra na fluência, mas sem repetições ou hesitações, de uma gravidade que provoca uma redução na inteligibilidade da fala. Esta é errática e disrítmica, com rápidos e abruptos arrancos que usualmente envolvem padrões de frases defeituosas (p. ex., alternando pausas e explosões de fala, produzindo grupos de palavras não relacionados com a estrutura gramatical da sentença).

Exclui: transtorno neurológico dando origem a disritmias de fala (Capítulo VI da CID-10)
transtorno obsessivo-compulsivo (F42. —)
gagueira (F98.5)
transtornos de tique (F95. —)

F98.8 Outros transtornos emocionais e de comportamento especificados com início usualmente ocorrendo na infância e adolescência

Inclui: transtorno de déficit de atenção sem hiperatividade
masturbação (excessiva)
roer unhas
enfiar o dedo no nariz
chupar o dedo

F98.9 Transtornos emocionais e de comportamento com início usualmente ocorrendo na infância e adolescência, não especificados

F99 Transtorno mental, sem outra especificação (SOE)

Categoria residual não recomendada, quando nenhum código de F00 — F98 pode ser usado.

ANEXO
Outras condições da CID-10 frequentemente associadas a transtornos mentais e de comportamento

Este apêndice contém uma lista de condições de outros capítulos da CID-10 que são muitas vezes encontradas em associação aos transtornos do próprio Capítulo V (F). Elas são fornecidas aqui para que os psiquiatras que registram diagnósticos por meio das Descrições Clínicas e Diretrizes Diagnósticas tenham imediatamente à mão os termos e códigos da CID que cobrem os diagnósticos associados mais prováveis de serem encontrados na prática clínica rotineira. A maioria das condições incluídas são dadas apenas no nível de três caracteres, mas códigos de quatro caracteres são dados para uma seleção daqueles diagnósticos que serão usados mais frequentemente.

Capítulo I
Doenças já determinadas como infecciosas e parasitárias (A00 — B99)

A50 Sífilis congênita
    A50.4 Neurossífilis congênita tardia (neurossífilis juvenil)

A52 Sífilis tardia
    A52.1 Neurossífilis sintomática
    Inclui: tabes dorsalis

A81 Infecções do sistema nervoso central por vírus lentos
    A81.0 Doença de Creutzfeldt-Jakob
    A81.1 Panencefalite esclerosante subaguda
    A81.2 Leucoencefalopatia multifocal progressiva

B22 Doença causada pelo vírus da imunodeficiência humana (HIV) resultando em outras doenças especificadas
    B22.0 Doença causada pelo HIV resultando em encefalopatia
    Inclui: demência causada pelo HIV

Capítulo II
Neoplasias (C00 — D48)

C70.— Neoplasia maligna das meninges

C71.— Neoplasia maligna do cérebro

C72.— Neoplasia maligna da medula espinal, nervos cranianos e outras partes do sistema nervoso central

D33.— Neoplasia benigna do cérebro e de outras partes do sistema nervoso central

D42.— Neoplasia das meninges de características incertas e desconhecidas

D44.— Neoplasia do cérebro e de outras partes do sistema nervoso central de características incertas e desconhecidas

Capítulo IV
Doenças endócrinas, nutricionais e metabólicas (E00 — E90)

E00.— Síndrome da deficiência congênita de iodo

E01. — Transtornos tireoidianos relacionados à deficiência de iodo e condições associadas

E02 Hipotireoidismo subclínico por deficiência de iodo

E03 Outro hipotireoidismo
E03.2 Hipotireoidismo decorrente de medicamentos e outras substâncias exógenas
E03.5 Coma mixedematoso

E05. — Tirotoxicose (hipertireoidismo)

E15 Coma hipoglicêmico não diabético

E22 Hiperfunção hipofisária
E22.0 Acromegalia e gigantismo hipofisário
E22.1 Hiperprolactinemia
Inclui: hiperprolactinemia induzida por drogas

E23.— Hipofunção e outros transtornos hipofisários

E24.— Síndrome de Cushing

E30 Transtornos da puberdade, não classificados em outros locais
E30.0 Puberdade atrasada
E30.1 Puberdade precoce

E34 Outros transtornos endócrinos
E34.3 Baixa estatura, não classificada em outros locais

E51 Deficiência de tiamina
E51.2 Encefalopatia de Wernicke

E64. — Sequelas de má nutrição e outras deficiências nutricionais

E66. — Obesidade

E70 Transtornos do metabolismo de aminoácidos aromáticos
E70.0 Fenilcetonúria clássica

E71 Transtornos do metabolismo de aminoácidos de cadeia ramificada e do metabolismo de ácidos graxos
E71.0 Doença da urina em xarope de bordo

E74. — Outros transtornos do metabolismo de carboidratos

E80. — Transtornos do metabolismo de porfirina e bilirrubina

Capítulo VI
Doenças do sistema nervoso (G00 — G99)

G00 — Meningite bacteriana, não classificada em outros locais
Inclui: meningite por hemófilos, pneumocócica, estreptocócica, estafilocócica e outras meningites bacterianas

G02. — Meningite em outras doenças infecciosas e parasitárias classificadas em outros locais

G03. — Meningite decorrente de outras causas e de causas não especificadas

G04 — Encefalite, mielite e encefalomielite

G06 Abscesso e granuloma intracranianos e intraespinais G06.2 Abscesso extradural e subdural, não especificado

ANEXO

G10 Doença de Huntington

G11.— Ataxia hereditária

G20 Doença de Parkinson

G21 Parkinsonismo secundário
G21.0 Síndrome neuroléptica maligna
G21.1 Outro parkinsonismo secundário induzido por drogas
G21.2 Parkinsonismo secundário decorrente de outros agentes externos
G21.3 Parkinsonismo pós-encefalítico

G24 Distonia
Inclui: discinesia

G24.0 Distonia induzida por droga
G24.3 Torcicolo espasmódico
G24.8 Outra distonia
Inclui: discinesia tardia

G25.— Outros transtornos extrapiramidais e de movimentos
Inclui: síndrome das pernas inquietas, tremor induzido por drogas, mioclômus, coreia, tiques

G30 Doença de Alzheimer
G30.0 Doença de Alzheimer de início precoce
G30.1 Doença de Alzheimer de início tardio
G30.8 Outra doença de Alzheimer
G30.9 Doença de Alzheimer, não especificada

G31 Outras doenças degenerativas do sistema nervoso, não classificadas em outros locais
G31.0 Atrofia cerebral circunscrita
Inclui: doença de Pick

G31.1 Degeneração cerebral senil, não classificada em outros locais
G31.2 Degeneração do sistema nervoso decorrente de álcool
Inclui: ataxia e degeneração cerebelares, degeneração cerebral e encefalopatia alcoólicas, disfunção do sistema nervoso autônomo decorrente de álcool

G31.8 Outras doenças degenerativas especificadas do sistema nervoso

Inclui: encefalopatia necrotizante subaguda (Leigh); degeneração da substância cinzenta (Alpers)

G31.9 Doença degenerativa do sistema nervoso, não especificada

G32.— **Outros transtornos degenerativos do sistema nervoso em doenças classificadas em outros locais**

G35 **Esclerose múltipla**

G37 **Outras doenças desmielinizantes do sistema nervoso central**
G37.0 Esclerose difusa

Inclui: encefalite periaxial; doença de Shilder

G40 **Epilepsia**
G40.0 Epilepsia e síndromes epiléticas idiopáticas relacionadas à localização (focais) (parciais) com crises de início localizado

Inclui: epilepsia benigna da infância com espículas centrotemporais ou paroxismos occipitais no EEG

G40.1 Epilepsia e síndromes epiléticas sintomáticas relacionadas à localização (focais) (parciais) com crises parciais simples

Inclui: ataques sem alteração de consciência

G40.2 Epilepsia e síndromes epiléticas sintomáticas relacionadas à localização (focais) (parciais) com crises parciais complexas

Inclui: ataques com alteração de consciência, frequentemente com automatismos

G40.3 Epilepsia e síndromes epiléticas idiopáticas generalizadas
G40.4 Outras epilepsias e síndromes epiléticas generalizadas

Inclui: ataques de *salaam*

G40.5 Síndromes epiléticas especiais

Inclui: crises epiléticas relacionadas a álcool, drogas e privação de sono

G40.6 Crises de grande mal, não especificadas (com ou sem pequeno mal)
G40.7 Pequeno mal, não especificado, sem crises de grande mal

G41.— **Estado de mal epilético**

G43.— **Enxaqueca**

G44.— Outras síndromes de cefaleia

G45.— Ataques isquêmicos cerebrais transitórios e síndromes relacionadas

G47 Transtornos do sono
    G47.2 Transtornos do ciclo sono-vigília
    G47.3 Apneia de sono
    G47.4 Narcolepsia e cataplexia

G70 Miastenia gravis e outros transtornos mioneurais
    G70.0 Miastenia gravis

G91.— Hidrocefalia

G92 Encefalopatia tóxica

G93 Outros transtornos cerebrais
    G93.1 Lesão cerebral por anóxia, não classificada em outros locais
    G93.3 Síndrome de fadiga pós-viral

    Inclui: encefalomielite miálgica benigna

    G93.4 Encefalopatia, não especificada

G97 Transtornos do sistema nervoso pós-procedimentos, não classificados em outros locais
    G97.0 Perda de liquor por punção espinal

Capítulo VII
Doenças do olho e anexos (H00 — H59)

H40 Glaucoma
    H40.6 Glaucoma secundário a drogas

Capítulo VIII
Doenças do ouvido e processo mastoide (H60 — H95)

H93 Outros transtornos do ouvido, não classificados em outros locais
    H93.1 Tinitus

Capítulo IX
Doenças do sistema circulatório (I00 — I99)

I10 Hipertensão essencial (primária)

I60. — Hemorragia subaracnóidea

I61. — Hemorragia intracerebral

I62. — Outras hemorragias intracranianas não traumáticas
 I62.0 Hemorragia subdural (aguda) (não traumática)
 I62.1 Hemorragia extradural não traumática

I63. — Infarto cerebral

I64 Ataque apoplético, não especificado como hemorragia ou infarto

I65. — Oclusão e estenose de artérias pré-cerebrais, não resultando em infarto cerebral

I66. — Oclusão e estenose de artérias cerebrais, não resultando em infarto cerebral

I167 Outras doenças cerebrovasculares
 I67.2 Aterosclerose cerebral
 I67.3 Leucoencefalopatia vascular progressiva

 Inclui: doença de Binswanger

 I67.4 Encefalopatia hipertensiva

I69. — Sequelas de doença cerebrovascular

I95 Hipotensão
 I95.2 Hipotensão decorrente de drogas

Capítulo X
Doenças do sistema respiratório (J00 — J99)

J10 Gripe decorrente de vírus da *influenza* identificado
 J10.8 Gripe com outras manifestações, vírus da *influenza* identificado

J11 Gripe, vírus não identificado
 J11.8 Gripe com outras manifestações, vírus não identificado

J42 Bronquite crônica não especificada

J43.— Enfisema

J45.— Asma

Capítulo XI
Doenças do sistema digestivo (K00 — K93)

K25 Úlcera gástrica

K26 Úlcera duodenal

K27 Úlcera péptica, local não especificado

K29 Gastrite e duodenite
 K29.2 Gastrite alcoólica

K30 Dispepsia

K58.— Síndrome do colo irritável

K59.— Outros transtornos funcionais do intestino

K70.— Doença hepática alcoólica

K71.— Doença hepática tóxica
 Inclui: doença hepática induzida por drogas

K86 Outras doenças do pâncreas
 K86.0 Pancreatite crônica induzida por álcool

Capútulo XII
Doenças da pele e do tecido subcutâneo (L00 — L99)

L20.— Dermatite atópica

L98 Outros transtornos de pele e tecido subcutâneo, não classificados em outros locais
 L98.1 Dermatite factícia
 Inclui: escoriação neurótica

Capítulo XIII
Doenças do sistema musculoesquelético e do tecido conjuntivo (M00 — M99)

M32.— Lúpus eritematoso sistêmico

M54.— Dorsalgia

Capítulo XIV
Doenças do sistema geniturinário (N00 — N99)

N48 Outros transtornos penianos
 N48.3 Priapismo
 N48.4 Impotência de origem orgânica

N91.— Menstruação ausente, escassa e rara

N94 Dores e outras condições associadas aos órgãos genitais femininos e ciclo menstrual
 N94.3 Síndrome de tensão pré-menstrual
 N94.4 Dismenorreia primária
 N94.5 Dismenorreia secundária
 N94.6 Dismenorreia, não especificada

N95 Transtornos da menopausa e outros transtornos de perimenopausa
 N95.1 Estados de menopausa e do climatério feminino
 N95.3 Estados associados à menopausa artificial

Capítulo XV
Gravidez, parto e puerpério (O00 — O99)

O04 Aborto médico

O35 Cuidados com a mãe por anormalidade ou lesão fetal conhecida ou suspeitada
 O35.4 Cuidados com a mãe por lesão fetal (suspeitada) por álcool
 O35.5 Cuidados com a mãe por lesão fetal (suspeitada) por drogas

O99 Outras doenças maternas classificáveis em outros locais, mas complicando gravidez, parto e puerpério

O99.3 Transtornos mentais e doenças do sistema nervoso complicando gravidez, parto e puerpério
Inclui: condições em F00, F99 e G00 — G99

Capítulo XVII
Malformações, deformações e anormalidades cromossômicas congênitas (Q00 — Q99)

Q02 Microcefalia

Q03.— Hidrocefalia congênita

Q04.— Outras malformações cerebrais congênitas

Q05.— Espinha bífida

Q75.— Outras malformações congênitas do crânio e ossos da face

Q85 Facomatoses, não classificadas em outros locais
Q85.0 Neurofibromatose (não maligna)
Q85.1 Esclerose tuberosa

Q86 Síndromes de malformações congênitas decorrentes de causas exógenas conhecidas, não classificadas em outros locais
Q86.0 Síndrome alcoólica fetal (dismórfica)

Q90 Síndrome de Down
Q90.0 Trissomia do 21, não disjunção meiótica
Q90.1 Trissomia do 21, mosaicismo (não disjunção mitótica)
Q90.2 Trissomia do 21, translocação
Q90.9 Síndrome de Down, não especificada

Q91.— Síndrome de Edwards e síndrome de Patau

Q93 Monossomias e deleções dos genes autossômicos, não classificadas em outros locais
Q93.4 Deleção do braço curto do cromossomo 5
Inclui: síndrome de cri-du-chat

Q96.— Síndrome de Turner

Q97.— Outras anormalidades do cromossomo sexual, fenótipo feminino, não classificadas em outros locais

Q98 Outras anormalidades do cromossomo sexual, fenótipo masculino, não classificadas em outros locais
Q98.0 Síndrome de Klinefelter com cariótipo 47, XXY
Q98.1 Síndrome de Klinefelter, masculina com mais de dois cromossomos X
Q98.2 Síndrome de Klinefelter, masculina com cariótipo 46, XX
Q98.4 Síndrome de Klinefelter, não especificada

Q99.— Outras anormalidades cromossômicas, não classificadas em outros locais

Capítulo XVIII
Sintomas, sinais e achados clínicos e laboratoriais anormais, não classificados em outros locais (R00 — R99)

R55 Síncope e colapso

R56. Convulsões, não classificadas em outros locais
R56.0 Convulsões febris
R56.8 Outras convulsões e convulsão não especificada

R62 Falta do desenvolvimento fisiológico normal esperado
R62.0 Atraso de pontos significativos do desenvolvimento
R62.8 Outra falta do desenvolvimento fisiológico normal esperado
R62.9 Falta do desenvolvimento fisiológico normal esperado, não especificada

R63 Sintomas e sinais relativos à ingestão de alimentos e líquidos
R63.0 Anorexia
R63.1 Polidipsia
R63.4 Perda anormal de peso
R63.5 Ganho anormal de peso

R78.— Achados de drogas e outras substâncias, normalmente não encontradas no sangue
Inclui: álcool (R78.0); drogas opiáceas (R78.1); cocaína (R78.2); alucinógenos (R78.3); outras drogas de potencial aditivo (R78.4); drogas psicotrópicas (R78.5); nível anormal de lítio (R78.8)

R83 Achados anormais no líquor

R90.— Achados anormais em imagens diagnósticas do sistema nervoso central

R94 Resultados anormais de estudos de função
R94.0 Resultados normais de estudos de função do sistema nervoso central
Inclui: eletroencefalograma (EEG) anormal

Capítulo XIX
Lesão, envenenamento e outras consequências determinadas por causas externas (S00 — T98)

S06 Lesão intracraniana
S06.0 Concussão
S06.1 Edema cerebral traumático
S06.2 Lesão cerebral difusa
S06.3 Lesão cerebral focal
S06.4 Hemorragia epidural
S06.5 Hemorragia subdural traumática
S06.6 Hemorragia subaracnoide traumática
S06.7 Lesão intracraniana com coma prolongado

Capítulo XX
Causas externas de morbidade e mortalidade (V01 — Y98)

Autolesão intencional (X60 — X84)

Inclui: envenenamento ou lesão autoinfligida propositalmente; suicídio

X60 Autoenvenenamento e exposição intencionais a analgésicos não opiáceos, antipiréticos e antirreumáticos

X61 Autoenvenenamento e exposição intencionais a drogas antiepiléticas, sedativo-hipnóticas, antiparkinsonianas e psicotrópicas, não classificadas em outros locais
Inclui: antidepressivos, barbitúricos, neurolépticos, psicoestimulantes

X62 Autoenvenenamento e exposição intencionais a narcóticos e psicodislépticos (alucinógenos), não classificados em outros locais
Inclui: cannabis (derivados), cocaína, codeína, heroína, ácido lisérgico (LSD), mescalina, metadona, morfina, ópio (alcaloides)

X63 Autoenvenenamento e exposição intencionais a outras drogas que atuam no sistema nervosos autônomo

X64 Autoenvenenamento e exposição intencionais a outras drogas e substâncias biológicas e a drogas e substâncias biológicas não especificada

X65 Autoenvenenamento e exposição intencionais ao álcool

X66 Autoenvenenamento e exposição intencionais a solventes orgânicos e hidrocarbonos halogenados e seus vapores

X67 Autoenvenenamento e exposição intencionais a outros gases e vapores
Inclui: monóxido de carbono; gás utilitário

X68 Autoenvenenamento e exposição intencionais a pesticidas

X69 Autoenvenenamento e exposição intencionais a outras substâncias químicas e nocivas e à substância química e nociva não especificada
Inclui: aromáticos corrosivos, ácidos e álcalis cáusticos

X70 Autolesão intencional por enforcamento, estrangulamento e sufocação

X71 Autolesão intencional por afogamento e submersão

X72 Autolesão intencional por descarga de arma de mão

X73 Autolesão intencional por descarga de rifle, espingarda ou arma de fogo maior

X74 Autolesão intencional por descarga de outra arma de fogo e de arma de fogo não especificada

X75 Autolesão intencional por material explosivo

X76 Autolesão intencional por fogo e chamas

X77 Autolesão intencional por vapor, vapores quentes e objetos quentes

X78 Autolesão intencional por objeto cortante

X79 Autolesão intencional por objeto contundente

ANEXO

X80   Autolesão intencional por pular de um lugar alto

X81   Autolesão intencional por pular ou deitar-se ante um objeto móvel

X82   Autolesão intencional por batida de veículo motor

X83   Autolesão intencional por outros meios especificados
Inclui: batida de aeronave, eletrocussão, substâncias cáusticas (exceto envenenamento)

X84   Autolesão intencional por meios não especificados

Agressão física (X85 — Y09)
Inclui: homicídios; lesões infligidas por outra pessoa com intenção de ferir ou matar, por quaisquer meios

X93   Agressão física com descarga de arma de mão

X99   Agressão física com objeto cortante

Y00   Agressão física com objeto contundente

Y04   Agressão física com força física

Y05   Agressão física sexual com força física

Y06.—   Negligência e abandono

Y07.—   Outras síndromes de maus-tratos
Inclui: crueldade mental; abuso físico; abuso sexual; tortura

Drogas, medicamentos e substâncias biológicas, em uso terapêutico, causando efeitos adversos (Y40 — Y59)

Y46   Drogas antiepiléticas e antiparkinsonianas
Y46.7   Drogas antiparkinsonianas

Y47.—   Drogas sedativas, hipnóticas e ansiolíticas

Y49   Drogas psicotrópicas, não classificadas em outros locais
Y49.0   Antidepressivos tricíclicos e tetracíclicos
Y49.1   Antidepressivos inibidores da monoamina-oxidase
Y49.2   Outros antidepressivos e antidepressivo não especificado

Y49.3 Antipsicóticos e neurolépticos fenotiazínicos
Y49.4 Butirofenona e neurolépticos tioxantênicos
Y49.5 Outros antipsicóticos e neurolépticos
Y49.6 Psicodeslépticos (alucinógenos)
Y49.7 Psicoestimulantes com potencial de abuso
Y49.8 Outras drogas psicotrópicas, não classificadas em outros locais
Y49.9 Droga psicotrópica, não especificada

Y50.— Estimulantes do sistema nervoso central, não classificados em outros locais

Y51.— Drogas que afetam primariamente o sistema nervoso autônomo

Y57.— Outras drogas e medicamentos e droga e medicamento não especificado

Capítulo XXI
Fatores influenciando o estado de saúde e contato com serviços de saúde (Z00 — Z99)

Z00 Exame e investigação gerais de pessoas sem queixas e sem diagnóstico registrado
Z00.4 Exame psiquiátrico geral, não classificado em outros locais

Z02 Exame e contato para propósitos administrativos
Z02.3 Exame para recrutamento militar
Z02.4 Exame para licença de motorista
Z02.6 Exame para propósitos de seguro
Z02.7 Expedição de atestado médico

Z03 Observação e avaliação médicas por suspeita de doenças e condições
Z03.2 Observação por suspeita de transtornos mentais e de comportamento

Inclui: observação por comportamento antissocial, comportamento incendiário, atividades de gangue e roubo em lojas, sem transtorno psiquiátrico manifesto

Z04 Exame e observação por outras razões
Inclui: exame por razões médico-legais

Z04.6 Exame psiquiátrico geral, requerido por autoridade

Z50 Cuidados envolvendo o uso de procedimentos de reabilitação
Z50.2 Reabilitação de alcoolista

Z50.3 Reabilitação de drogadicto
Z50.4 Psicoterapia, não classificada em outros locais
Z50.7 Terapia ocupacional e reabilitação vocacional, não classificadas em outros locais
Z50.8 Cuidados envolvendo o uso de outros procedimentos específicos de reabilitação

Inclui: treinamento em atividades de vida diária (ADV)
reabilitação de tabagistas

Z54 **Convalescença**
Z54.3 Convelescença seguindo-se à psicoterapia

Z55.— **Problemas relacionados à educação e alfabetização**

Z56.— **Problemas relacionados a emprego e desemprego**

Z59.— **Problemas relacionados à moradia e circunstâncias econômicas**

Z60 **Problemas relacionados ao ambiente social**
Z60.0 Problemas de ajustamento a transições de ciclo vital
Z60.1 Situação parental atípica
Z60.2 Viver sozinho
Z60.3 Dificuldade de aculturação
Z60.4 Exclusão e rejeição sociais
Z60.5 lvo de discriminação e perseguição percebidas
Z60.8 Outros problemas específicos relacionados ao ambiente social

Z61 **Problemas relacionados a eventos de vida negativos na infância**
Z61.0 Perda de relação afetiva na infância
Z61.1 Afastamento de casa na infância
Z61.2 Padrão alterado de relações familiares na infância
Z61.3 Eventos resultando em perda de autoestima na infância
Z61.4 Problemas relacionados a pretenso abuso sexual de criança por pessoa dentro do grupo de suporte primário
Z61.5 Problemas relacionados a pretenso abuso sexual de criança por pessoa fora do grupo de suporte primário
Z61.6 Problemas relacionados a pretenso abuso físico de criança
Z61.7 Experiência assustadora pessoal na infância
Z61.8 Outros eventos de vida negativos na infância

Z62 **Outros problemas relacionados à criação**
Z62.0 Supervisão e controle parentais inadequados
Z62.1 Supervisão parental

Z62.2 Criação institucional
Z62.3 Hostilidade em relação à criança e fazê-la de bode expiatório
Z62.4 Negligência emocional da criança
Z62.5 Outros problemas relacionados à negligência na criação
Z62.6 Pressão parental inapropriada e outras qualidades anormais de criação
Z62.8 Outros problemas especificados relacionados à criação

Z63 Outros problemas relacionados ao grupo de suporte primário, incluindo circunstâncias familiares
Z63.0 Problemas de relacionamento com cônjugue ou parceiro
Z63.1 Problemas de relacionamento com parentes consanguíneos e por afinidade
Z63.2 Suporte familiar inadequado
Z63.3 Ausência de membro da família
Z63.4 Desaparecimento ou morte de membro da família
Z63.5 Ruptura familiar por separação ou divórcio
Z63.6 Parente dependente necessitando de cuidados em casa
Z63.7 Outros eventos de vida estressantes afetando família e lar
Z63.8 Outros problemas especificados relacionados ao grupo de suporte primário

Z64 Problemas relacionados a determinadas circunstâncias psicossociais
Z64.0 Problemas relacionados à gravidez indesejada
Z64.2 Procura e aceitação de intervenções físicas, nutricionais e químicas sabidamente perigosas e nocivas
Z64.3 Procura e aceitação de intervenções comportamentais e psicológicas sabidamente perigosas e nocivas
Z64.4 Desacordo com conselheiros

Inclui: encarregado de custódia; assistente social

Z65 Problemas relacionados a outras circunstâncias psicossociais
Z65.0 Condenação em processos civis e criminais sem prisão
Z65.1 Prisão e outro encarceramento
Z65.2 Problemas relacionados à libertação de prisão
Z65.3 Problemas relacionados a outras ciscunstâncias legais

Inclui: detenção
custódia de criança ou procedimentos de suporte

Z65.4 Vítima de crime e terrorismo (incluindo tortura)
Z65.5 Exposição a desastre, guerra e outras hostilidades

Z70.— Aconselhamento relacionado à atitude, comportamento e orientação sexuais

Z71 Pessoas contatando serviços de saúde para outro aconselhamento e recomendação médica, não classificados em outros locais
  Z71.4 Aconselhamento e supervisão por abuso de álcool
  Z71.5 Aconselhamento e supervisão por abuso de drogas
  Z71.6 Aconselhamento por abuso de tabaco

Z72 Problemas relacionados ao estilo de vida
  Z72.0 Uso de tabaco
  Z72.1 Uso de álcool
  Z72.2 Uso de drogas
  Z72.3 Falta de exercício físico
  Z72.4 Dieta e hábitos alimentares inapropriados
  Z72.5 Comportamento sexual de alto risco
  Z72.6 Jogos e apostas
  Z72.8 Outros problemas relacionados ao estilo de vida

  Inclui: comportamento autolesivo

Z73 Problemas relacionados a dificuldades de gerenciamento da própria vida
  Z73.0 Sensação de estar "acabado"
  Z73.1 Acentuação de traços de personalidade

  Inclui: padrão de comportamento tipo A

  Z73.2 Falta de descanso ou lazer
  Z73.3 Estresse, não classificado em outros locais
  Z73.4 Habilidades sociais inadequadas, não classificadas em outros locais
  Z73.5 Conflito de papel social, não classificado em outros locais

Z75 Problemas relacionados a serviços médicos e outros cuidados de saúde
  Z75.1 Pessoa aguardando admissão em serviço adequado em outro local
  Z75.2 Outro período de espera para uma investigação e tratamento
  Z75.5 Férias de tratamento

Z76 Pessoas contatando serviços de saúde em outras circunstâncias
  Z76.0 Aviamento de receita repetida
  Z76.5 Simulação (consciente)

  Inclui: pessoas fingindo doenças com motivação óbvia

Z81 História familiar de transtornos mentais e de comportamento
  Z81.0 História familiar de retardo mental
  Z81.1 História familiar de abuso de álcool
  Z81.3 História familiar de abuso de outras substâncias psicoativas
  Z81.8 História familiar de outros transtornos mentais e de comportamento

Z82 História familiar de determinadas incapacidades e doenças crônicas levando à invadez
Z82.0 História familiar de epilepsia e outras doenças do sistema nervoso

Z85.— História pessoal de neoplasia maligna

Z86 História pessoal de outras doenças determinadas
Z86.0 História pessoal de outras neoplasias
Z86.4 História pessoal de abuso de substância psicoativa
Z86.5 História pessoal de outros transtornos mentais e de comportamento
Z86.6 História pessoal de doenças do sistema nervoso e órgãos dos sentidos

Z87 História pessoal de outras doenças e condições
Z87.7 História pessoal de malformações, deformações e anormalidades cromossômicas congênitas

Z91 História pessoal de fatores de risco, não classificados em outros locais
Z91.1 História pessoal de não-aderência a tratamento e regime médicos
Z91.4 História pessoal de trauma psicológico, não classificado em outros locais
Z91.5 História pessoal de autolesão

Inclui: para-suicídio; autoenvenenamento; tentativa de suicídio

Lista de investigadores principais

As propostas dos testes de campo da CID-10 envolveram pesquisadores e clínicos em cerca de 110 institutos em 40 países. Seus esforços e comentários foram de grande importância para as sucessivas revisões do primeiro rascunho da classificação e das descrições clínicas e diretrizes diagnósticos. Todos os principais investigadores são nomeados abaixo. As pessoas que produziram os rascunhos iniciais da classificação e diretrizes estão assinaladas com um asterisco.

Alemanha

Dr. M. Albus (Munique)
Dr. H. Amorosa (Munique)
Dr. O. Benkert (Mainz)
Dr. M. Berger (Freiburg)
Dr. B. Blanz (Mannheim)
Dr. M. von Bose (Munique)
Dr. B. Cooper (Mannheim)
Dr. M. von Cranach (Kaufbeuren)
Mr. T. Degener (Essen)
Dr. H. Dilling (Lübeck)
Dr. R. R. Engel (Munique)
Dr. K. Foerster (Tübingen)
Dr. H. Freyberger (Lübeck)
Dr. G. Fuchs (Ottobrunn)
Dr. M. Gastpar (Essen)
*Dr. J. Glatzel (Mainz)
Dr. H. Gutzmann (Berlim)
Dr. H. Häfner (Mannheim)
Dr. H. Helmchen (Berlim)
Dr. S. Herdemerten (Essen)
Dr. W. Hiller (Munique)
Dr. A. Hillig (Mannheim)
Dr. H. Hippius (Munique)
Dr. P. Hoff (Munique)
Dr. S.O. Hoffmann (Mainz)
Dr. K. Koehler (Bonn)
Dr. R. Kuhlmann (Essen)
*Dr. G.E. Kühne (Jena)
Dr. E. Lomb (Essen)
Dr. W. Maier (Mainz)
Dr. E. Markwort (Lübeck)
Dr. K. Maurer (Mannheim)
Dr. J. Mittealhammer (Munique)
Dr. H.J. Moller (Bonn)
Dr. W. Mombour (Munique)
Dr. J. Niemeyer (Mannheim)
Dr. R. Olbrich (Mannheim)
Dr. M. Philipp (Mainz)
Dr. K. Quaschner (Mannheim)
Dr. H. Remschmidt (Marburg)
Dr. G. Rother (Essen)
Dr. R. Rummler (Munique)
Dr. H. Sass (Aachen)
Mr. H.W. Schaffert (Essen)
Dr. H. Schepank (Mannheim)
Dr. M.H. Schmidt (Mannheim)
Dr. R.D. Stieglitz (Berlim)
Dr. M. Strockens (Essen)
Dr. W. Trabert (Homburg)
Dr. W. Tress (Mannheim)
Dr. H.U. Wittchen (Munique)
Dr. M. Zaudig (Munique)

Arábia Saudita

Dr. O.M. Al-Radi (Taif)
Dr. H. Amin (Riad)
Dr. W. Dodd (Riad)
Dr. S.R.A. El Fadl (Riad)
Dr. A.T. Ibrahim (Riad)
Dr. M. Marasky (Riad)
Dr. F.M.A. Rahim (Riad)

Austrália

Dr. P.J.V. Beumont (Sydney)
Dr. E. Blackmore (Nedlands)
Dr. R. Davidson (Nedlands)
Ms. C.R. Dossetor (Melbourne)
Dr. G.A. German (Nedlands)
*Dr. A.S. Henderson (Camberra)
Dr. H.E. Herrman (Melbourne)
Dr. G. Johnson (Perth)
Dr. A.F. Jorm (Camberra)
Dr. S.D. Joshua (Melbourne)
Dr. S. Kisely (Perth)
Dr. T. Lambert (Nedlands)
Dr. P.D. McGorry (Melbourne)
Dr. I. Pilowski (Adelaide)
Dr. J. Saunders (Camperdown)
Dr. B. Singh (Melbourne)

Áustria

Dr. P. Berner (Viena)
Dr. H. Katschnig (Viena)
Dr. G. Koinig (Viena)
Dr. K. Meszaros (Viena)
Dr. P. Schuster (Viena)
*Dr. H. Strotzka (Viena)

Bahrein

Dr. M.K. Al-Haddad
Dr. C.A. Kamel

Dr. M.A. Mawgoud

Bélgica

Dr. D. Bobon (Liège)
Dr. C. Mormont (Liège)
Dr. W. Vandereyken (Louvain)

Brasil

Dr. P.B. Abreu (Porto Alegre)
Dr. N. Bezerra (Porto Alegre)
Dr. M. Bugallo (Pelotas)
Dr. E. Busnello (Porto Alegre)
Dr. D. Caetano (Campinas)
Dr. C. Castellarin (Porto Alegre)
Dr. M.L.F. Chaves (Porto Alegre)
Dr. D. Coniberti (Pelotas)
Dr. V. Damiani (Pelotas)
Dr. M.P.A. Fleck (Porto Alegre)
Dr. M.K. Gehlen (Porto Alegre)
Dr. D. Hilton (Pelotas)
Dr. L. Knijnik (Porto Alegre)
Dr. M. Knobel (Campinas)
Dr. P.S.P. Lima (Porto Alegre)
Dr. S. Olive (Pelotas)
Dr. C.M.S. Osorio (Porto Alegre)
Dr. F. Resmini (Pelotas)
Dr. G. Soares (Porto Alegre)
Dr. A.P. Santin (Porto Alegre)
Dr. S.B. Zimmer (Porto Alegre)

Bulgária

Dr. M. Boyadjieva (Sofia)
Dr. A. Jablensky (Sofia)
Dr. K. Kirov (Sofia)
Dr. V. Milanova (Sofia)
Dr. V. Nikolov (Sofia)
Dr. I. Temkov (Sofia)
Dr. K. Zaimov (Sofia)

Canadá

Dr. J. Beitchman (Londres)
Dr. D. Bendjilali (Baie-Comeau)
Dr. D. Berube (Baie-Comeau)
Dr. D. Bloom (Verdun)
Dr. D. Boisvert (Baie-Comeau)
Dr. R. Cooke (Londres)
Dr. A.J. Cooper (St Thomas)
Dr. J.J. Curtin (Londres)
Dr. J.L. Deinum (Londres)
Dr. M.L.D. Fernando (St Thomas)
Dr. P. Flor-Henry (Edmonton)
Dr. L. Gaborit (Baie-Comeau)
Dr. P.D. Gatfield (Londres)
Dr. A. Gordon (Edmonton)
Dr. J.A. Hamilton (Toronto)
Dr. G.P. Harnois (Verdun)
Dr. G. Hasey (Londres)
Dr. W. T. Hwang (Toronto)
Dr. H. Iskandar (Verdun)
Dr. B. Jean (Verdun)
Dr. W. Jilek (Vancouver)
Dr. D.L. Keshav (Londres)
Dr. M. Koilpillai (Edmonton)
Dr. M. Konstantareas (Londres)
Dr. T. Lawrence (Toronto)
Dr. M. Lalinec (Verdun)
Dr. G. Lefebvre (Edmonton)
Dr. H. Lehmann (Montreal)
*Dr. Z. Lipowski (Toronto)
Dr. B.L. Malhotra (Londres)
Dr. R. Manchanda (St Thomas)
Dr. H. Merskey (Londres)
Dr. J. Morin (Verdun)
Dr. N.P.V. Nair (Verdun)
Dr. J. Peachey (Toronto)
Dr. B. Pedersen (Toronto)
Dr. E. Persad (Londres)
Dr. G. Remington (Londres)

Dr. P. Roper (Verdun)
Dr. C. Ross (Winnipeg)
Dr. S.S. Sandhu (St Thomas)
Dr. M. Sharma (Verdun)
Dr. M. Subak (Verdun)
Dr. R.S. Swaminath (St Thomas)
Dr. G.N. Swamy (St Thomas)
Dr. V.R. Velamoor (St Thomas)
Dr. K. Zukowska (Baie-Comeau)

China

Dr. He Wei (Chengdu)
Dr. Huang Zong-mei (Shanghai)
Dr. Liu Pei-yi (Chengdu)
Dr. Liu Xie-he (Chengdu)
*Dr. Shen Yu-cun (Beijing)
Dr. Song Wei-sheng (Chengdu)
Dr. Xu Tao-yuan (Shanghai)
Dr. Xu Yi-feng (Shanghai)
*Dr. Xu You-xin (Beijing)
Dr. Yang De-sen (Changsha)
Dr. Yang Quan (Chengdu)
Dr. Zhang Lian-di (Shanghai)

Colômbia

Dr. A. Acosta (Cali)
Dr. W. Arevalo (Cali)
Dr. A. Calvo (Cali)
Dr. E. Castrillon (Cali)
Dr. C.E. Climent (Cali)
Dr. L.V. de Aragon (Cali)
Dr. M.V. de Arango (Cali)
Dr. G. Escobar (Cali)
Dr. L.F. Gaviria (Cali)
Dr. C.H. Gonzalez (Cali)
Dr. C.A. Léon (Cali)
Dr. S. Martinez (Cali)
Dr. R. Perdomo (Cali)
Dr. E. Zambrano (Cali)

Costa do Marfim

Dr. B. Claver (Abidjan)

Costa Rica

Dr. E. Madrigal-Segura (San José)

Cuba

Dr. C. Acosta Nodal (Havana)
Dr. C. Acosta Rabassa (Manzanillo)
Dr. O. Ares Freijo (Havana)
Dr. A. Castro Gonzalez (Manzanillo) Dr. J. Cueria Basulto (Manzanillo)
Dr. C. Dominguez Abreu (Havana)
Dr. F. Duarte Castaneda (Havana)
Dr. O.A. Freijo (Havana)
Dr. F. Galan Rubi (Havana)
Dr. A.C. Gonzalez (Manzanillo)
Dr. R. Gonzalez Menendez (Havana)
Dr. M. Guevara Machado (Havana)
Dr. H. Hernandez Elias (Pinar del Rio)
Dr. R. Hernandez Rios (Havana)
Dr. M. Leyva Concepcion (Havana)
Dr. M. Ochoa Cortina (Havana)
Dr. A. Otero Ojeda (Havana)
Dr. L. de la Parte Perez (Havana)
Dr. V. Ravelo Perez (Havana)
Dr. M. Ravelo Salazar (Havana)
Dr. R.H. Rios (Havana)
Dr. J. Rodrigues Garcia (Havana)
Dr. T. Rodriguez Lopez (Pinar del Rio)
Dr. E. Sabas Moraleda (Havana)
Dr. M.R. Salazar (Havana)
Dr. H. Suarez Ramos (Havana)
Dr. I. Valdes Hidalgo (Havana)
Dr. C. Vasallo Mantilla (Havana)

Dinamarca

Dr. J. Aagaard (Aarhus)
Dr. J. Achton (Aarhus)
Dr. E. Andersen (Odense)
Dr. T. Arngrim (Aarhus)
Dr. E. Bach Jensen (Aarhus)
Dr. U. Bartels (Aarhus)
Dr. P. Bech (Hillerod)
Dr. A. Bertelsen (Aarhus)
Dr. B. Butler (Hillerod)
Dr. L. Clemmesen (Hillerod)
Dr. H. Faber (Aarhus)
Dr. O. Falk Madsen (Aarhus)
Dr. T. Fjord-Larsen (Aalborg)
Dr. F. Gerholt (Odense)
Dr. J. Hoffmeyer (Odense)
Dr. S. Jensen (Aarhus)
Dr. P.W. Jepsen (Hillerod)
Dr. P. Jorgensen (Aarhus)
Dr. M. Kastrup (Hillerod)
Dr. P. Kleist (Aarhus)
Dr. A. Korner (Copenhagen)
Dr. P. Kragh-Sorensen (Odense)
Dr. K. Kristensen (Odense)
Dr. I. Kyst (Aarhus)
Dr. M. Lajer (Aarhus)
Dr. J.K. Larsen (Copenhagen)
Dr. P. Liisberg (Aarhus)
Dr. H. Lund (Aarhus)
Dr. J. Lund (Aarhus)
Dr. S. Moller-Madsen (Copenhagen)
Dr. I. Moulvad (Aarhus)
Dr. B. Nielsen (Odense)
Dr. B.M. Nielsen (Copenhagen)
Dr. C. Norregard (Copenhagen)
Dr. P. Pedersen (Odense)
Dr. L. Poulsen (Odense)
Dr. K. Raben Pedersen (Aarhus)
Dr. P. Rask (Odense)
Dr. N. Reisby (Aarhus)
Dr. K. Retboll (Aarhus)
Dr. F. Schulsinger (Copenhagen)

Dr. C. Simonsen (Aarhus)
Dr. E. Simonsen (Copenhagen)
Dr. H. Stockmar (Aarhus)
Dr. S.E. Straarup (Aarhus)
*Dr. E. Strömgren (Aarhus)
Dr. L.S. Strömgren (Aarhus)
Dr. J.S. Thomsen (Aalborg)
Dr. P. Vestergaard (Aarhus)
Dr. T. Videbech (Aarhus)
Dr. T. Vilmar (Hillerod)
Dr. A. Weeke (Aarhus)

Egito

Dr. M. Sami Abdel-Gawad (Cairo)
Dr. A.S. Eldawla (Cairo)
Dr. K. El Fawal (Alexandria)
Dr. A.H. Khalil (Cairo)
Dr. S.S. Nicolas (Alexandria)
Dr. A. Okasha (Cairo)
Dr. M.A. Shohdy (Cairo)
Dr. H. El Shoubashi (Alexandria)
Dr. M.I. Soueif (Cairo)
Dr. N.N. Wig (Alexandria)

Espanha

Dr. A. Abrines (Madri)
Dr. J.L. Alcázar (Madri)
Dr. C. Alvarez (Bilbao)
Dr. C. Ballús (Barcelona)
Dr. P. Benjumea (Sevilha)
Dr. V. Beramendi (Bilbao)
Dr. M. Bernardo (Barcelona)
Dr. J. Blanco (Sevilha)
Dr. J.M. Blazquez (Salamanca)
Dr. E. Bodega (Madri)
Dr. I. Boulandier (Bilbao)
Dr. A. Cabero (Granada)
Dr. M. Camacho (Sevilha)

Dr. A. Candina (Bilbao)
Dr. J.L. Carrasco (Madri)
Dr. N. Casas (Sevilha)
Dr. C. Caso (Bilbao)
Dr. A. Castaño (Madri)
Dr. M.L. Cerceño (Salamanca)
Dr. V. Corcés (Madri)
Dr. D. Crespo (Madri)
Dr. O. Cuenca (Madri)
Dr. E. Ensunza (Bilbao)
Dr. A. Fernández (Madri)
Dr. P. Fernández-Argüelles (Sevilha)
Dr. E. Gallego (Bilbao)
Dr. García (Madri)
Dr. E. Giles (Sevilha)
Dr. J. Giner (Sevilha)
Dr. J. González (Saragossa)
Dr. A. González-Pinto (Bilbao)
Dr. C. Guaza (Madri)
Dr. J. Guerrero (Sevilha)
Dr. C. Hernández (Madri)
Dr. A. Higueras (Granada)
Dr. D. Huertas (Madri)
Dr. J.A. Izquierdo (Salamanca)
Dr. J.L. Jimenez (Granada)
Dr. L. Jordá (Madri)
Dr. J. Laforgue (Bilbao)
Dr. F. Lana (Madri)
Dr. A. Lobo (Saragossa)
Dr. J.J. López-Ibor Jr (Madri)
Dr. J. López-Plaza (Saragossa)
Dr. C. Maestre (Granada)
Dr. F. Marquínez (Bilbao)
Dr. M. Martin (Madri)
Dr. T. Monsalve (Madri)
Dr. P. Morales (Madri)
Dr. P.E. Muñoz (Madri)
Dr. A. Nieto (Bilbao)
Dr. P. Oronoz (Bilbao)
Dr. A. Otero (Barcelona)

Dr. A. Ozamiz (Bilbao)
Dr. J. Padierna (Bilbao)
Dr. E. Palacios (Madri)
Dr. J. Pascual (Bilbao)
Dr. M. Paz (Granada)
Dr. J. Pérez de los Cobos (Madri)
Dr. J. Pérez-Arango (Madri)
Dr. A. Pérez-Torres (Granada)
Dr. A. Pérez-Urdaniz (Salamanca)
Dr. J. Perfecto (Salamanca)
Dr. R. del Pino (Granada)
Dr. J.M. Poveda (Madri)
Dr. A. Preciado (Salamanca)
Dr. L. Prieto-Moreno (Madri)
Dr. J.L. Ramos (Salamanca)
Dr. F. Rey (Salamanca)
Dr. M.L. Rivera (Sevilha)
Dr. P. Rodríguez (Madri)
Dr. P. Rodríguez-Sacristan (Sevilha)
Dr. C. Rueda (Madri)
Dr. J. Ruiz (Granada)
Dr. B. Salcedo (Bilbao)
Dr. J. San Sebastián (Madri)
Dr. J. Sola (Granada)
Dr. S. Tenorio (Madri)
Dr. R. Teruel (Bilbao)
Dr. F. Torres (Granada)
Dr. J. Vallejo (Barcelona)
Dr. M. Vega (Madri)
Dr. B. Viar (Madri)
Dr. D. Vico (Granada)
Dr. V. Zubeldia (Madri)

Estados Unidos da América

Dr. T.M. Achenbach (Burlington)
Dr. H.S. Akiskal (Memphis)
Dr. N. Andreasen (Iowa City)
Dr. T. Babor (Farmington)
Dr. T. Ban (Nashville)
Dr. G. Barker (Cincinnati)
Dr. J. Bartko (Rockville)
Dr. M. Bauer (Richmond)
Dr. C. Beebe (Columbia)
Dr. D. Beedle (Cambridge)
Dr. B. Benson (Chicago)
*Dr. F. Benson (Los Angeles)
Dr. J. Blaine (Rockville)
Dr. G. Boggs (Cincinnati)
Dr. R. Boshes (Cambridge)
Dr. J. Brown (Farmington)
Dr. J. Burke (Rockville)
Dr. J. Cain (Dallas)
Dr. M. Campbell
*Dr. D. Cantwell (Los Angeles)
Dr. R.C. Casper (Chicago)
Dr. A. Conder (Richmond)
Dr. P. Coons (Indianapolis)
Mr. W. Davis (Washington, DC)
Dr. J. Deltito (White Plains)
Dr. M. Diaz (Farmington)
Dr. M. Dumaine (Cincinnati)
Dr. C. DuRand (Cambridge)
Dr. M.H. Ebert (Nashville)
Dr. J.I. Escobar (Farmington)
Dr. R. Falk (Richmond)
Dr. M. First
Dr. M.F. Folstein (Baltimore)
Dr. S. Foster (Filadélfia)
Dr. A. Frances
Dr. S. Frazier (Belmont)
Dr. S. Freeman (Cambridge)
Dr. H.E. Genaidy (Hastings)
Dr. P.M. Gillig (Cincinnati)
Dr. M. Ginsburg (Cincinnati)
Dr. F. Goodwin (Rockville)
Dr. E. Gordis (Rockville)
Dr. I.I. Gottesman (Charlottesville)
Dr. B. Grant (Rockville)
*Dr. S. Guze (St Louis)

LISTA DE INVESTIGADORES PRINCIPAIS

Dr. R. Hales (São Francisco)
Dr. D. Haller (Richmond)
Dr. J. Harris (Baltimore)
Dr. R. Hart (Richmond)
*Dr. J. Helzer (St Louis)
Dr. L. Hersov (Worcester)
Dr. J.R. Hillard (Cincinnati)
Dr. R.M.A. Hirschfeld (Rockville)
Dr. C.E. Holzer (Galveston)
*Dr. P. Holzman (Cambridge)
Dr. M.J. Horowitz (São Francisco)
Dr. T.R. Insel (Bethesda)
Dr. L.F. Jarvik (Los Angeles)
Dr. V. Jethanandani (Filadélfia)
Dr. L. Judd (Rockville)
Dr. C. Kaelber (Rockville)
Dr. I. Katz (Filadélfia)
Dr. B. Kaup (Baltimore)
Dr. S.A. Kelt (Dallas)
Dr. P. Keck (Belmont)
Dr. K.S. Kendler (Richmond)
Dr. D.F. Klein
*Dr. A. Kleinman (Cambridge)
Dr. G. Klerman (Boston)
Dr. R. Kluft (Filadélfia)
Dr. R.D. Kobes (Dallas)
Dr. R. Kolodner (Dallas)
Dr. J.S. Ku (Cincinnati)
*Dr. D.J. Kupfer (Pittsburgh)
Dr. M. Lambert (Dallas)
Dr. M. Lebowitz
Dr. B. Lee (Cambridge)
Dr. L. Lettich (Cambridge)
Dr. N. Liebowitz (Farmington)
Dr. B.R. Lima (Baltimore)
Dr. A.W. Loranger
Dr. D. Mann (Cambridge)
Dr. W.G. McPherson (Hastings)

Dr. L. Meloy (Cincinnati)
Dr. W. Mendel (Hastings)
Dr. R. Meyer (Farmington)
*Dr. J. Mezzich (Pittsburgh)
Dr. C. Moran (Richmond)
Dr. P. Nathan (Chicago)
Dr. D. Neal (Ann Arbor)
Dr. G. Nestadt (Baltimore)
Dr. B. Orrok (Farmington)
Dr. D. Orvin (Cambridge)
Dr. H. Pardes
Dr. J. Parks (Cincinnati)
Dr. R. Pary (Pittsburgh)
Dr. R. Peel (Washington, DC)
Dr. M. Peszke (Farmington)
Dr. R. Petry (Richmond)
Dr. F. Petty (Dallas)
Dr. R. Pickens (Rockville)
Dr. H. Pincus (Washington, DC)
Dr. M. Popkin (Long Lake)
Dr. R. Poss Rosen (Bayside)
Dr. H. van Praag (Bronx)
Mr. D. Rae (Rockville)
Dr. J. Rapoport (Bethesda)
Dr. D. Regier (Rockville)
Dr. R. Resnick (Richmond)
Dr. R. Room (Berkeley)
Dr. S. Rosenthal (Cambridge)
Dr. B. Rounsaville (New Haven)
Dr. A.J. Rush (Dallas)
Dr. M. Sabshin (Washington, DC)
Dr. R. Salomon (Farmington)
Dr. B. Schoenberg (Bethesda)
Dr. E. Schopler (Chicago)
Dr. M.A. Schuckit (San Diego)
Dr. R. Schuster (Rockville)
Dr. M. Schwab-Stone (New Haven)
Dr. S. Schwartz (Richmond)
Dr. D. Shaffer
Dr. T. Shapiro

*Dr. R. Spitzer
Dr. T.S. Stein (East Lansing)
Dr. R. Stewart (Dallas)
Dr. G. Tarnoff (New Haven)
Dr. J.R. Thomas (Richmond)
Dr. K. Towbin (New Haven)
Mr. L. Towle (Rockville)
Dr. M.T. Tsuang (Iowa City)
Dr. J. Wade (Richmond)
Dr. J. Walkup (New Haven)
Dr. M. Weissmann (New Haven)
Dr. J. Williams (Nova Iorque)
Dr. R.W. Winchel (Nova Iorque)
Dr. K. Winters (St Paul)
Dr. T.K. Wolff (Dallas)
Dr. W.C. Young (Littleton)

Federação Russa

Dr. I. Anokhina (Moscou)
Dr. V. Kovalev (Moscou)
Dr. A. Lichko (São Petersburgo)
*Dr. R.A. Nadzharov (Moscou)
*Dr. A.B. Smulevitch (Moscou)
Dr. A.S. Tiganov (Moscou)
Dr. V. Tsirkin (Moscou)
Dr. M. Vartanian (Moscou)
Dr. A.V. Vovin (São Petersburgo)
Dr. N.N. Zharikov (Moscou)

França

Dr. J.F. Allilaire (Paris)
Dr. J.M. Azorin (Marselha)
Dr. Baier (Estrasburgo)
Dr. M. Bouvard (Paris)
Dr. C. Bursztejn (Estrasburgo)
Dr. P.F. Chanoit (Paris)
Dr. M.A. Crocq (Rouffach)
Dr. J.M. Danion (Estrasburgo)
Dr. A. Des Lauriers (Paris)

Dr. M. Dugas (Paris)
Dr. B. Favre (Paris)
Dr. C. Gerard (Paris)
Dr. S. Giudicelli (Marselha)
Dr. J.D. Guelfi (Paris)
Dr. M.F. Le Heuzey (Paris)
Dr. V. Kapsambelis (Paris)
Dr. Koriche (Estrasburgo)
Dr. S. Lebovici (Bobigny)
Dr. J.P. Lepine (Paris)
Dr. C. Lermuzeaux (Paris)
*Dr. R. Misès (Paris)
Dr. J. Oules (Montauban)
Dr. P. Pichot (Paris)
Dr. D. Roume (Paris)
Dr. L. Singer (Estrasburgo)
Dr. M. Triantafyllou (Paris)
Dr. D. Widlocher (Paris)

Grécia

*Dr. C.R. Soldatos (Atenas)

Holanda

Dr. V.D. Bosch (Groningen)
Dr. R.F.W. Diekstra (Leiden)
*Dr. R. Giel (Groningen)
Dr. O. Van der Hart (Amsterdam)
Dr. W. Heuves (Leiden)
Dr. Y. Poortinga (Tilburg)
Dr. C. Slooff (Groningen)

Hungria

Dr. J. Szilard (Szeged)

Índia

Dr. A.K. Agarwal (Lucknow)
Dr. N. Ahuja (Nova Delhi)
Dr. A. Avasthi (Chandigarh)

LISTA DE INVESTIGADORES PRINCIPAIS

Dr. G. Bandopaday (Calcutá)
Dr. P.B. Behere (Varanasi)
Dr. P.K. Chaturvedi (Lucknow)
Dr. H.M. Chawla (Nova Delhi)
Dr. H.M. Chowla (Nova Delhi)
Dr. P.K. Dalal (Lucknow)
Dr. P. Das (Nova Delhi)
Dr. R. Gupta (Ludhiana)
Dr. S.K. Khandelwal (Nova Delhi)
Dr. S. Kumar (Lucknow)
Dr. N. Lal (Lucknow)
Dr. S. Malhotra (Chandigarh)
Dr. D. Mohan (Nova Delhi)
Dr. S. Murthy (Bangalore)
Dr. P.S. Nandi (Calcutá)
Dr. R.L. Narang (Ludhiana)
Dr. J. Paul (Vellore)
Dr. M. Prasad (Lucknow)
Dr. R. Raghuram (Bangalore)
Dr. G.N.N. Reddy (Bangalore)
Dr. S. Saxena (Nova Delhi)
Dr. B. Sen (Calcutá)
Dr. C. Shamasundar (Bangalore)
Dr. H. Singh (Lucknow)
Dr. P. Sitholey (Lucknow)
Dr. S.C. Tiwari (Lucknow)
Dr. B.M. Tripathi (Varanasi)
Dr. J.K. Trivedi (Lucknow)
Dr. V.K. Varma (Chandigarh)
Dr. A. Venkoba Rao (Madurai)
Dr. A. Verghese (Vellore)
Dr. K.R. Verma (Varanasi)

Indonésia

Dr. R. Kusumanto Setyonegoro (Jakarta)
Dr. D.B. Lubis (Jakarta)
Dr. L. Mangendaan (Jakarta)
Dr. W.M. Roan (Jakarta)
Dr. K.B. Tun (Jakarta)

Irlanda

Dr. A. O'Grady-Walshe (Dublin)
Dr. D. Walsh (Dublin)

Israel

Dr. R. Blumensohn (Petach-Tikua)
Dr. H. Hermesh (Petach-Tikua)
Dr. H. Munitz (Petach-Tikua)
Dr. S. Tyano (Petach-Tikua)

Itália

Dr. M.G. Ariano (Nápoles)
Dr. F. Catapano (Nápoles)
Dr. A. Cerreta (Nápoles)
Dr. S. Galderisi (Nápoles)
Dr. M. Guazzelli (Pisa)
Dr. D. Kemali (Nápoles)
Dr. S. Lobrace (Nápoles)
Dr. C. Maggini (Pisa)
Dr. M. Maj (Nápoles)
Dr. A. Mucci (Nápoles)
Dr. M. Mauri (Pisa)
Dr. P. Sarteschi (Pisa)
Dr. M.R. Solla (Nápoles)
Dr. F. Veltro (Nápoles)

Iugoslávia

Dr. N. Bohacek (Zagreb)
Dr. M. Kocmur (Lubliana)
*Dr. J. Lokar (Lubliana)
Dr. B. Milac (Lubliana)
Dr. M. Tomori (Lubliana)

Japão

Dr. Y. Atsumi (Tóquio)
Dr. T. Chiba (Sapporo)
Dr. T. Doi (Tóquio)
Dr. F. Fukamauchi (Tóquio)

Dr. J. Fukushima (Sapporo)
Dr. T. Gotohda (Sapporo)
Dr. R. Hayashi (Ichikawa)
Dr. I. Hironaka (Nagasaki)
Dr. H. Hotta (Fukuoka)
Dr. J. Ichikawa (Sapporo)
Dr. T. Inoue (Sapporo)
Dr. K. Kadota (Fukuoka)
Dr. R. Kanena (Tóquio)
Dr. T. Kasahara (Sapporo)
Dr. M. Kato (Tóquio)
Dr. D. Kawatani (Fukuoka)
Dr. R. Kobayashi (Fukuoka)
Dr. M. Kohsaka (Sapporo)
Dr. T. Kojima (Tóquio)
Dr. M. Komiyama (Tóquio)
Dr. T. Koyama (Sapporo)
Dr. A. Kuroda (Tóquio)
Dr. H. Machizawa (Ichikawa)
Dr. R. Masui (Fukuoka)
Dr. R. Matsubara (Sapporo)
Dr. M. Matsumori (Ichikawa)
Dr. E. Matsushima (Tóquio)
Dr. M. Matsuura (Tóquio)
Dr. M.S. Michituji (Nagasaki)
Dr. H. Mori (Sapporo)
Dr. N. Morita (Sapporo)
Dr. I. Nakama (Nagasaki)
Dr. Y. Nakane (Nagasaki)
Dr. M. Nakayama (Sapporo)
Dr. M. Nankai (Tóquio)
Dr. R. Nishimura (Fukuoka)
Dr. M. Nishizono (Fukuoka)
Dr. Y. Nonaka (Fukuoka)
Dr. T. Obara (Sapporo)
Dr. Y. Odagaki (Sapporo)
Dr. U.Y. Ohta (Nagasaki)
Dr. K. Ohya (Tóquio)
Dr. S. Okada (Ichikawa)
Dr. Y. Okubo (Tóquio)

Dr. J. Semba (Tóquio)
Dr. H. Shibuya (Tóquio)
Dr. N. Shinkufu (Tóquio)
Dr. M. Shintani (Tóquio)
Dr. K. Shoda (Tóquio)
Dr. T. Sumi (Sapporo)
Dr. R. Takahashi (Tóquio)
Dr. T. Takahashi (Ichikawa)
Dr. T. Takeuchi (Ichikawa)
Dr. S. Tanaka (Sapporo)
Dr. G. Tomiyama (Ichikawa)
Dr. S. Tsutsumi (Fukuoka)
Dr. J. Uchino (Nagasaki)
Dr. H. Uesugi (Tóquio)
Dr. S. Ushijima (Fukuoka)
Dr. M. Wada (Sapporo)
Dr. T. Watanabe (Tóquio)
Dr. Y. Yamashita (Sapporo)
Dr. N. Yamanouchi (Ichikawa)
Dr. H. Yasuoka (Fukuoka)

Kuweit

Dr. F. El-Islam (Kuweit)

Libéria

Dr. B.L. Harris (Monrovia)

Luxemburgo

Dr. G. Chaillet (Luxemburgo)
*Dr. C.B. Pull (Luxemburgo)
Dr. M.C. Pull (Luxemburgo)

México

Dr. S. Altamirano (Cidade do México)
Dr. G. Barajas (Cidade do México)
Dr. C. Berlanga (Cidade do México)
Dr. J. Cravioto (Cidade do México)
Dr. G. Enriquez (Cidade do México)

LISTA DE INVESTIGADORES PRINCIPAIS

Dr. R. de la Fuente (Cidade do México)
Dr. G. Heinze (Cidade do México)
Dr. J. Hernandez (Cidade do México)
Dr. M. Hernandez (Cidade do México)
Dr. M. Ruiz (Cidade do México)
Dr. M. Solano (Cidade do México)
Dr. A. Sosa (Cidade do México)
Dr. D. Urdapileta (Cidade do México)
Dr. L.E. de la Vega (Cidade do México)

Nigéria

*Dr. R. Jegede (Ibadan)
Dr. K. Ogunremi (Ilorin)
Dr. J.U. Ohaeri (Ibadan)
Dr. M. Olatawura (Ibadan)
Dr. B.O. Osuntokun (Ibadan)

Noruega

Dr. M. Bergem (Oslo)
Dr. A.A. Dahl (Oslo)
Dr. L. Eitinger (Oslo)
Dr. C. Guldberg (Oslo)
Dr. H. Hansen (Oslo)
*Dr. U. Malt (Oslo)

Nova Zelândia

Dr. I. Haq (Karachi)
Dr. S. Hussain (Rawalpindi)
Dr. S. Kalamat (Rawalpindi)
Dr. K. Lal (Karachi)
Dr. F. Malik (Rawalpindi)
Dr. M.H. Mubbashar (Rawalpindi)
Dr. Q. Nazar (Rawalpindi)
Dr. T. Qamar (Rawalpindi)
Dr. T.Y. Saraf (Rawalpindi)
Dr. Sirajuddin (Karachi)
Dr. I.A.K. Tareen (Lahore)

Dr. K. Tareen (Lahore)
Dr. M.A. Zahid (Lahore)

Peru

Dr. J. Marietegui (Lima)
Dr. A. Perales (Lima)
Dr. C. Sogi (Lima)
Dr. D. Worton (Lima)
Dr. H. Rotondo (Lima)
Dr. C.M. Braganza (Tokanui)
Dr. J. Crawshaw (Wellington)
Dr. P. Ellis (Wellington)
Dr. P. Hay (Wellington)
Dr. G. Mellsop (Wellington)
Dr. J.R.B. Saxby (Tokanui)
Dr. G.S. Ungvari (Tokanui)

Paquistão

Dr. S. Afgan (Rawalpindi)
Dr. A.R. Ahmed (Rawalpindi)
Dr. M.M. Ahmed (Rawalpindi)
Dr. S.H. Ahmed (Karachi)
Dr. M. Arif (Karachi)
Dr. S. Baksh (Rawalpindi)
Dr. T. Baluch (Karachi)
Dr. K.Z. Hasan (Karachi)

Polônia

Dr. M. Anczewska (Varsóvia)
Dr. E. Bogdanowicz (Varsóvia)
Dr. A. Chojnowska (Varsóvia)
Dr. K. Gren (Varsóvia)
Dr. J. Jaroszynski (Varsóvia)
Dr. A. Kiljan (Varsóvia)
Dr. E. Kobrzynska (Varsóvia)
Dr. L. Kowalski (Varsóvia)
Dr. S. Leder (Varsóvia)
Dr. E. Lutynska (Varsóvia)

Dr. B. Machowska (Varsóvia)
Dr. A. Piotrowski (Varsóvia)
Dr. S. Puzynski (Varsóvia)
Dr. M. Rzewuska (Varsóvia)
Dr. I. Stanikowska (Varsóvia)
Dr. K. Tarczynska (Varsóvia)
Dr. I. Wald (Varsóvia)
Dr. J. Wciorka (Varsóvia)

Reino Unido

Dr. Adityanjee (Londres)
Dr. P. Ainsworth (Manchester)
Dr. T. Arie (Nottingham)
Dr. J. Bancroft (Edimburgo)
Dr. P. Bebbington (Londres)
Dr. S. Benjamin (Manchester)
Dr. I. Berg (Leeds)
Dr. K. Bergman (Londres)
Dr. I. Brockington (Birmingham)
Dr. J. Brothwell (Nottingham)
Dr. C. Burford (Londres)
Dr. J. Carrick (Londres)
*Dr. A. Clare (Londres)
Dr. A.W. Clare (Londres)
Dr. D. Clarke (Birmingham)
*Dr. J.E. Cooper (Nottingham)
Dr. P. Coorey (Liverpool)
Dr. S.J. Cope (Londres)
Dr. J. Copeland (Liverpool)
Dr. A. Coppen (Epsom)
*Dr. J.A. Corbett (Londres)
Dr. T.K.J. Craig (Londres)
Dr. C. Darling (Nottingham)
Dr. C. Dean (Birmingham)
Dr. R. Dolan (Londres)
*Dr. J. Griffith Edwards (Londres)
Dr. D.M. Eminson (Manchester)
Dr. A. Farmer (Cardiff)

Dr. K. Fitzpatrick (Nottingham)
Dr. T. Fryers (Manchester)
*Dr. M. Gelder (Oxford)
*Dr. D. Goldberg (Manchester)
Dr. I.M. Goodyer (Manchester)
*Dr. M. Gossop (Londres)
*Dr. P. Graham (Londres)
Dr. T. Hale (Londres)
Dr. M. Harper (Cardiff)
Dr. A. Higgitt (Londres)
Dr. J. Higgs (Manchester)
Dr. N. Holden (Nottingham)
Dr. P. Howlin (Londres)
Dr. C. Hyde (Manchester)
Dr. R. Jacoby (Londres)
Dr. I. Janota (Londres)
Dr. P. Jenkins (Cardiff)
Dr. R. Jenkins (Londres)
Dr. G. Jones (Cardiff)
*Dr. R.E. Kendell (Edimburgo)
Dr. N. Kreitman (Edimburgo)
Dr. R. Kumar (Londres)
Dr. M.H. Lader (Londres)
Dr. R. Levy (Londres)
Dr. J.E.B. Lindesay (Londres)
Dr. W.A. Lishman (Londres)
Dr. A. McBride (Cardiff)
Dr. A.D.J. McDonald (Londres)
Dr. C. McDonald (Londres)
Dr. P. McGuffin (Cardiff)
Dr. M. McKenzie (Manchester)
Dr. J. McLaughlin (Leeds)
Dr. A.H. Mann (Londres)
Dr. S. Mann (Londres)
*Dr. I. Marks (Londres)
Dr. D. Masters (Londres)
Dr. M. Monaghan (Manchester)
Dr. K.W. Moses (Manchester)
Dr. J. Oswald (Edimburgo)

LISTA DE INVESTIGADORES PRINCIPAIS

Dr. E. Paykel (Londres)
Dr. N. Richman (Londres)
Dr. Sir Martin Roth (Cambridge)
*Dr. G. Russel (Londres)
*Dr. M. Rutter (Londres)
Dr. N. Seivewright (Nottingham)
Dr. D. Shaw (Cardiff)
*Dr. M. Shepherd (Londres)
Dr. A. Steptoe (Londres)
*Dr. E. Taylor (Londres)
Dr. D. Taylor (Manchester)
Dr. R. Thomas (Cardiff)
Dr. P. Tyrer (Londres)
*Dr. D.J. West (Cambridge)
Dr. P.D. White (Londres)
Dr. A.O. Williams (Liverpool)
Dr. P. Williams (Londres)
*Dr. J. Wing (Londres)
*Dr. L. Wing (Londres)
Dr. S. Wolff (Edimburgo)
Dr. S. Wood (Londres)
Dr. W. Yule (Londres)

República da Coreia

Dr. Young Ki Chung (Seul)
Dr. M.S. Kil (Seul)
Dr. B.W. Kim (Seul)
Dr. H.Y. Lee (Seul)
Dr. M.H. Lee (Seul)
Dr. S.K. Min (Seul)
Dr. B.H. Oh (Seul)
Dr. S.C. Shin (Seul)

República Islâmica do Irã

Dr. H. Davidian (Teerã)

República Unida da Tanzânia

*Dr. J.S. Neki (Dar es Salam)

Romênia

Dr. M. Dehelean (Timisoara)
Dr. P. Dehelean (Timisoara)
Dr. M. Ienciu (Timisoara)
Dr. M. Lazarescu (Timisoara)
Dr. O. Nicoara (Timisoara)
Dr. F. Romosan (Timisoara)
Dr. D. Schrepler (Timisoara)

Sudão

Dr. M.B. Bashir (Khartum)
Dr. A.O. Sirag (Khartum)

Suécia

Dr. T. Bergmark (Danderyd)
Dr. G. Dalfelt (Lund)
Dr. G. Elofsson (Lund)
Dr. E. Essen-Möller (Lysekil)
Dr. L. Gustafson (Lund)
*Dr. B. Hagberg (Gothenburg)
*Dr. C. Perris (Umea)
Dr. B. Wistedt (Danderyd)

Suíça

Dr. N. Aapro (Genebra)
Dr. J. Angst (Zurique)
Dr. L. Barrelet (Perreux)
Dr. L. Ciompi (Berna)
Dr. V. Dittman (Basel)
Dr. P. Kielholz (Basel)
Dr. E. Kolatti (Genebra)
Dr. D. Ladewig (Basel)
Dr. C. Müller (Prilly)
Dr. J. Press (Genebra)
Dr. B. Reith (Genebra)
*Dr. C. Scharfetter (Zurique)
Dr. M. Sieber (Zurique)

Dr. H.C. Steinhausen (Zurique)
Mr. A. Tongue (Lausanne)

Tailândia

Dr. C. Krishna (Bangkok)
Dr. S. Dejatiwongse (Bangkok)

Tchecoslováquia

Dr. P. Baudis (Praga)
Dr. V. Filip (Praga)
Dr. D. Seifertova (Praga)
Dr. D. Taussigova (Praga)

Turquia

Dr. I.F. Dereboy (Ancara)
Dr. A. #Gorgus (Ancara)
Dr. C. #Guleç (Ancara)

Dr. O. #Özturk (Ancara)
Dr. D.B. #Ulug (Ancara)
Dr. N.A. Ulusahin (Ancara)
Dr. T.B. #Üstün (Ancara)

Uruguai

Dr. R. Almada (Montevidéu)
Dr. P. Alterwain (Montevidéu)
Dr. L. Bolognisi (Montevidéu)
Dr. P. Bustelo (Montevidéu)
Dr. U. Casaroti (Montevidéu)
Dr. E. Dorfman (Montevidéu)
Dr. F. Leite (Montevidéu)
Dr. A.J. Montoya (Montevidéu)
Dr. A. Nogueira (Montevidéu)
Dr. E. Prost (Montevidéu)
Dr. C. Valino (Montevidéu)

Índice

Nota: Para aquelas entradas marcadas com # ver lista de categorias para quarto e quinto caractere adicional. As letras NCOL significam "não classificado em outros locais"; elas são adicionadas a termos classificados como categorias residuais, como um aviso de que formas especificadas das condições são classificadas diferentemente.

Abstinência, estado de (ver Estado de abstinência)

Abuso (de) (ver também Uso nocivo)
— analgésicos F55.2
— antiácidos F55.3
— antidepressivos F55.0
— — tetracíclicos F55.0
— — tricíclicos F55.0
— aspirina F55.2
— diuréticos F55.8
— ervas populares específicas F55.6
— esteroides F55.5
— fenacetina F55.2
— hormônios F55.5
— inibidores da monoamina-oxidase F55.0
— laxativos F55.1
— paracetamol F55.2
— remédios folclóricos populares específicos F55.6
— substâncias que não produzem dependência F55.9
— — especificadas NCOL F55.8
— vitaminas F55.4

Acalculia do desenvolvimento F81.2

Acrofobia F40.2

Adição (ver Síndrome de dependência)

Aerofagia psicogênica F45.31

Afasia
— adquirida com epilepsia F80.3

— do desenvolvimento
— — tipo expressivo F80.1
— — tipo receptivo F80.2
— — de Wernicke F80.2

Agnosia do desenvolvimento F88

Agorafobia
— com transtorno de pânico F40.01
— sem transtorno de pânico F40.00

Ajustamento, transtorno de (ver Transtorno de ajustamento)

Álcool
— dependência F10.2 #
— estado de abstinência F10.3 #
— — com *delirium* F10.4 #

Alcoólico (a)
— alucinose (aguda) F10.5 #
— ciúme F10.5 #
— embriaguez, aguda F10.0 #
— paranoia F10.5 #
— psicose F10.5 #
— síndrome amnéstica F10.6 #

Alcoolismo
— crônico F10.2 #
— síndrome de Korsakov F10.6

Alimentação, transtorno de, na infância F98.2

Alucinatório (a)
— estado, orgânico F06.0
— psicose, crônica F28

Alucinose
— alcoólica F10.5 #
— orgânica F06.0

Alzheimer, doença de
— demência F00.9 #

— — atípica F00.2 #
— — início precoce F00.0 #
— — pré-senil F00.0 #
— — senil F00.1 #
— — início tardio F00.1 #
— — pré-senil F00.0 #
— — tipo misto F00.2 #
— tipo 1 F00.1 #
— tipo 2 F00.2 #

Amnésia dissociativa F44.0

Amnéstica, síndrome (ver Síndrome amnéstica)

Anedonia (sexual) F52.11

Anestesia e perda sensorial dissociativas F44.6

Anorexia nervosa F50.0
— atípica F50.1

Anorgasmia psicogênica F52.3

Ansiedade
— depressão F41.2
— estado F41.1
— fóbica na infância F93.1
— histeria F41.8
— neurose F41.1
— onírica F51.5
— paroxística episódica F41.0
— reação de F41.1
— de separação na infância F93.0
— social na infância F93.2

Ansiedade, transtorno de (ver Transtorno de ansiedade)

Antropofobia F40.1

Asperger, síndrome de F84.5

Astenia neurocirculatória F45.30

Ataque de pânico F41.0

Atenção, déficit de
— transtorno de, com hiperatividade F90.0
— sem hiperatividade F98.8
— síndrome de, com hiperatividade F90.0

Atos compulsivos F42.1

Autismo
— atípico F84.1
— infantil F84.0

Autista
— transtorno F84.0
— psicopatia F84.5

Aversão sexual F52.10

Bad trip **(decorrente de alucinógenos) F16.0 #**

Balbucio F80.8

Bater a cabeça (repetitivo) F98.4

Beziehungswahn, sensitiver **F22.0**

Bipolar, transtorno afetivo (ver Transtorno afetivo bipolar)

Borderline, **personalidade (transtorno) F60.31**

Bouffée délirante
— com sintomas de esquizofrenia F23.1
— — com estresse agudo F23.11
— — sem estresse agudo F23.10
— sem sintomas de esquizofrenia F23.0
— — com estresse agudo F23.01
— — sem estresse agudo F23.00

Briquet, transtorno de F48.8

Bulimia nervosa F50.2
— atípica F50.3

Cabular aulas F91.2

Cãibra de escrivão F48.8

Cefaleia psicogênica F45.4

Choque
— cultural F43.28
— psíquico F43.0

Ciclotimia F34.0

Ciúme
— alcoólico F10.5
— entre irmãos F93.3

Claustrofobia F40.2

Cleptomania F63.2

Colo irritável, síndrome do F45.32

Complexo AIDS — demência F02.4 #

Complexo parkinsonismo — demência de Guam F02.8 #

Comportamento
— transtorno de, na infância F91.9
— incendiário patológico F63.1

Compulsivos, atos F42.1

Conduta, transtorno de (ver Transtorno de conduta)

Confusão psicogênica F44.88

Confusional, estado (não alcoólico) F05. —
— subagudo F05.8

Conversivo
— transtorno F44. —
— histeria F44. —
— reação F44. —

Convulsões dissociativas F44.5

Crepuscular, estado (ver Estado crepuscular)

Creutzfeldt-Jacob, doença de F02.1 #

Criança desajeitada, síndrome da F82

Cutucar os olhos, estereotipado, autolesivo F98.4

Da Costa, síndrome de F54.30

Debilidade mental (ver Retardo mental)

Deficiência mental (ver Retardo mental)

Delinquência (juvenil), grupal F91.2

Delirante, transtorno (ver Transtorno delirante)

Delírio sensitivo de autorreferência F22.0

Delirium F05.9
— especificado NCOL F05.8
— estado de abstinência F1x.4
— não sobreposto à demência F05.0
— de origem mista F05.8
— sobreposto à demência F05.1
— *tremens* (induzido por álcool) F10.4 #

Demência (em) F03 #
— complexo parkinsonismo — demência de Guam F02.8 #
— coreia de Huntington (doença) F02.2 #
— cortical, predominantemente F01.1 #
— deficiência de niacina (pelagra) F02.8 #
— deficiência de vitamina B12 F02.8 #
— degeneração hepatolenticular (doença de Wilson) F02.8 #
— degenerativa primária F03 #
— — tipo Alzheimer F00.0 #
— doença de Alzheimer F00.9 #
— — atípica F00.2 #
— — início precoce F00.0 #
— — início tardio F00.1 #
— — tipo misto F00.2 #

- doença causada pelo vírus da imunodeficiência humana (HIV) F02.4 #
- doença de Creutzfeldt-Jacob F02.1#
- doença especificada NCOL F02.8 #
- doença de Parkinson F02.3 #
- doença de Pick F02.0 #
- envenenamento por monóxido de carbono F02.8 #
- epilepsia F02.8 #
- esclerose múltipla F02.8 #
- hipercalcemia F02.8 #
- hipotireoidismo adquirido F02.8 #
- infantil F84.3
- intoxicações F02.8 #
- lipoidose cerebral F02.8 #
- lupus eritematoso sistêmico F02.8 #
- múltiplos infartos F01.1 #
- neurossífilis F02.8 #
- paralisia agitada F02.3 #
- paralisia geral do insano F02.8 #
- parkinsonismo F02.3 #
- poliarterite nodosa F02.8 #
- predominantemente cortical F01.1 #
- pré-senil F03 #
- primária, degenerativa F03 #
- senil F03 #
- — tipo Alzheimer F00.1 #
- tripanossomíase F02.8 #
- vascular F01.9 #
- — especificada NCOL F01.8 #
- — de início agudo F01.0 #
- — mista cortical e subcortical F01.3 #
- — subcortical F01.2 #

Dependência (ver Síndrome de dependência)

Depressão F32.9
- agitada, episódio único F32.2
- ansiosa
- — leve ou não persistente F41.2
- — persistente (distimia) F34.1
- atípica F32.8
- endógena F33. —
- maior

— — episódio único F32. —
— — recorrente F33. —
—mascarada F32.8
— monopolar F33.9
— neurótica (persistente) F34.1 —
— pós-esquizofrênica F20.4 #
— pós-natal F53.0
— pós-parto F53.0
— psicogênica F32. —
— psicótica F32.3
— reativa F32. —
— vital, sem sintomas psicóticos F32.2

Depressivo
— transtorno (ver Transtorno depressivo)
— episódio (ver Episódio depressivo)

Dermatozoenwahn F06.0

Desejo sexual, falta ou perda F52.0

Desenvolvimento, transtorno do (ver Transtorno do desenvolvimento)

Despersonalização — desrealização, síndrome de F48.1

Desrealização F48.1

Desvio sexual F65.9

Dhat, síndrome de F48.8

Diarreia
— gasosa, síndrome da F45.32
— psicogênica F45.32

Dipsomania F10.2 #

Disfasia do desenvolvimento

— tipo expressivo F80.1
— tipo receptivo F80.2

Disfonia psicogênica F44.4

Disfunção
— autonômica somatoforme F45.3
— — coração e sistema cardiovascular F45.30
— — órgão especificado NCOL F45.38
— — sistema geniturinário F45.34
— — sistema respiratório F45.33
— — trato gastrintestinal inferior F45.32
— — trato gastrintestinal superior F45.31
— orgásmica F52.3
— sexual, não causada por transtorno ou doença orgânica F52.9
— — especificada NCOL F52.8

Dislalia do desenvolvimento F80.0

Dislexia do desenvolvimento F81.0

Dispraxia do desenvolvimento F82

Dismorfofobia (não delirante) F45.2
— delirante F22.8

Dispareunia não orgânica F52.6

Dispepsia psicogênica F45.31

Dissonia F51. —

Distimia F34.1

Transtorno (de)
— afetivo (ver Transtorno de humor)
— afetivo sazonal F33. —
— agressivo não socializado F91.1
— ajustamento
— — com outros sintomas predominantes especificados F43.28
— — com perturbação mista de emoções e conduta F43.25
— — com perturbação predominante de conduta F43.24
— — com perturbação predominante de outras emoções F43.23
— — reação ansiosa e depressiva (mista) F43.22
— — reação depressiva breve F43.20
— — reação depressiva prolongada F43.21
— alimentação, na infância F98.2
— alimentar F50.9

— — especificado NCOL F50.8
— ansiedade F41.9
— — e depressão, misto F41.2
— — especificado NCOL F41.8
— — fóbico F40.9
— — — na infância F93.1
— — generalizada F41.1
— — misto F41.3
— — onírica F51.5
— — paroxística episódica F41.0
— — de separação, na infância F93.0
— — social, na infância F93.2
— aprendizagem, desenvolvimento da F81.9
— articulação, funcional F80.0
— autista F84.0
— bipolar (afetivo) F31.9
— — em remissão (atualmente) F31.7
— — — episódio atual
— — — depressivo grave
— — — — com sintomas psicóticos F31.5
— — — — sem sintomas psicóticos F31.4
— — — depressivo leve ou moderado
— — — — com sintomas somáticos F31.31
— — — — sem sintomas somáticos F31.30
— — — hipomaníaco F31.0
— — — maníaco
— — — — com sintomas psicóticos F31.2
— — — — sem sintomas psicóticos F31.1
— — — misto F31.6
— — episódio maníaco único F30. —
— — especificado NCOL F31.8
— — orgânico F06.31
— bipolar II F31.8
— Briquet F48.8
— caráter F68.8
— cognitivo leve F06.7
— comportamento (ver Transtorno mental e de comportamento)
— conduta F91.9
— — com transtorno depressivo (F30 — F39) F92.0
— — com transtorno emocional (F93. —) F92.8
— — com transtorno neurótico (F40 — F48) F92.8
— — depressivo F92.0

— — desafiador de oposição F91.3
— — hipercinético F90.1
— — na infância F91.9
— — não socializado F91.1
— — restrito ao contexto familiar F91.0
— — socializado F91.2
— — tipo agressivo solitário F91.1
— — tipo grupal F91.2
— conversão F44. —
— — especificado NCOL F44.8
— — misto F44.7
— déficit de atenção
— — com hiperatividade F90.0
— — sem hiperatividade F98.8
— delirante F22.0
— — induzido F24
— — persistente F22.9
— — — especificado NCOL F22.8
— depressivo F32.9
— — orgânico F06.32
— — recorrente F33.9
— — — breve F38.10
— — — episódio atual
— — — — em remissão F33.4
— — — — especificado NCOL F33.8
— — — — grave
— — — — — com sintomas psicóticos F33.3
— — — — — sem sintomas psicóticos F33.2
— — — — leve F33.0
— — — — — com sintomas somáticos F33.01
— — — — — sem sintomas somáticos F33.00
— — — — moderado F33.1
— — — — — com sintomas somáticos F33.11
— — — — — sem sintomas somáticos F33.10
— desenvolvimento (de) F89
— — afasia
— — — — tipo expressivo F80.1
— — — tipo receptivo F80.2
— — articulação F80.0
— — coordenação F82
— — escrita expressiva F81.8
— — especificado NCOL F88

— — fala F80.9
— — — especificado NCOL F80.8
— — fonológico F80.0
— — função motora F82
— — habilidades aritméticas F81.2
— — habilidades escolares F81.9
— — — misto F81.3
— — invasivo F84. —
— — linguagem F80.9
— — — especificado NCOL F80.8
— — misto, específico F83
— — psicológico F89
— desintegrativo da infância, especificado NCOL F84.3
— dismórfico corporal F45.2
— dissociativo F44.9
— — especificado NCOL F44.88
— — misto F44.7
— — motor F44.4
— — transitório na infância e adolescência F44.82
— doloroso somatoforme persistente F45.4
— emocional, início na infância F93.9
— — específico NCOL F93.8
— ereção masculina F52.2
— escrita expressiva, desenvolvimento da F81.8
— esquizoafetivo F25.9
— — especificado NCOL F25.8
— — tipo bipolar F25.2
— — tipo depressivo F25.1
— — tipo maníaco F25.0
— — tipo misto F25.2
— esquizofreniforme F20.8 #
— — breve F23.2
— esquizoide
— — na infância F84.5
— — personalidade F60.1
— esquizotípico (personalidade) F21
— estresse pós-traumático F43.1
— evitação na infância e adolescência F93.2
— excitação sexual feminina F52.2
— explosivo intermitente F63.8
— fóbico-ansioso F40.9
— — especificado NCOL F40.8

– – na infância F93.1
– fonológico do desenvolvimento F80.0
– função motora, específico F82
– funcionamento social
– – especificado NCOL F94.8
– – retraimento e timidez decorrentes de deficiências da competência social F94.8
– habilidades aritméticas, específico F81.2
– habilidades escolares, desenvolvimento das F81.9
– – especificado NCOL F81.8
– – misto F81.3
– hábitos e impulsos F63.9
– – especificado NCOL F63.8
– hiperansiedade, na infância F93.8
– hiperatividade, com retardo mental e movimentos estereotipados F84.4
– hipercinético F90.9
– – conduta F90.1
– – especificado NCOL F90.8
– humor (afetivo) F39
– – episódio único, especificado NCOL F38.0
– – especificado NCOL F38.8
– – orgânico F06.3 #
– – persistente F34.9
– – – especificado NCOL F34.8
– – recorrente, especificado NCOL F38.1
– identidade, na infância F93.8
– identidade ou papel sexual F64.9
– – na adolescência ou idade adulta, tipo não transexual F64.1
– – especificado NCOL F64.8
– – na infância F64.2
– invasivo do desenvolvimento F84.9
– – específico NCOL F84.8
– leitura, específico F81.0
– – com dificuldades do soletrar F81.0
– linguagem, desenvolvimento da F80.9
– – expressiva F80.1
– – receptiva F80.2
– maníaco, orgânico F06.30
– maturação sexual F66.0
– mental e de comportamento (decorrente de) F99
– – doença física F06.9
– – – especificado NCOL F06.8
– – específico NCOL

— — — induzido por alucinógenos F16.8
— — — induzido por cafeína F15.8
— — — induzido por canabinoides F12.8
— — — induzido por cocaína F14.8
— — — induzido por estimulantes F15.8
— — — induzido por hipnóticos F13.8
— — — induzido por múltiplas drogas F19.8
— — — induzido por opioides F11.8
— — — induzido por sedativos F13.8
— — — induzido por solventes voláteis F18.8
— — — induzido por substância psicoativa F19.8
— — — induzido por tabaco F17.8
— — induzido por álcool F10.9
— — induzido por alucinógenos F16.9
— — induzido por cafeína F15.9
— — induzido por canabinoides F12.9
— — induzido por cocaína F14.9
— — induzido por estimulantes F15.9
— — induzido por hipnóticos F13.9
— — induzido por múltiplas drogas F19.9
— — induzido por opioides F11.9
— — induzido por sedativos F13.9
— — induzido por solventes voláteis F18.9
— — induzido por substância psicoativa F19.9
— — induzido por tabaco F17.9
— — lesão e disfunção cerebrais F06.9
— — — especificado NCOL F06.8
— — orgânico F09
— — no puerpério F53.9
— — — especificado NCOL F53.8
— — — grave F53.1
— — — leve F53.0
— — sintomático F09
— mental, não psicótico F99
— neurótico F48.9
— — especificado NCOL F48.8
— não socializado, agressivo F91.1
— obsessivo-compulsivo F42.9
— — especificado NCOL F42.8
— orgânico
— — afetivo misto F06.33
— — ansiedade F06.4

– – astênico F06.6
– – bipolar F06.31
– – catatônico F06.1
– – esquizofreniforme F06.2
– – delirante (esquizofreniforme) F06.2
– – depressivo F06.32
– – dissociativo F06.5
– – do humor (afetivo) F06.3
– – de labilidade afetiva (astênico) F06.6
– – maníaco F06.30
– – mental F09
– – paranoide F06.2
– – de personalidade F07.0
– pânico F41.0
– – com agorafobia F40.01
– paranoide induzido F24
– personalidade F60.9
– – afetivo de F34.0
– – agressiva F60.30
– – amoral F60.2
– – anancástica F60.5
– – ansiosa F60.6
– – antissocial F60.2
– – associal F60.2
– – astênica F60.7
– – autoderrotista F60.7
– – *borderline* F60.31
– – e comportamento (em adultos) F69
– – – especificado NCOL F68.8
– – compulsiva F60.5
– – dependente F60.7
– – depressiva F34.1
– – dissocial F60.2
– – emocionalmente instável
– – – tipo *borderline* (limítrofe) F60.31
– – – tipo impulsivo F60.30
– – especificado NCOL F60.8
– – esquizoide F60.1
– – esquizotípica F21
– – de evitação F60.6
– – excêntrica F60.8
– – explosiva F60.30

— — fanática F60.0
— — histérica F60.4
— — histriônica F60.4
— — imatura F60.8
— — inadequada F60.7
— — limítrofe F60.31
— — múltipla F44.81
— — narcisista F60.8
— — obsessivo-compulsiva F60.5
— — orgânico de, decorrente de doença, lesão e disfunção cerebrais F07.9
— — — especificado NCOL F07.8
— — paranoide F60.0
— — paranoide expansiva F60.0
— — paranoide sensitiva F60.0
— — passiva F60.7
— — passivo-agressiva F60.8
— — patológica F60.9
— — psicoinfantil F60.4
— — psiconeurótica F60.8
— — psicopática F60.2
— — querelante F60.0
— — sociopática F60.2
— — tipo *haltlose* F60.8
— — tipo misto F61.0
— possessão F44.3
— pós-traumático, de estresse F43.1
— psicossexual, desenvolvimento F66.9
— — especificado NCOL F66.8 #
— psicossomático
— — indiferenciado F45.1
— múltiplo F45.0
— psicótico
— — agudo
— — — esquizofreniforme
— — — — com estresse agudo F23.21
— — — — sem estresse agudo F23.20
— — — polimórfico
— — — — com sintomas de esquizofrenia F23.1
— — — — — com estresse agudo F23.11
— — — — — sem estresse agudo F23.10
— — — — sem sintomas de esquizofrenia F23.0
— — — — — com estresse agudo F23.01

– – – – – sem estresse agudo F23.00
– – – predominantemente delirante F23.3
– – – – com estresse agudo F23.31
– – – – sem estresse agudo F23.30
– – agudo e transitório F23.9
– – – especificado NCOL F23.8
– – induzido por álcool F10.5 #
– – induzido por alucinógenos F16.5 #
– – induzido por canabinoides F12.5 #
– – induzido por cocaína F14.5 #
– – induzido por estimulantes NCOL F15.5 #
– – induzido por hipnóticos F13.5 #
– – induzido por múltiplas drogas F19.5 #
– – induzido por opioides F11.5 #
– – induzido por sedativos F13.5 #
– – induzido por solventes voláteis F18.5 #
– – induzido por substância psicoativa NCOL F19.5 #
– – induzido por tabaco F17.5 #
– – não orgânico F29
– – – especificado NCOL F28
– – orgânico F09
– – polimórfico, agudo (ver Transtorno psicótico agudo)
– – residual ou de início tardio F1*x*.7 #
– – – induzido por álcool F10.7 #
– – – induzido por alucinógenos F16.7 #
– – – induzido por cafeína F15.7 #
– – – induzido por canabinoides F12.7 #
– – – induzido por cocaína F14.7 #
– – – induzido por estimulantes NCOL F15.7 #
– – – induzido por hipnóticos F13.7 #
– – – induzido por opioides F11.7 #
– – – induzido por sedativos F13.7 #
– – – induzido por solventes voláteis F18.7 #
– – – induzido por substância psicoativa NCOL F19.7 #
– – – induzido por tabaco F17.7 #
– recorrente de humor (afetivo) (ver Transtorno de humor)
– relacionamento F68.8
– rivalidade entre irmãos F93.3
– sexual
– – desejo, hipoativo F52.0
– – maturação F66.0 #
– – preferência F65.9

— — — especificado NCOL F65.8
— — relacionamento F66.2 #
— soletração, específico F81.1
— somatização F45.0
— somatoforme F45.9
— — doloroso persistente F45.4
— — especificado NCOL F45.8
— — indiferenciado F45.1
— sono
— — emocional F519
— — não orgânico F51.9
— — — especificado NCOL F51.8
— tique F95.9
— — crônico
— — — motor F95.1
— — — vocal F95.1
— — especificado NCOL F95.8
— — transitório F95.0
— — vocais e motores múltiplos combinados F95.2
— transe e possessão F44.3
— vinculação na infância
— — com desinibição F94.2
— — reativo F94.1

Disúria psicogênica F45.34

Doença (de)
— Alzheimer F00. — #
— Creutzfeldt-Jakob F02.1 #
— Huntington F02.2 #
— Parkinson F02.3 #
— Pick F02.0 #

Doloroso somatoforme persistente, transtorno F45.4

Ejaculação precoce F52.4

Elaboração de sintomas físicos por razões psicológicas F68.0

Embriaguez aguda no alcoolismo F10.0 #

Encefalite subaguda por HIV F02.4 #

Encefalopatia
— por HIV F02.4 #
— pós-concussional F07.2

Encoprese de origem não orgânica F98.1

Enfiar o dedo no nariz F98.8

Enurese (primária) (secundária)
— funcional F98.0
— de origem não orgânica F98.0
— psicogênica F98.0

Epilepsia límbica, síndrome da personalidade de F07.0

Episódio
— depressivo
— —especificado NCOL F32.8
— — — grave
— — — com sintomas psicóticos F32.3
— — — sem sintomas psicóticos F32.2
— — leve F32.0
— — — com sintomas somáticos F32.01
— — — sem sintomas somáticos F32.00
— — moderado F32.1
— — com sintomas somáticos F32.11
— — sem sintomas somáticos F32.10
— hipomaníaco F30.0
— humor (afetivo), único, especificado NCOL F38.0
— maníaco F30.9
— — com sintomas psicóticos F30.2
— — especificado NCOL F30.8
— — sem sintomas psicóticos F30.1
— misto, afetivo F38.00

Esbofetear o rosto, estereotipado, autolesivo F98.4

Específico, transtorno (de)
— articulação da fala F80.0
— habilidades aritméticas F81.2
— leitura F81.0
— soletrar F81.1

Esquizofrenia F20.9 #
— aguda, indiferenciada F23.2 #
— atípica F20.3 #
— *borderline* F21
— catatônica F20.2 #
— cenestopática F20.8 #
— cíclica F25.2 #
— crônica, indiferenciada F20.5 #
— desorganizada F20.1 #
— especificada NCOL F20.8 #
— hebefrênica F20.1 #
— indiferenciada F20.3 #
— latente F21
— paranoide F20.0 #
— parafrênica F20.0 #
— pré-psicótica F21
— prodrômica F21
— pseudoneurótica F21
— pseudopsicopática F21
— residual F20.5 #
— simples F20.6 #
— simplex F20.6 #

Esquizofrênica
— catalepsia F20.2 #
— catatonia F20.2 #
— flexibilidade cérea F20.2 #
— reação, latente F21
— "Restzustand" F20.5 #

Esquizofreniforme, transtorno F20.8 #
— breve F23.2
— orgânico F06.2
— psicótico agudo (ver Transtorno psicótico)

Esquizoide
— transtorno, na infância F84.5
— transtorno de personalidade F60.1

Esquizotípico, transtorno (personalidade) F21

Estado (de)

— abstinência (de)
— — álcool F10.3 #
— — — com *delirium* F10.4 #
— — alucinógenos F16.3 #
— — — com *delirium* F16.4 #
— — cafeína F15.3 #
— — canabinoides F12.3 #
— — cocaína F14.3 #
— — — com *delirium* F14.4 #
— — estimulantes NCOL F15.3 #
— — — com *delirium* F15.4 #
— — hipnóticos F13.3 #
— — — com *delirium* F13.4 #
— — múltiplas drogas F19.3 #
— — — com *delirium* F19.4 #
— — opioides F11.3 #
— — — com *delirium* F11.4 #
— — sedativos F13.3 #
— — — com *delirium* F13.4 #
— — solventes voláteis F18.3 #
— — — com *delirium* F18.4 #
— — substâncias psicoativas NCOL F19.3 #
— — — com *delirium* F19.4 #
— — tabaco F17.3 #
— alucinatório orgânico (não alcoólico) F06.0
— ansiedade F41.1
— crepuscular
— — dissociativo F44.88
— — orgânico F06.5
— — psicogênico F44.88
— crise F43.0
— pânico F41.0
— paranoide F22.0
— — involutivo F22.8
— — orgânico F06.2
— paranoide-alucinatório F06.2

Estresse
— transtorno de, pós-traumático F43.1
— reação ao F43.9
— — aguda F43.0
— — especificada NCOL F43.8

Estupor
— catatônico F20.2 #
— depressivo F32.3
— dissociativo F44.2
— maníaco F30.2

Exibicionismo F65.2

Fadiga
— de combate F43.0
— síndrome de F48.0

Fala desordenada F98.6

Falha de percepção auditiva congênita F80.2

Falha de resposta genital F52.2

Falta de desejo sexual F52.0

Falta de prazer sexual F52.11

Fatores psicológicos e de comportamento
— afetando condições físicas F54
— associados a transtornos ou doenças classificados em outros locais F54

Fetichismo F65.0
— transvestista F65.1

Flatulência psicogênica F45.32

Fobia F40.9
— de animais F40.2
— específicas (isoladas) F40.2
— de exames F40.2
— simples F40.2
— social F40.1

Fóbico (a)
— ansiedade (reação) (transtorno) F40.9
— — especificado NCOL F40.8
— estados F40.9

Folie à deux F24

Frigidez F52.0

Frotteurismo F65.8

Fuga dissociativa F44.1

Função motora, transtorno do desenvolvimento da F82

Gagueira F98.5
— forma grave F80.0

Ganser, síndrome de F44.8

Gerstmann, síndrome de, do desenvolvimento F81.2

Gilles de la Tourette, síndrome de F95.2

Hebefrenia F20.1 #

Heller, síndrome de F84.3

Hipercinético, transtorno (ver Transtorno hipercinético)

Hiperemese gravídica psicogênica F50.5

Hiperfagia
— associada a perturbações psicológicas, especificada NCOL F50.4
— psicogênica F50.4

Hiperorexia nervosa F50.2

Hipersonia não orgânica F51.1

Hiperventilação psicogênica F45.33

Hipocondria F45.2

Hipomania F30.0

Histeria F44 #
— de ansiedade F41.8
— de conversão F44 #

HIV
— encefalite por, subaguda F02.4 #
— encefalopatia F02.4 #

Hospitalismo em crianças F43.2 #

Humor, transtorno do (ver Transtorno do humor)

Huntington, coreia ou doença de F02.2 #

Identidade ou papel sexual, transtorno de (ver Transtorno de identidade ou papel sexual)

Idiotia F73 #

Imbecilidade F71 #

Impotência (sexual) (psicogênica) F52.2

Incapacidade (de)
— aprendizagem SOE F81.9
— aquisição de conhecimento SOE F81.9

Incontinência, origem não orgânica
— fecal F98.1
— urinária F98.0

Insônia, não orgânica F51.0

Institucional, síndrome F94.2

Intoxicação aguda (decorrente de)
— álcool F10.0 #
— alucinógenos F16.0 #
— canabinoides F12.0 #
— cocaína F14.0 #
— estimulantes NCOL F15.0 #
— hipnóticos F13.0 #
— múltiplas drogas F19.0 #
— opioides F11.0 #
— sedativos F13.0 #
— solventes voláteis F18.0 #

— substâncias psicoativas NCOL F19.0 #
— tabaco F17.0 #

Invenção de sintomas ou incapacidades (físicas) (psicológicas) F68.1

Inversão (do), psicogênica
— ritmo circadiano F51.2
— ritmo nicto-hemeral F51.2

Jogo
— compulsivo F63.0
— patológico F63.0

Kanner, síndrome de F84.0

Koro F48.8

Landau-Kleffner, síndrome de F80.3

Latah F48.8

Leitura
— transtorno específico de F81.0
— — com dificuldades do soletrar F81.0
— invertida F81.0
— retardo específico de F81.0

Limítrofe, personalidade (transtorno) F60.31

Linguagem, transtorno do desenvolvimento da F80.9

Lobo frontal, síndrome do F07.0

Lobotomia, síndrome da F07.0

Lombalgia psicogênica F45.4

Mania F30.9
— com sintomas psicóticos F30.2
— sem sintomas psicóticos F30.1

"Más viagens" (decorrentes de alucinógenos) F16.0 #

Masoquismo F65.5

Masturbação excessiva F98.8

Melancolia F32.9

Mental, retardo (ver Retardo mental)

Micção, frequência aumentada, psicogênica F45.34

Mordida, estereotipada, autolesiva F98.4

Movimentos estereotipados, patológicos (autolesivos) F98.4

Munchhausen, síndrome de F68.1

Mutismo
— eletivo F94.0
— seletivo F94.0

Necrofilia F65.8

Neurastenia F48.0

Neurose (de)
— anancástica F42. —
— cardíaca F45.30
— caráter F60.9
— compensação F68.0
— depressiva F34.1
— gástrica F45.31
— hipocondríaca F45.2
— obsessiva F42. —
— obsessivo-compulsiva F42. —
— ocupacional F48.8
— psicastênica F48.8
— social F40.1
— traumática F43.1

Ninfomania F52.7

Nocivo, uso (ver Uso nocivo)

Nosofobia F45.2

Obsessivo(a)

— neurose F42. —
— rituais F42.1
— ruminações F42.0
— pensamentos F42.0
— pensamentos e atos, mistos F42.2

Obsessivo-compulsivo (a)
— transtorno F42.9
— — especificado NCOL F42.8
— neurose F42. —

Oligofrenia F23.2

Onírica, transtorno de ansiedade F51.5

Orgasmo inibido (masculino) (feminino) F52.3

Orientação sexual egodistônica F66.1 #

Paciente peregrino F68.1

Pânico
— ataque F41.0
— transtorno F41.0

Parafilia F65.9

Parafrenia (tardia) F22.0

Paralisia de membro(s)
— histérica F44.4
— psicogênica F44.4

Paranoia F22.0
— alcoólica F10.5
— querelante F22.8

Paranoide
— esquizofrenia F20.0 #
— estado F22.0
— — involutivo F22.8
— personalidade F60.0
— psicose F22.0

Parassonia F51. —

Doença de Parkinson F02.3 #

Patológico
— comportamento incendiário F63.1
— jogo F63.0
— roubo F63.2

Pedofilia F65.4

Perda de
— apetite, psicogênica F50.8
— desejo sexual F52.0

Personalidade
— alteração (não decorrente de lesão ou doença cerebral) permanente (após) F62.9
— — doença psiquiátrica F62.1
— — especificada NCOL F62.8
— — experiência catastrófica F62.0
— — perda F62.8
— de dor crônica, síndrome da F62.8
— transtorno (ver Transtorno de personalidade)
— — importuna F61.1

Perturbação (predominantemente) (de)
— atividade e atenção F90.0
— conduta em transtornos de ajustamento F43.24
— emoções especificadas NCOL em transtorno de ajustamento F43.23
— misto de emoções e conduta em transtorno de ajustamento F43.25

Pesadelo F51.5

Pica
— em adultos, origem não orgânica F50.8
— na infância F98.3

Pick, doença de F02.0 #

Piloroespasmo psicogênico F45.31

Piromania F63.1

Pós-concussional
— encefalopatia F07.2
— síndrome F07.2

Pós-contusional, síndrome F07.2

Pós-encefalítica, síndrome F07.1

Pós-esquizofrênica, depressão F20.4 #

Pós-leucotomia, síndrome F07.0

Pós-traumática, síndrome cerebral, não psicótica F07.2

Possessão, transtorno de F44.3

Psicalgia F45.4

Psicastenia F48.8

Psicopatia
— por carência afetiva (na infância) F94.2
— autista F84.5

Psicose
— afetiva F38.9
— — especificada NCOL F38.8
— alcoólica F10.5
— alucinatória crônica F28
— cicloide F23.0
— — com sintomas de esquizofrenia F23.1
— — — com estresse agudo F23.11
— — — sem estresse agudo F23.10
— — sem sintomas de esquizofrenia F23.0
— — — com estresse agudo F23.01
— — — sem estresse agudo F23.00
— depressiva reativa F32.3
— desintegrativa (da infância) F84.3
— epilética F06.8
— esquizoafetiva (ver Transtorno esquizoafetivo)
— esquizofreniforme F20.8
— — e afetiva mista F25.2
— — breve F23.2

— — — com estresse agudo F23.21
— — — sem estresse agudo F23.20
— — na epilepsia F06.2
— — tipo depressivo F25.1
— — tipo maníaco F25.2
— histérica F44.8
— induzida F24
— infantil F84.0
— — atípica F84.1
— de Korsakov (decorrente de) (ver também Síndrome amnéstica)
— — não alcoólica F04
— — substâncias psicoativas F19.6
— mista esquizofrênica e afetiva F25. —
— não orgânica F29
— orgânica F09
— paranoide F22.0
— pré-senil F03 #
— psicogênica
— — depressiva F32.3
— — paranoide F23.3 #
— puerperal F53.1
— senil F03 #
— simbiótica F24
— — na infância F84.3
— sintomática F09

Psicossíndrome orgânica F07.9

Puxar cabelos F98.4

"Rato" de hospital, síndrome do F68.1

Reação (de)
— ajustamento (ver Transtorno de ajustamento)
— ansiedade F41.1
— crise, aguda F43.0
— depressiva
— — e ansiosa, mista F43.22
— — breve F43.20
— — prolongada F43.21
— esquizofrênica F23.2 #
— estresse, aguda F438

— estresse grave F43.9
— — especificada NCOL F43.8
— hipercinética (na infância ou adolescência) F90.9
— paranoide F233 #
— pesar F43.2 #

Resposta genital, falha de F52.2

Restzustand **esquizofrênico F20.5 #**

Retardo
— específico de leitura F81.0
— específico do soletrar
— — com transtorno de leitura F81.0
— — sem transtorno de leitura F81.0
— mental F79 #
— — com aspectos autistas F84.1
— — especificado NCOL F78 #
— — grave F72 #
— — leve F70 #
— — moderado F71 #
— — profundo F73 #

Rett, síndrome de F84.2

Ritmo (inversão psicogênica do)
— circadiano F51.2
— nicto-hemeral F51.2

Rivalidade entre
— companheiros (não irmãos) F93.8
— irmãos F93.3

Roer unhas F98,8

Roubo
— com companhia (em transtorno de conduta) F91.2
— patológico F63.2

Ruminação
— transtorno de, na infância F98.2
— obsessiva F42.0

Sadismo (sexual) F65.51

Sadomasoquismo F65.5

Satiríase F52.7

Separação, ansiedade de, na infância F93.0

Sexual
— aversão F52.10
— desejo, falta ou perda F52.0
— impulso, excessivo F52.7
— maturação, transtorno de F66.0 #
— orientação, egodistônica F66.1 #
— prazer, falta de F52.11
— preferência, transtorno de F65.9
— — especificado NCOL F65.8
— — múltiplo F65.6
— relacionamento, transtorno de F66.2 #

Síncope psicogênica F48.8

Síndrome (de)
— abstinência (ver Estado de abstinência)
— abstinência de álcool P10.3 #
— amnéstica
— — induzida por alucinógenos F16.6
— — induzida por canabinoides F12.6
— — induzida por estimulantes NCOL F15.6
— — induzida por hipnóticos F13.6
— — induzida por múltiplas drogas F19.6
— — induzida por opioides F11.6
— — induzida por sedativos F13.6
— — induzida por solventes voláteis F18.6
— — induzida por substâncias psicoativas NCOL F19.6
— — orgânica (não alcoólica) F04
— Asperger F84.5
— cerebral pós-traumática não psicótica F07.2
— colo irritável F45.32
— comportamental, associada a perturbações fisiológicas e fatores físicos F59
— criança desajeitada F82
— Da Costa F45.30
— dependência (a)

— — álcool F10.2 #
— — alucinógenos F16.2 #
— — cafeína F15.2 #
— — canabinoides F12.2 #
— — cocaína F14.2 #
— — estimulantes NCOL F15.2 #
— — hipnóticos F13.2 #
— — múltiplas drogas F19.2 #
— — opioides F11.2 #
— — sedativos F13.2 #
— — solventes voláteis F18.2 #
— — substâncias psicoativas NCOL F19.2 #
— — tabaco F17.2 #
— despersonalização-desrealização F48.1
— Dhat F48.8
— diarreia gasosa F45.32
— fadiga F48.0
— Ganser F44.80
— Gerstmann do desenvolvimento F81.2
— Gilles de la Tourette F95.2
— Heller F84.3
— hipercinética F90.9
— institucional F94.2
— Kanner F84.0
— Korsakov
— — alcoólica F10.6
— — não alcoólica F04
— Landau-Kleffner F80.3
— lobo frontal F07.0
— lobotomia F07.0
— Munchhausen F68.1
— personalidade de dor crônica F62.8
— personalidade de epilepsia límbica F07.0
— pós-concussional F07.2
— pós-contusional F07.2
— pós-encefalítica F07.1
— pós-leucotomia F07.0
— queixas múltiplas F45.0
— "rato" de hospital F68.1
— Rett F84.2

Sintomas
— físicos
— — elaboração de F68.0
— — invenção de F68.1
— psicológicos, invenção de F68.1

Social, fobia F40.1

Soluço psicogênico F45.31

Somatização, transtorno de F45.0

Somatoforme
— disfunção autonômica (ver Disfunção autonômica somatoforme)
— transtorno (ver Transtorno somatoforme)

Sonambulismo F51.3

Sono
— transtorno F51.9
— — especificado NCOL F51.8
— inversão psicogênica do ritmo de F51.2
— terrores do F51.4

Subnormalidade (ver Retardo mental)

Surdez
— psicogênica F44.6
— verbal F80.2

Taquifemia F98.6

Tartamudez F98.5

Terrores noturnos F51.4

Tique (ver Transtorno de tique)

Tosse psicogênica F45.33

Tourette, síndrome de F95.2

Transe (e possessão), transtorno de F44.3

Transexualismo F64.0

Transvestismo
— de duplo papel F64.1
— fetichista F65.1

Tricotilomania F63.3

Uso nocivo (não dependente) de
— álcool F10.1
— alucinógenos F16.1
— cafeína F15.1
— canabinoides F12.1
— cocaína F14.1
— estimulantes NCOL F15.1
— hipnóticos F13.1
— múltiplas drogas F19.1
— opioides F11.1
— sedativos F13.1
— solventes voláteis F18.1
— substâncias psicoativas NCOL F19.1
— tabaco F17.1

Vaginismo não orgânico F52.5

Vascular, demência (ver Demência vascular)

Verbal, surdez F80.2

Vinculação, transtorno de, na infância (ver Transtorno de vinculação)

Vômitos
— associados a perturbações psicológicas, especificados NCOL F50.5
— psicogênicos F50.5

Voyeurismo F65.3

Wernicke, afasia de, do desenvolvimento F80.2

Zoofilia F65.8

Zoofobia F40.2